Mitten in Europa

Verflechtung und Abgrenzung in der Schweizer Geschichte

André Holenstein

HIER UND JETZT

Mitten in Europa

7	**Verflechtung und Abgrenzung: Geschichte und Aktualität einer Schweizer Problematik**
9	Europäisierung, Globalisierung und die Verunsicherung der Schweiz
17	Sackgassen und tote Winkel im nationalen Geschichtsbild
21	Identitätsbildung und Alteritätserfahrung: die Gründung der Eidgenossenschaft im 15. Jahrhundert
27	**Verflechtungen in der alten Schweiz**
30	Verflechtung durch Migration
32	Militärische Arbeitsmigration
41	Zivile Arbeitsmigration
79	Kommerzielle Verflechtung
108	Aussenpolitische und diplomatische Verflechtung

Bildteil

161	**Abgrenzungen in der alten Schweiz**
165	Neutralität als Abgrenzung: vom Gebot der Staatsräson zum Fundament nationaler Identität
172	Identitätsbildung durch Abgrenzung: «frume, edle puren» gegen den bösen Adel
175	Bedrohtes eidgenössisches Wesen: die Kritik an Solddienst und «fremden Händeln»
178	Helvetismus: Abgrenzungen gegen das Ausland und die Entdeckung des Schweizer Nationalcharakters
195	**Zwischen Einbindung und Absonderung: Rollen und Rollenbilder des Kleinstaats im 19. und 20. Jahrhundert**
198	Anders (und besser): die Erfahrung des Sonderfalls
202	Anders (und vorbildlich): die Rechtfertigung des Sonderfalls
213	Die Aussenbeziehungen einer kleinen, neutralen, besonderen Republik
231	Wachstum durch Verflechtung: der Kleinstaat als Wirtschaftsmacht
243	**Mitten in Europa: Transnationalität als «condition d'être» der Schweiz**
246	Verflechtung als Überlebensstrategie
249	Abgrenzung als Identitätsstiftung und Legitimationsstrategie
255	Was leistet die transnationale Betrachtung der Schweizer Geschichte?
265	Anmerkungen
269	Literaturangaben zu den einzelnen Kapiteln
271	Bibliografie
285	Abbildungsnachweis und Abkürzungen

Verflechtung und Abgrenzung: Geschichte und Aktualität einer Schweizer Problematik

Europäisierung, Globalisierung und die Verunsicherung der Schweiz

Die Schweiz ist fundamental verunsichert. Die Globalisierung der Wirtschaft und der dynamisch fortschreitende Prozess der europäischen Integration wirken sich massiv auf den Kleinstaat aus und erschüttern das Fundament des nationalen Selbstverständnisses. Was lange Zeit als verlässlicher Rahmen schweizerischer Selbstverortung in der Welt galt, ist brüchig oder hinfällig geworden. Die Schweiz sieht sich aufgerüttelt und durchgeschüttelt durch Entwicklungen in Europa und in der Welt, deren Antriebskräfte sich der souveränen Kontrolle des Kleinstaats entziehen.

Mit dem Ende des Kalten Kriegs 1989/90 löste sich jene bipolare Mächteordnung auf, die der Schweiz seit dem Zweiten Weltkrieg ihren Platz in der Welt der antagonistischen Supermächte zugewiesen hatte. Bis zum Fall des Eisernen Vorhangs zählte sich auch der neutrale Kleinstaat zum westlichen, antikommunistischen Lager. Unter dem Schild der atomaren Abschreckung fand auch er Sicherheit und profitierte von einer Weltlage, in der die Staaten andere Sorgen hatten, als sich um die ungefährliche Schweiz zu kümmern. Doch seit 25 Jahren ist die politische Weltordnung von einer diffusen Multipolarität bestimmt. Neue Bedrohungslagen (Klimaerwärmung, Umwelt- und Naturkatastrophen, Migrationsbewegungen, Terrorismus) stellten sich ein, vor denen die Neutralität keinen Sinn mehr macht.

In den 1950er-Jahren setzte der europäische Integrationsprozess ein. Der supranationale europäische Staatenverbund, dem mittlerweile 28 Staaten angehören, verdichtete sich institutionell. Er koordiniert die Handels-, Wirtschafts- und Steuerpolitik seiner Mitglieder. Mit dem europäischen Binnenmarkt und dessen vier Grundfreiheiten (freier Warenverkehr, Personenfreizügigkeit, Dienstleistungsfreiheit, freier Kapital- und Zahlungsverkehr) schuf die Europäische

Union (EU) 1993 den grössten gemeinsamen Markt der Welt. Dieser ist von existenzieller Bedeutung für die Schweizer Volkswirtschaft. Nach der Ablehnung des Beitritts zum Europäischen Wirtschaftsraum (EWR) durch das Volk 1992 setzte der Bundesrat die seit dem Freihandelsabkommen mit der Europäischen Wirtschaftsgemeinschaft (EWG) von 1972 verfolgte Strategie des Bilateralismus für die Regelung der Beziehungen zur EU fort. Nachdem diese Politik der sektoriellen Verträge auf bilateraler Basis während 20 Jahren als Königsweg der offiziellen Schweizer Europapolitik in mehreren Volksabstimmungen sanktioniert worden war, stellt die Annahme der sogenannten Masseneinwanderungsinitiative der Schweizerischen Volkspartei (SVP) im Februar 2014 die Schweizer Diplomatie und Politik vor die komplexe, wenn nicht gar unlösbare Aufgabe, die neue Verfassungsbestimmung mit den bestehenden bilateralen Verträgen und der früheren, grundsätzlichen Zustimmung der Schweiz zu den europäischen Grundfreiheiten in Einklang zu bringen. Von der institutionellen Klärung ihres Verhältnisses zur Europäischen Union und damit nicht nur zu ihrem mit Abstand wichtigsten Handelspartner, sondern auch zu ihrem unmittelbaren geopolitischen Umfeld ist die Schweiz im Moment weit entfernt.

Thomas Maissen zu den aktuellen Verstörungen des nationalen Selbstverständnisses (2009)
Seit dem Ende des Kalten Kriegs haben «etliche frühere Selbstbeschreibungen [...] an Erklärungskraft verloren. Gegen welche bösen Mächte soll die Freiheit verteidigt werden, wenn keine Bedrohung durch nahegelegene totalitäre Staaten mehr existiert? Wem gegenüber will man neutral bleiben, wenn die europäischen Völker sich zu einer politischen Gemeinschaft zusammenschliessen? Was macht den Wirtschaftsstandort Schweiz aus, wenn altvertraute Unternehmen ihre Namen anglisieren, ihre Produktion ins Ausland verlagern und ihre Gewinne dort erwirtschaften? Was bleibt von einem dreisprachigen Helvetismus, wenn wir kulturell vor allem durch die Massenmedien der jeweils einen benachbarten Sprachnation geprägt werden? Oder wenn das freundeidgenössische Binnengespräch in der neuen Primarschulsprache Englisch erfolgen muss?»[1]

Als Exportland ist die Schweiz von der Dynamik der Globalisierung und der Liberalisierung des Welthandels besonders betroffen. Schweizer Traditionsmarken gehen in internationalen Konzernen auf. Die Führer der in der Schweiz beheimateten internationalen Konzerne und Banken tragen englische Funktionsbezeichnungen und werden auf einem globalen Arbeitsmarkt für Topmanager rekrutiert. Sie machen Lohn- und Gratifikationsansprüche geltend, deren unschweizerische Unbescheidenheit zu reden gibt. Produktionsstätten werden in Billiglohnländer verlagert, sodass sich im Inland mehr und mehr eine komplexe Dienstleistungswirtschaft entwickelt, die ihren hohen Bedarf an spezialisierten sowie unqualifizierten Arbeitskräften nur noch durch Zuwanderung zu decken vermag.

Die Globalisierung dynamisiert nicht nur die Warenströme; sie setzt auch Menschen in Bewegung. Ende des 19. Jahrhunderts wanderten Menschen aus Italien erstmals in grösserer Zahl in die Schweiz ein, weil das Land dringend Arbeitskräfte brauchte. Nach dem Zweiten Weltkrieg folgten Spanier und Portugiesen, später Menschen aus dem ehemaligen Jugoslawien. Seit den 1970er-Jahren trafen zunehmend auch Angehörige aussereuropäischer Kulturen und Länder in der Schweiz ein, insbesondere Flüchtlinge und Asylsuchende aus Vietnam, Sri Lanka, dem arabischen Raum und Schwarzafrika. Seit mehr als einem Jahrhundert bildet die gesellschaftliche Integration der zuwandernden Menschen ein zentrales Thema der Schweizer Innenpolitik. Ausdruck tief sitzender Ängste vor den Folgen der Einwanderung waren die Verfassungsinitiativen gegen die sogenannte Überfremdung, gegen den Bau von Minaretten, gegen liberalere Einbürgerungsbestimmungen oder für die Ausschaffung krimineller Ausländer. Nicht von ungefähr klagten diese Initiativen den Vorrang der nationalen Souveränität gegenüber dem Völkerrecht ein. Das internationalisierte Rechtssystem, in das auch die Schweiz aus freiem Entschluss eingebunden ist, nehmen diese politischen Vorstösse als Bedrohung der nationalen Souveränität wahr, die es mit der Ablehnung «fremder Richter» zu retten gelte.

Schliesslich trug auch die Finanz- und Staatsschuldenkrise der letzten Jahre zur Verunsicherung und Verstörung der Schweiz bei. Nachdem die Nachbarn und alten Freunde schon lange argwöhnisch den Abfluss unversteuerter Vermögensbestände ihrer Steuerzahlenden in die Schweiz beobachtet hatten, verständigten sie sich unter dem Druck ihrer enormen Schulden, die wegen der Programme zur Belebung der Konjunktur und zur Rettung grosser Banken noch massiv gestiegen waren, darauf, sich in der «Steueroase» die dringend benötigten, undeklarierten Steuergelder ihrer Bürgerinnen und Bürger zu holen. Lange geduldete Praktiken der Grossbanken im Geschäft mit ausländischen Kundinnen und Kunden wurden nun nicht mehr hingenommen. Dem konzertierten Vorgehen supranationaler Institutionen wie der EU, der OECD oder der G-8-Gruppe sowie dem Druck der USA hatte die politisch isolierte Schweiz wenig entgegenzusetzen, zumal die Bahamas oder die Cayman Islands in dieser Situation nicht wirklich potente Verbündete darstellten. Was die Schweizer Sozialdemokratie in jahrzehntelanger politischer Kärrnerarbeit vergeblich angestrebt hatte – die Aufhebung des Bankgeheimnisses –, bewerkstelligte massiver internationaler Druck in kürzester Zeit, zumal weder die Politik noch die Banken in der Schweiz auf diese Offensive vorbereitet waren.

Viele Schweizerinnen und Schweizer fühlen sich durch diese Veränderungen in ihrem Nationalstolz empfindlich getroffen, waren sie es doch lange Zeit gewohnt, vom Ausland für den Erfolg ihres Landes bewundert und beneidet zu werden. Hinzu kamen Ereignisse wie der Untergang der Swissair 2001/02 und das Debakel der Grossbank UBS 2008/09, die ihnen umso schlimmer vorkamen, als sie nicht nur den Ruf des Landes weiter beschädigten, sondern im Ausland auch Stoff für hämische Kommentare über die Unbilden des einzelgängerischen Sonderfalls und Musterschülers lieferten.

Der Kleinstaat Schweiz erfährt die Auswirkungen dynamischer ökonomischer und politischer Prozesse besonders drastisch. Dies hat mehrere Gründe: Sein hohes Wohlstandsniveau basiert auf seiner Integration in die europäische und globale Wirtschaft. Aussenpolitisch ist das Land aber zunehmend isoliert. Es besitzt keine starke diplomatisch-aussenpolitische Tradition. Es legt die Neutralität enger aus als andere Neutrale wie Schweden oder Österreich. Es nimmt nicht an den massgeblichen politischen Entscheidungsprozessen in der Europäischen Union teil, sondern betreibt den sogenannten autonomen Nachvollzug des europäischen Rechts – eine Formulierung, die schönfärberisch und entlarvend zugleich nichts anderes als die einseitige, schleichende Erosion nationaler Souveränität ohne entsprechende Mitwirkung umschreibt. Schliesslich gestaltet sich die politische Steuerung des dynamischen Wandels in Europa und in der Welt in der

Schweiz besonders schwierig, weil die halbdirekte Demokratie mit Referendum und Initiative dem Volk entscheidende Mitbestimmungsrechte einräumt. Nirgendwo sind Innen- und Aussenpolitik so stark miteinander verzahnt wie in der Schweiz. Das Schweizer Volk beziehungsweise jene Kreise, die sich erfolgreich zu seinem Sprecher machen, schaffen es – anders als das Volk in parlamentarisch-demokratisch verfassten Staaten – verhältnismässig leicht, die Auswirkungen der zunehmenden Verflechtung auf die politische Agenda zu setzen. Die Volksrechte werden seit einiger Zeit besonders von jenen politischen Kreisen genutzt, die mit einer Strategie der Abgrenzung den Herausforderungen des dynamischen Wandels auf supranationaler Ebene begegnen wollen. Integrations- und aussenpolitische Themen sind in den vergangenen Jahren zum Gegenstand eines permanenten Wahlkampfs geworden, der sich potenziell in vier Abstimmungen pro Jahr vollzieht. Die Schweizerische Volkspartei (SVP) verdankt ihren Aufstieg in den Kreis der wählerstärksten Parteien seit den 1990er-Jahren einer politischen Strategie, die die Ängste der Schweizer Bevölkerung vor einer kulturellen Entfremdung im eigenen Land aufgreift. Dies gelingt ihr, indem sie eine weitergehende Integration der Schweiz in die Europäische Union und eine liberalere Einbürgerung von Ausländern strikt ablehnt; ausserdem fordert sie eine strengere Strafrechtsgesetzgebung und Religionspolitik gegenüber Ausländern und insbesondere Muslimen (Ausschaffungs- und Minarettinitiative), eine Verschärfung der Asylgesetzgebung und kritisiert die Einwanderung ausländischer Arbeitskräfte («Masseneinwanderung»). Sie versteift sich dabei auf vermeintlich sichere Positionen wie die Behauptung der Neutralität und nationalstaatlichen Souveränität, die sie zu zeitlos gültigen staatspolitischen Maximen mythisiert, deren Preisgabe das Ende der Schweiz bedeuten würde.

Diese aktuellen Irritationen nationaler Befindlichkeiten sind zwar der Anlass, aber nicht die tiefere Motivation zu diesem Buch. Diese liegt in wissenschaftlicher Hinsicht vielmehr in der Beobachtung, wie ambivalent, widersprüchlich, mitunter geradezu schizophren das Verhalten des Kleinstaats Schweiz anmutet, der seit je existenziell mit Europa und der Welt verflochten ist und sich gleichzeitig geistig und mental dagegen abgrenzt.

Verflechtung und Abgrenzung sind die beiden Seiten der Medaille «Schweiz». Dieses Spannungsverhältnis in der Beziehung zu Europa und zur Welt bestimmte den Gang der Schweiz durch die Jahrhunderte. Aus der Verflechtung und Abgrenzung zum weiteren Umfeld versicherte sich die Eidgenossenschaft im 15. Jahrhundert erstmals ihrer Identität und Eigenständigkeit. Seitdem prägten Partizipation und Abschottung, Einbindung und Einigelung, Integration und Abkapselung in wechselnder Akzentuierung ihre Lebens- und Überlebensstrategien. Diese Wechselbeziehung erklärt letztlich, weshalb die Schweiz die Wendepunkte der Vergangenheit überdauerte und es sie im frühen 21. Jahrhundert überhaupt noch gibt.

Dieses Buch versteht sich – auch – als historischer Kommentar zu den europapolitischen Debatten der Politikerinnen und Politiker, Meinungsmacher und Medien, denen es vielfach an historischer Tiefenschärfe mangelt. Als historische Reflexion dieser Thematik wirft das Buch einen Blick auf die lange Dauer des komplexen Verhältnisses der Schweiz zu ihrem europäischen und globalen Umfeld. Es will die Erfahrungen von früher nicht als Anweisungen für die Gegenwart und Zukunft vergegenwärtigen. Allerdings plädiert es – wie jede historische Darstellung – für eine Betrachtungsweise, die alles Seiende als Gewordenes und damit auch als Vergängliches auffasst. Der historische Blick stiftet Sinn für die Veränderbarkeit der Verhältnisse, er fördert mental und kulturell die Bereitschaft, sich den Herausforderungen des Wandels zu stellen.

Historisches Wissen bedient Orientierungsbedürfnisse. Der Historiker führt dabei das bessere Argument gegen all jene ins Feld, die sich den «Reim auf die Vergangenheit machen, der ihnen passt».[2] Er verflüssigt versteinerte Auffassungen, die staatspolitische Maximen wie die der Souveränität oder Neutralität zu unveränderlichen Grössen stilisieren und dabei ausser Acht lassen, dass auch sie erst unter bestimmten historischen Umständen zu Leitvorstellungen wurden und mithin wandelbar sind. Gegen das Verhaftetsein in statischen Geschichtsbildern, die Traditionen nicht als Ergebnis historischer Entwicklungen, sondern als Ausdruck ewiger Wahrheiten auffassen, schärft historisches Wissen den Sinn für die Kräfte der Verflechtung und Abgrenzung, denen der Kleinstaat Schweiz immer ausgesetzt war und die ihn letztlich überhaupt erst möglich gemacht haben. Der Blick auf die «longue durée» macht auf Handlungsmuster und -strategien aufmerksam, die langfristig die «conditions d'être» des

Kleinstaats Schweiz in umfassenderen Machtkonstellationen und geopolitischen Zusammenhängen bestimmt haben.

Herbert Lüthy zur Ambivalenz von Geschichtsbewusstsein und Geschichtswahrheit (1964)
«Es ist gefährlich, wenn Geschichtsbewusstsein und Geschichtswahrheit, und damit auch Staatsbewusstsein und Staatswirklichkeit, so weit auseinanderrücken, dass wir von uns selbst nur noch in Mythen sprechen können. Wir haben uns eine Denkschablone des Eidgenössischen geschaffen, die weniger dazu dient, unsere Gegenwart zu gestalten, als uns vor ihr in Illusionen über uns selbst zu flüchten.»[3]

Urs Altermatt zur Notwendigkeit einer neuen Geschichtserzählung (2011)
«Was wir nach den Jahrzehnten der Einigelung brauchen, ist eine neue Lektüre unserer Geschichte, eine – und ich gebrauche bewusst dieses altmodische Wort – patriotische Erzählung, die für alle, die in der Schweiz wohnen, für Alteingesessene und für Zugewanderte, die ‹Idee Schweiz› neu reflektiert und uns diese jenseits von Denkmalpflege und von parteipolitischen Streitereien verständlich macht, eine Geschichtserzählung, die uns nicht von Europa absondert, sondern uns in diesem neuen Europa die Identität eines Mitakteurs gibt, denn es ist auf die Dauer keine Lösung, sich einfach vom europäischen Strom im automatischen Nachvollzug mitreissen zu lassen. Das Schlimmste wäre ein selbstauferlegtes Denkverbot in Bezug auf die Mission der Schweiz in Europa. Über die Schweiz nachdenken, heisst auch Europa mitgestalten.»[4]

Die in diesem Buch referierten Tatsachen sind bekannt. Neu mag allerdings der Versuch sein, die Geschichte der Schweiz konsequent unter dem Gesichtspunkt ihrer Verflechtung und Abgrenzung zu schreiben und diese gegensätzlichen Einstellungen in ihrem jeweiligen Wechselspiel zu betrachten, ohne sie gegeneinander auszuspielen. Dazu müssen die Sackgassen und toten Winkel eines nationalen Geschichtsverständnisses gemieden werden, das die Schweiz als ein Land versteht, das sich selbst genügt und seit je tapfer den Zumutungen der bedrohlichen Aussenwelt trotzt. Das Buch setzt deswegen mit einer Kritik des national verengten Geschichtsbildes ein. Diese schliesst auch eine Kritik der beiden populären Gründungserzählungen um das Rütli und um den Bundesbrief von 1291 ein, die beide von der Tatsache ablenken, dass die verbündeten Orte erst im 15. Jahrhundert begannen, sich als Teile eines grösseren Ganzen mit einer unverwechselbaren Identität zu begreifen. Wenn denn von einer eidgenössischen Gründerzeit die Rede sein soll, so trifft dies am ehesten auf das 15. Jahrhundert zu. Im Anschluss an diese Klärung der Ausgangslage macht sich die Darstellung auf den Weg durch die lange Geschichte schweizerischer Verflechtung und Abgrenzung. In zwei eigenständigen Abschnitten, die die alte Eidgenossenschaft sowie die moderne Schweiz des 19. bis frühen 21. Jahrhunderts gesondert betrachten, werden die langfristigen politischen, wirtschaftlichen und kulturellen Aussenbeziehungen des Landes geschildert. Diese werden den geistigen Abgrenzungsbewegungen gegenübergestellt, die ebenso alt sind wie die Verflechtungszusammenhänge und von den komplexen Bemühungen eines Landes zeugen, in Auseinandersetzung mit dem grösseren geopolitischen Umfeld den eigenen Platz in Europa zu finden, zu behaupten und sich auf diese Weise seiner Identität zu vergewissern. Der Schluss fasst wesentliche Beobachtungen zusammen und verdichtet diese zu einem Plädoyer für eine transnationale Sicht auf die Schweizer Geschichte und damit auf die «condition d'être» eines Kleinstaats mitten in Europa.

Sackgassen und tote Winkel im nationalen Geschichtsbild

Gewöhnlich ist das Verständnis der Schweizer Geschichte in einer nationalen Perspektive gefangen. In einem eigentlichen Tunnelblick sucht dieses Verständnis in der Vergangenheit nach dem langen Weg von der alten Eidgenossenschaft zum Bundesstaat von 1848, der mit seinen drei staatspolitischen Grundpfeilern des Föderalismus, der Souveränität und der Neutralität als Vollendung eidgenössischer Staatsbildung vorgestellt wird. Historische Tatsachen, die sich nicht in dieses Bild der föderalistischen, souveränen und neutralen Schweiz fügen, gehen nicht in die nationale Erinnerungstradition ein.

Föderalismus: Ein hervorragender Erinnerungsort des nationalen Geschichtsbildes ist das Parlamentsgebäude in Bern. In den Arkadenzwickeln des Ständeratssaals finden sich Jahreszahlen, die nach dem Willen des Bauherrn die wichtigsten «politischen, für die staatsrechtliche Ausgestaltung der mittelalterlichen und modernen Schweiz massgebenden Abmachungen» vorstellen sollen.

Neun Jahreszahlen im Ständeratssaal von 1903 symbolisieren die föderalistische Bundesideologie[5]

Jahr	Vertrag
1291	Bund der drei Waldstätte Uri, Schwyz, Nidwalden
1370	Pfaffenbrief der Orte Zürich, Luzern, Zug, Uri, Schwyz, Unterwalden
1393	Sempacherbrief der Orte Zürich, Luzern, Bern, Solothurn, Zug, Uri, Schwyz, Unterwalden, Glarus
1481	Stanser Verkommnis der Orte Zürich, Bern, Luzern, Uri, Schwyz, Unterwalden, Zug, Glarus
1803	Mediationsakte der 19 Kantone

1815	Bundesvertrag der 22 Kantone
1848	Erste Bundesverfassung
1874	Totalrevision der Bundesverfassung
1999	Neue Bundesverfassung

Die gerade Linie von den Verträgen des Mittelalters zu den Verfassungen des 19. Jahrhunderts suggeriert, der Wille der Kantone zur Integration neuer Mitgliedstaaten und zum immer engeren staatlichen Zusammenschluss sei die treibende Kraft der Nationalgeschichte gewesen. Sie blendet aus, dass die Erweiterung der 13-örtigen Eidgenossenschaft zur 19-örtigen Eidgenossenschaft (Aufnahme der Kantone St. Gallen, Graubünden, Aargau, Thurgau, Tessin, Waadt 1803) allein der Vermittlung Bonapartes (1769–1821) zu verdanken war und die Aufnahme der Kantone Wallis, Neuenburg und Genf 1814/15 und damit die Bildung der 22-örtigen Eidgenossenschaft erst nach massiven Interventionen der europäischen Grossmächte glückte.

Souveränität: Die Schweizer Historiker des 19. Jahrhunderts richteten ihre Erzählung von der Entstehung der nationalen Souveränität an den Jahreszahlen 1499 und 1648 aus. Sie machten aus dem sogenannten Schwabenkrieg 1499 einen Freiheitskrieg der Eidgenossen, die mit ihrem Sieg faktisch vom Reich unabhängig geworden seien. Quer zu dieser Deutung steht allerdings die Tatsache, dass sich die Kantone auch nach 1499 noch von jedem neuen Kaiser ihre Reichsprivilegien bestätigen liessen, ein letztes Mal von Kaiser Ferdinand I. (1503–1564) im Jahr 1559. Noch wesentlich länger, bis ins 17., teilweise gar 18. Jahrhundert, brachten die eidgenössischen Obrigkeiten den doppelköpfigen Reichsadler an öffentlichen Gebäuden an.

Die Erzählung vom zweistufigen Prozess zur Unabhängigkeit vom Reich sieht im Westfälischen Frieden von 1648 den Durchbruch zur formellen Souveränität der Eidgenossenschaft. Auch sie blendet Tatsachen aus, die nicht recht zum unbedingten Souveränitätswillen der Orte passen: Der eidgenössische Gesandte Johann Rudolf Wettstein (1594-1666) verhandelte in Westfalen zuerst gar nicht um die Loslösung vom Reich, sondern um die Zusage des Kaisers, keine Basler Kaufleute mehr vor Reichsgerichte zu zitieren. Erst der französische Gesandte auf dem Friedenskongress flüsterte Wettstein die Idee ein, er solle um die Souveränität verhandeln. Der Basler Bürgermeister betrieb von nun an die formelle Klärung und völkerrechtliche Absicherung einer faktischen Unabhängigkeit, und dies zunächst gegen den Willen der katholischen Orte, die den uneindeutigen, gewohnheitsrechtlichen Zustand lieber so belassen hätten, als ihn durch unsichere diplomatische Verhandlungen zu gefährden. Frankreichs diplomatische Unterstützung war allerdings nicht uneigennützig. Es band fortan die aus dem Reich ausgeschiedenen Kantone umso enger an sich. König Ludwig XIV. von Frankreich (1638–1715, König ab 1643) mischte sich in der zweiten Hälfte des 17. Jahrhunderts als eigentlicher Protektor über die Eidgenossenschaft wesentlich stärker in die Angelegenheiten der Orte ein, als dies Kaiser und Reich jemals getan hatten.

Neutralität: Die Nationalgeschichte schildert auch die Entstehung dieser zentralen Maxime schweizerischer Aussenpolitik gerne als ein Stück in zwei Akten und hat hierfür die Jahreszahlen 1515 und 1815 ins kollektive Gedächtnis eingeprägt. Sie deutet die Niederlage bei Marignano 1515 als heilsame Lektion, die den Eidgenossen die Grenzen ihrer Macht aufgezeigt habe. Aus der Einsicht in ihre aussenpolitische Handlungsunfähigkeit hätten diese sich damals aus der europäischen Grossmachtpolitik zurückgezogen. Marignano habe sie zur Vernunft, sprich zur Neutralität gebracht. Doch blendet auch diese Sicht entscheidende Aspekte aus: Gleichzeitig mit ihrem Verzicht auf die Rolle als europäische Grossmacht knüpften die Orte über Soldallianzen engste Beziehungen zu den Grossmächten Europas. 1521 schlossen sie mit Frankreich jenes Bündnis, das bis zur Entlassung der Schweizer Regimenter in französischen Diensten 1792 das Rückgrat der eidgenössischen Aussenbeziehungen bildete. 1815 – 300 Jahre nach Marignano – hätten die Grossmächte auf dem Wiener Kongress, so will es die Meistererzählung zur Neutralität weiter, die ewige, bewaffnete Neutralität der Schweiz auch völkerrechtlich anerkannt. Was gemeinhin als späte Sanktionierung einer alten eidgenössischen Praxis durch den Kongress dargestellt wird, war nüchtern besehen eine massive Einschränkung der aussenpolitischen Souveränität der Schweiz und zugleich die Voraussetzung dafür, dass die Grossmächte die weitere Existenz der Eidgenossenschaft befürworteten.

Den drei nationalgeschichtlichen Erzählungen ist eines gemeinsam: Sie stellen die Geschichte des Föderalismus, der Souveränität und Neutralität der Schweiz als besondere Leistung und alleiniges Verdienst der Eidgenossen dar. Kriegerische Tapferkeit, höhere Einsicht, freiwillige Selbstbeschränkung, der Wille zur nationalen Einigkeit, die Fähigkeit zum Ausgleich und derlei politische Tugenden mehr hätten letztlich zum Erfolg schweizerischer Staatsbildung geführt.

Gegen diese einseitige, allzu selbstgefällige und vielfach schlicht falsche Sicht der Dinge nimmt diese Darstellung eine transnationale Perspektive ein. Sie fokussiert konsequent auf die Verflechtung des Landes mit dessen räumlichem Umfeld und bettet die eidgenössischen Kleinstaaten in grenzüberschreitende Kräftekonstellationen ein. Französische Historiker bezeichnen diesen transnationalen Ansatz als «histoire croisée», die anglo-amerikanischen Kollegen sprechen von «entangled history». Letztlich setzen diese Konzepte eine Binsenwahrheit der Handlungs- und Kommunikationstheorie um, wonach Individuen, Gruppen und grössere Gemeinschaften ihre Identität nicht autonom aus ihrer Selbstrepräsentation heraus entwickeln, sondern dies immer im Austausch mit sowie in Abgrenzung zu Anderen beziehungsweise Anderem tun. Dies gilt auch für Nationen und Staaten, die nicht als isolierte Einheiten existieren, sondern immer in Verflechtungszusammenhängen, die nicht statisch, sondern als dynamische Prozesse in Raum und Zeit zu denken sind.

Die Geschichte der Schweiz als die Geschichte ihrer Beziehungen zu Europa zu betrachten heisst, die isolierte Nabelschau aufzugeben. Die Verflechtungen des Landes und seiner Bewohner mit Europa und der Welt sind nicht als Beziehungen zu einem Äusseren und Fremden zu begreifen, sondern als entscheidender Faktor für die Gestaltung der Verhältnisse im Lande selber, die ohne deren Berücksichtigung unverständlich blieben.

Identitätsbildung und Alteritätserfahrung: die Gründung der Eidgenossenschaft im 15. Jahrhundert

Seit wann kann sinnvollerweise von einer Eidgenossenschaft mit Beziehungen zu einem weiteren Umfeld die Rede sein? Die Frage setzt die Existenz eines Gebildes voraus, das sich selber als etwas Eigenständiges betrachtete und auch von aussen als solches wahrgenommen wurde.

Die historische Forschung hat schon lange die Vorstellung von der Gründung der Eidgenossenschaft am 1. August 1291 oder auf dem Rütli am Jahreswechsel 1307/08 verabschiedet. 1291 schlossen drei Gemeinden in der Innerschweiz ein Landfriedensbündnis ab, ohne damit einen Staat machen zu wollen. Um 1470 wurde erstmals die heroische Gründungserzählung vom Rütlischwur und dem tapferen Freiheitskampf der Waldstätte gegen adelige Vögte aufgezeichnet, und knapp 100 Jahre später datierte der Glarner Gelehrte Aegidius Tschudi diese Geschehnisse erstmals auf den Jahreswechsel 1307/08. Nachdem der Schweizerische Bundesrat in den 1890er-Jahren den 1. August offiziell zum Nationalfeiertag erklärt hatte, verschmolzen die beiden ursprünglich eigenständigen Erzählungen im Geschichtsbild der breiten Bevölkerung zur irrigen Vorstellung, am Nationalfeiertag vom 1. August gedenke man jeweils des Rütlischwurs aus dem Jahr 1291.

Die entscheidenden Schritte zur Ausbildung einer unverwechselbaren eidgenössischen Identität erfolgten im 15. Jahrhundert. Im Begriff «Eidgenossenschaft» verdichten sich fundamentale Strukturmerkmale der politischen Organisation und Kultur der Schweiz, deren Wurzeln ins Spätmittelalter zurückreichen. Als politischer Akt impliziert der geschworene Zusammenschluss mehrerer zu einer Genossenschaft zweierlei: Der Eid stiftet zwischen eigenständigen Parteien einen neuartigen politischen Zusammenhang. Eine Föderation setzt voraus, dass sich die Parteien als politisch handlungsfähige Partner anerkennen, die ihre politischen Beziehungen autonom gestalten können. Bündnisse stiften Beziehungen zwischen Parteien, die für die Wahrung gemeinsamer Interessen näher zusammenrücken, dabei aber grundsätzlich ihre Eigenständigkeit bewahren wollen.

Nun gab es im Spätmittelalter in Europa nicht nur die eine (später Schweizerische) Eidgenossenschaft, vielmehr wimmelte es geradezu von Bündnissen. In einer Zeit starker machtpolitischer Konkurrenz, als die Machtinteressen unzähliger Herrschaftsträger zusammenstiessen, schien es Königen, Fürsten, Adeligen, Klöstern und Gemeinden ratsam, sich auf viele Seiten hin abzusichern. Bündnisse schufen politische und militärische Sicherheit. Zugleich setzten sie im Machtbereich der Bündnispartner den Landfrieden durch, das heisst sie stellten auf dem Weg vertraglicher Vereinbarung Rechtssicherheit und Gewaltfreiheit her in einer Zeit, die noch keinen Staat als Träger des legitimen Gewaltmonopols kannte.

Im nachmals schweizerischen Raum besass die bündische Bewegung ein starkes kommunales Fundament. Die sogenannten Länder – grössere ländliche Gerichtsgemeinden wie Uri oder Schwyz – waren im Spätmittelalter ebenso wie die Städte des Mittellandes im Wettlauf um Allianzpartner sehr aktiv. Mit ihren Bündnissen wollten die Städte und Länder im 13. und 14. Jahrhundert allerdings keinen Staat gründen. Erst die nationalpatriotische Geschichtsschreibung des 19. Jahrhunderts hat aus der Vielzahl der Bündnisse der Städte und Länder im Spätmittelalter einige wenige ausgewählte zu eigentlichen schweizerischen Staatsgründungsakten stilisiert und die entsprechenden Urkunden zu sogenannten «Bundesbriefen» erhoben. Sie verkannte dabei die prinzipielle Offenheit der damaligen Macht- und Herrschaftslage und verkürzte in nationalgeschichtlicher Perspektive die komplexen Bündnisverhältnisse des Spätmittelalters zu einer Gründungsgeschichte, für die die sogenannten Eintritte der Kantone in *den* Bund die verfassungsgeschichtlichen Meilensteine auf dem langen Weg zum Bundesstaat des 19. Jahrhunderts bildeten.

Von welchem Zeitpunkt an verdichteten sich im schweizerischen Raum die offenen Herrschaftsverhältnisse, und warum entwickelte sich aus den Landfriedensbündnissen einiger Gemeinden die eine Eidgenossenschaft, die sich sowohl nach ihrem Selbstverständnis als auch in der Wahrnehmung von aussen als eigenständiger politischer Verband profilierte?

Die eigentliche Gründungszeit der Eidgenossenschaft ist das 15. Jahrhundert. Damals behaupteten sich die Kommunen – allen voran die Städte Bern, Zürich und Luzern – in der territorialpolitischen Konkurrenz gegen den Adel und insbesondere gegen Österreich-Habsburg als ihren schärfsten Rivalen. Nach dem Sieg der Waldstätte über ein österreichisches Heer bei Sempach 1386 führte die Eroberung des Aargaus – der alten habsburgischen Stammlande mit der namensgebenden Habsburg und den Klöstern Muri und Königsfelden als den beiden Hausklöstern und Grablegen der Habsburger – 1415 eine entscheidende Verdichtung eidgenössischer Herrschaft herbei. Die Eidgenossen teilten ihre gemeinsamen Eroberungen im Aargau – so wie später auch jene im Thurgau und im Tessin – nicht unter sich auf, sondern behielten sie als Untertanengebiete in kollektiver Verwaltung. Als «Gemeine Herrschaften» wurden sie fortan bis zum Ende des Ancien Régime reihum von Landvögten aus den beteiligten Kantonen verwaltet. Die hohe Bedeutung der Gemeinen Herrschaften für den Zusammenhalt der Eidgenossenschaft lässt sich daran ablesen, dass die gemeinsame Verwaltung auch nach der Glaubensspaltung fortgeführt wurde. Wie sehr die Verhältnisse unter den verbündeten Orten im 15. Jahrhundert ihre frühere Offenheit verloren und die Handlungsfreiheit der Gemeinden weniger wurde, musste die Stadt Zürich im sogenannten Alten Zürichkrieg (1436–1450) erfahren: Die übrigen Orte zwangen die Limmatstadt in einem blutigen Krieg dazu, ihr Bündnis mit Habsburg-Österreich aufzulösen und den Beziehungen zu den Eidgenossen den unbedingten Vorrang vor anderen Bündnissen einzuräumen.

Bald nach dieser Festigung des eidgenössischen Bündnisgeflechts wurde um 1470 erstmals die eidgenössische Gründungserzählung aufgezeichnet. Mit der heroischen Erzählung vom Widerstand der drei tapferen Länder am Vierwaldstättersee gegen die Willkür des Adels reagierten die Eidgenossen auf Vorwürfe Habsburg-Österreichs und der habsburgischen Kaiser, die die Eidgenossen als Zerstörer des Adels, als Rebellen gegen deren natürliche Herren und als meineidige, gottlose Feinde der ständisch-christlichen Gesellschaftsordnung brandmarkten. In ihrer Replik auf diese antieidgenössische Propaganda stellten sich die Eidgenossen als tugendhafte, gottesfürchtige, bescheidene Bauern dar («frume, edle puren»), deren sich Gott als Werkzeug bediente, um den tyrannischen, pflichtvergessenen Adel zu bestrafen. In ihren Schlachtensiegen über Habsburg und das Reich erblickten die Eidgenossen Urteile Gottes zugunsten eines auserwählten Volkes. Dieses moralisch höchst anspruchsvolle Eigenbild schrieb sich tief in das nationale Geschichtsbild ein. Die historische Forschung gab es erst im Verlauf des 19. Jahrhunderts zaghaft auf, während es im Geschichtsbild der breiten Bevölkerung bis heute fortlebt. Die erstmals im sogenannten Weissen Buch von Sarnen (um 1470) fassbare eidgenössische Gründungserzählung zeugt von der sich festigenden Identitätsrepräsentation der Eidgenossenschaft. Die Zurückweisung der antieidgenössischen Propaganda ging Hand in Hand mit der Formulierung einer Identitätskonstruktion, die nichts weniger als die politische Eigenständigkeit rechtfertigte.

In jener Zeit, 1479, verfasste der Einsiedler Mönch Albrecht von Bonstetten (um 1442/43–1504/05) eine dem venezianischen Dogen, dem Papst und dem König von Frankreich gewidmete landeskundliche Beschreibung der Eidgenossenschaft. Diese früheste Beschreibung der Grenzen der Eidgenossenschaft situierte das Land topografisch im Herzen Europas und erklärte es zum «punctus divisionis Europe», zum Trenn- und Mittelpunkt des Kontinents.[6]

Schliesslich klärte die Eidgenossenschaft im 15. Jahrhundert unter dem Einfluss der europäischen Mächtepolitik ihren Standort im Kreis der grossen Herren. Im Vorfeld der Burgunderkriege bereinigte sie mit der sogenannten Ewigen Richtung 1474 ihr Verhältnis zu Österreich-Habsburg. Die Habsburger verzichteten auf ihren früheren Herrschaftsbesitz im nunmehr eidgenössisch gewordenen Raum und sicherten sich dafür die militärische Unterstützung der Eidgenossen gegen Herzog Karl den Kühnen von Burgund (1433–1477, Herzog 1465–1477), ihren gemeinsamen Gegner. Die Schlachtensiege der antiburgundischen Allianz katapultierten die Eidgenossen auf die Bühne der Grossmachtpolitik und steigerten – angesichts der damals enorm wachsenden Nachfrage der Mächte nach Söldnern – schlagartig deren Attraktivität als Krieger und Bündnispartner.

In diese Zeit fiel auch die Klärung des Verhältnisses der Orte zum Reich. Kaiser und Reich waren im Spätmittelalter die entscheidende Legitimationsquelle für die wachsende Autonomie der Städte und Länder. Die Kaiser aus den Dynastien der Wittelsbacher und Luxemburger – beide Rivalen der Habsburger um die Kaiserwürde – bedachten die eidgenössischen Städte und Länder mit grosszügigen Privilegien. Sie stärkten damit deren Macht und politischen Gestaltungsspielraum. Das Reich war im 14. und 15. Jahrhundert aber nicht nur die entscheidende Quelle für die Legitimierung der Herrschaftsgewalt der Orte. Als Reichsoberhaupt lieferte König Sigismund (1368–1437, römisch-deutscher König seit 1411) den Eidgenossen 1415 mit der Verhängung der Reichsacht über Herzog Friedrich IV. von Österreich (1382–1439) auch die willkommene Rechtfertigung für die Eroberung des habsburgischen Aargaus und damit für die Möglichkeit, sich auf Kosten der Habsburger als Vormacht im Mitteland festzusetzen.

Die Eidgenossen waren dem Reich so sehr verbunden, dass sie am Ende des 15. Jahrhunderts sogar Krieg gegen dieses führten. Diese Feststellung ist weder unsinnig noch ironisch gemeint. An der Spitze des Reichs kam es am Ende des 15. Jahrhunderts zu Reformen und zur Schaffung neuer, zentraler Reichsinstitutionen. Als Reichsangehörige hätten auch die Eidgenossen die neuen Gremien anerkennen und mitfinanzieren müssen. Sie verweigerten jedoch ihre Beteiligung an der Weiterentwicklung der Reichsinstitutionen und hielten an ihrem traditionellen Reichsverständnis fest. Mit ihrem militärischen Sieg über König Maximilian I. (1459–1519, römisch-deutscher König seit 1486) im Jahr 1499 klammerten sich die Eidgenossen zwar von der Reichsreform aus, ohne damit aber vom Reich unabhängig werden zu wollen. Vielmehr hielten sie bis ins 17. Jahrhundert, einige gar noch länger, an ihrem Bekenntnis zum Reich fest.

Im Hinblick auf eine Schweizer Geschichte in den Kategorien von Verflechtung und Abgrenzung bleibt festzuhalten, dass sich die eidgenössische Identitätsvorstellung im 15. Jahrhundert aus zwei Abgrenzungen speiste: zum einen aus der militärischen Behauptung gegen die herrschaftspolitische Konkurrenz von Habsburg und Burgund, zum anderen aus der propagandistisch-diskursiven Behauptung gegen die Stigmatisierung als gottlose Rebellen. Identitätsbildung und Alteritätserfahrung waren eng miteinander verschränkt.

Verflechtungen in der alten Schweiz

Die Betrachtung der vielfältigen Verflechtungszusammenhänge der alten Schweiz mit dem europäischen Umfeld setzt bei den Wanderungsbewegungen ein. Migration ist ein historisches Langzeitphänomen der Schweizer Geschichte. Menschen aus dem nachmals schweizerischen Raum waren auf Wanderschaft, lange bevor von einer Eidgenossenschaft die Rede sein konnte, geschweige denn bevor eidgenössische Diplomaten und Politiker formelle politische Beziehungen zu anderen Mächten knüpften. Ein nächstes Kapitel widmet sich den Warenströmen. Als rohstoffarmes Land war die Schweiz seit je existenziell auf die Versorgung mit lebenswichtigen Gütern angewiesen. Ihre Ökonomie spezialisierte sich zudem frühzeitig auf die Veredelung von Rohstoffen, die von weit her eingeführt wurden, sowie auf die Herstellung von Exportwaren für internationale Märkte. Schon in der frühen Neuzeit vermarktete sie mit dem Käse, den Textilien, Uhren sowie Finanz- und Handelsdienstleistungen Güter und Dienstleistungen, die im Ausland das stereotype Bild der kommerziellen Schweiz prägen sollten. Schliesslich wird der Verflechtungsaspekt auch für den Bereich der Aussenpolitik, Diplomatie und der inneren Staatsbildung angesprochen werden. Spätestens mit den Burgunderkriegen in den 1470er-Jahren wurde die Eidgenossenschaft als geopolitisch exponierter Raum mitten im Spannungsfeld zwischen den rivalisierenden europäischen Grossmächten wahrgenommen. Als Übergangs- und Durchgangszone zwischen den Schauplätzen der grossen europäischen Kriege nördlich und südlich der Alpen wurde sie zum Tummelfeld der europäischen Diplomatie. Ihre Lage machte sie zu einem attraktiven Partner für Allianzen, aber auch zu einem sicherheitspolitischen Risiko für die grossen Nachbarn. Die Kantone mussten lernen, mit den Ansprüchen der konkurrierenden Mächte und den sich überkreuzenden Interessenlagen der grossen Nachbarn umzugehen. Wie für kein anderes Land in Europa gilt, dass nicht nur die innere Staatsbildung in den Kantonen in der frühen Neuzeit, sondern auch die schiere Existenz einer souveränen Nation Schweiz bis auf den heutigen Tag nur mit Rücksicht auf deren Verflechtung mit der europäischen Staatenwelt verständlich gemacht werden kann – die Eigenständigkeit der Schweiz gründet letztlich im Interesse Europas.

Verflechtung durch Migration

Migrationsbewegungen sind elementare Phänomene sozioökonomischer Verflechtung. Migranten verlassen die vertrauten sozialen und familialen Netzwerke ihrer Heimat für eine gewisse Zeit oder auf Dauer. Sie müssen sich in den Zielgebieten ihrer Wanderung orientieren, in einer neuen, sozial und kulturell fremden Umgebung bestehen und ein Auskommen finden.

Unter den wandernden Berufsgruppen der alten Schweiz stehen zahlenmässig die Soldaten und Offiziere an erster Stelle, die im Sold auswärtiger Kriegsherren militärische Dienste leisteten. Die Wanderungen der Reisläufer beziehungsweise Söldner hatten beträchtliche wirtschaftliche, soziale, politische und kulturelle Auswirkungen auf die Verhältnisse im Land. Weniger bekannt als die militärische Arbeitsmigration sind die vielfältigen Formen der zivilen Arbeits- und Siedlungsmigration. Zwischen dem 16. und 19. Jahrhundert verliessen Handwerker, Gewerbetreibende, Händler, Künstler, Gelehrte und Pädagogen in grosser Zahl die Schweiz. Der Charakter und die Beweggründe dieser Wanderungen waren sehr verschieden. Die Migranten suchten im Ausland ein Auskommen, das sie zu Hause nicht finden konnten oder das ihnen half, ihre Subsistenzgrundlage zu diversifizieren und das Leben ihrer Familien in der Heimat abzusichern. Manchen winkte in der Ferne eine Karriere, die ihnen ihre Herkunftsregion nicht bieten konnte. Die zivile Arbeitsmigration der frühen Neuzeit betraf in der Regel einzelne Spezialisten und war noch keine Massenerscheinung. Meistens war sie zeitlich oder saisonal befristet. Andere beschränkten ihren Aufenthalt in der Fremde auf eine bestimmte Lebensphase, bevor sie in die Heimat zurückwanderten.

Die südalpinen Täler des Tessins und Graubündens teilten mit vielen anderen Gebieten am Südabhang des Alpenbogens eine jahrhundertelange Tradition temporärer Wanderung. Die Migration bestimmte den Rhythmus der Heiraten und

Geburten in den Familien, die dörfliche Sozialordnung und die lokale Wirtschaft. Lange Zeit erklärte man diese Migrationsbewegungen mit der lokalen Armut und Übervölkerung und übersah dabei, dass die Migranten aus den Bergen vielmehr auf die starke Nachfrage nach Arbeitskräften in den Metropolen der Ebene reagierten. Ihre Wanderung wurde nicht aus der Not geboren, sie war nicht die minderwertige Alternative zur sesshaften Lebensweise der Bauern, sondern ergänzte diese strategisch. Agrarische Sesshaftigkeit und gewerblich-kommerzielle Mobilität bildeten gemeinsam das Fundament der Gesellschaft und Wirtschaft der südalpinen Täler. Erst im 18. Jahrhundert wurde die Siedlungswanderung mit dem Ziel einer dauerhaften Niederlassung in einem anderen Land wichtiger. Den Durchbruch erlebte sie im 19. Jahrhundert, als neue Verkehrs- und Kommunikationsmittel sowie die organisatorische Unterstützung von Auswanderungsagenturen den Schritt zur Auswanderung wesentlich erleichterten.

Militärische Arbeits- migration

Bis zur Französischen Revolution stellten die Reisläufer und Söldner quantitativ und qualitativ die bedeutendste Gruppe unter den Schweizer Arbeitsmigranten dar. Ihre Zahl lässt sich nur schätzen, doch sind sich die Bevölkerungshistoriker einig, dass die militärische Wanderung vom 16. Jahrhundert bis zum Ende des Ancien Régime ein Massenphänomen war und insgesamt mehrere Hunderttausend Mann in fremde Dienste zogen.[7] Seit dem späten 17. Jahrhundert vermitteln die Kompanielisten für die administrative Kontrolle der Truppenbestände eine genauere Vorstellung vom Umfang der Truppen in fremden Diensten.

Die Bestände der eidgenössischen Truppen in fremden Diensten im 18. Jahrhundert (1701, 1789)[8]

	1701	1789
Frankreich	24 700	mehr als 14 000
Niederlande	11 200	9800
Spanien	6400	4868
Sardinien-Piemont	4925	keine Angabe
Neapel	keine Angabe	5834

Die Geschichte der fremden Dienste erstreckt sich über viele Jahrhunderte und lässt sich in vier Phasen gliedern. Sie wurde im Wesentlichen durch den Wandel in der Kriegsführung, in der Kriegstechnik und in der Heeresverfassung der europäischen Mächte sowie durch Veränderungen in der heimischen Wirtschaft bestimmt.

Phase 1 (13. Jahrhundert bis 1520/50): Schon im 13. Jahrhundert boten Krieger aus dem nachmals eidgenössischen Raum Kriegsherren ihre Dienste gegen Bezahlung an. Erst die militärischen Erfolge der Eidgenossen in den Burgunderkriegen (1474–1477) machten jedoch deren Kriegstüchtigkeit weiterum bekannt und trieben die Nachfrage nach eidgenössischen Kriegern in die Höhe. Die grossen Mächte buhlten fortan um diese scheinbar unschlagbaren Kämpfer, die mit ihrer Gefechtstaktik und Bewaffnung den Ritterheeren überlegen waren. Eine hohe Gewaltbereitschaft und Brutalität kennzeichneten diese Fusssoldaten; Schweizer Militärhistoriker erblickten darin bisweilen die «urwüchsige, auf elementarer Aggressivität beruhende Kraft der ungestümen Bauern und Hirten».[9] Diese stammten aus Gegenden, die nahe bei den Schauplätzen der Kriege der Grossmächte lagen, was die Attraktivität dieses Söldnermarkts noch erhöhte.

Ein starkes Interesse an diesen Kriegern bekundete frühzeitig der französische König. Im Krieg der antiburgundischen Allianz gegen Karl den Kühnen von Burgund, dessen Reich an der Ost- und Nordgrenze Frankreichs dem französischen König viel zu mächtig geworden war, übernahmen die Orte mit französischer Unterstützung eine führende militärische Rolle. Kurz nach den Burgunderkriegen griff der König von Frankreich in den Kampf um die Vorherrschaft über das Herzogtum Mailand und über Italien ein. Dort stiessen Frankreich und Habsburg-Österreich, die beiden grossen Kontrahenten der neuzeitlichen Mächtepolitik, aufeinander. Während der Mailänderkriege an der Wende vom 15. zum 16. Jahrhundert schnellte die Zahl der Schweizer Söldner in die Höhe; zeitweise standen 10 000 bis 20 000 Eidgenossen allein im Dienst Frankreichs.[10]

In der ersten Phase des Solddienstes, der Zeit der «wilden Reisläuferei», wurden die Krieger jeweils für Einsätze von einigen Wochen oder wenigen Monaten angeworben. Sie zogen mit eigenen Waffen (Spiess, Hellebarde, Dolch) und ohne jede Uniform all jenen Kriegsherren oder Werbern zu, die lukrative Angebote machten. Die Überlebenden kehrten bald einmal mit Beute und Sold zurück, die häufig mehr wert waren als die Löhne der Gesellen und Arbeiter zu Hause. Mit Truppenwerbungen erlangten Militärunternehmer wie der spätere Zürcher Bürgermeister Hans Waldmann (um 1435–1489) die Gunst ausländischer Kriegsherren und finanzierten mit deren Entschädigungen (Pensionen) ihren sozialen Aufstieg.

Die erste Phase bezahlten eidgenössischen Kriegertums warf enorme innere Ordnungsprobleme auf. Die eidgenössischen Obrigkeiten hatten keine Kontrolle über die davonlaufenden Krieger, sodass sich ihre Bürger und Untertanen mitunter bei verfeindeten Kriegsherren engagierten und sich im Feld gegenüberstanden. So liefen nach der Schlacht von Nancy und dem Tod Karls des Kühnen 1477 die arbeitslos gewordenen Krieger aus den Orten sowohl dem König von Frankreich als auch Maria von Burgund (1457–1482) und deren Gemahl Maximilian von Habsburg zu, die um den Besitz der Freigrafschaft Burgund kämpften. Kaum erinnert wird auch die Tatsache, dass Krieger aus eidgenössischen Orten in der Schlacht bei Murten 1476 auch im Heer Karls des Kühnen anzutreffen waren. Die Versuche der Obrigkeiten, mit Reislauf- und Pensionenordnungen das Geschäft mit dem bezahlten Kriegen zu regulieren und die militärische Gewalt in der Hand der Obrigkeit zu monopolisieren, scheiterten in dieser Phase an den ökonomischen Interessen des gemeinen Mannes wie auch der Elite. Gleichzeitig sorgten die sozialen und wirtschaftlichen Folgekosten des Reislaufs für Unmut in der Bevölkerung: Bauern und Handwerker beklagten den Mangel an Arbeitskräften; die Hinterbliebenen der Gefallenen und die Angehörigen der physisch und psychisch angeschlagenen Rückkehrer litten unter zerrütteten Familienverhältnissen. Die gesellschaftliche Integration gewalterfahrener Männer bereitete Schwierigkeiten. Weil die Gewinne und Kosten des Geschäfts mit dem bezahlten Kriegen sozial sehr ungleich verteilt waren, brachen 1513–1516 in mehreren eidgenössischen Kantonen massive Protestbewegungen der Untertanen gegen die städtischen Räte aus, die nur dank weitgehenden Konzessionen der Obrigkeiten an die Aufständischen und gegenseitiger militärischer und politischer Hilfe der verbündeten Orte beigelegt werden konnten.

Phase 2 (um 1520/50 bis in die Mitte des 17. Jahrhunderts): Um die problematischen Folgen des ungeordneten Reislaufs in den Griff zu bekommen und die politische Kontrolle über dieses Geschäft durchzusetzen, ergriffen die eidgenössischen Obrigkeiten Massnahmen. Effizienter als die Verbote des unerlaubten Wegziehens in fremde Kriege waren diesbezüglich die Sold- und Allianzverträge mit den ausländischen Kriegsherren. Die Orte erkannten, dass sie den heimischen Söldnermarkt nur über Verträge mit den ausländischen Kriegsherren unter ihre Kontrolle bringen konnten. Wollten sie Kapital aus dem Soldgeschäft schlagen, mussten sie verhindern, dass die Kriegsherren auch ohne ihre Zustimmung zu Kriegern kamen. Langfristige Verträge zwischen Abnehmern und Anbietern regelten die politischen und finanziellen Rahmenbedingungen des Soldgeschäfts. Solche Allianzen und Kapitulationen bildeten seit der ersten Hälfte des 16. Jahrhunderts und bis zum Ende der fremden Dienste die Grundlage für das Soldgeschäft der eidgenössischen Orte. Die wichtigste und dauerhafteste Allianz war jene mit Frankreich, die 1521 erstmals geschlossen und 1777 ein letztes Mal vor der Entlassung der Schweizer Regimenter in Frankreich 1792 erneuert wurde.

Die Allianzen bestimmten die gemeinsamen sicherheitspolitischen Interessen, regelten die wechselseitigen Leistungen der Partner und definierten den Bündnisfall, der die Verbündeten zu militärischer Hilfe verpflichtete. Kapitulationen legten die Ernennung der Offiziere, die Termine der Musterungen und Soldzahlungen, die Höhe des Solds, die Dauer des Dienstes, die Gerichtsbarkeit über die Truppenangehörigen, deren Religionsausübung im Ausland und anderes mehr fest.

Mit der Kontrolle über das Soldgeschäft mit dem Ausland festigten die politischen Eliten in den Orten ihre Vorherrschaft im Innern. Die Ratsgremien in den Orten schlugen die Kandidaten für die Offiziersstellen vor und verteilten diese Posten zunehmend exklusiv an Angehörige von Ratsgeschlechtern. Der Offiziersdienst in einer Kompanie in fremden Diensten diente männlichen Angehörigen aus Ratsfamilien als Warteposition und Lehrzeit bis zur Wahl in den Rat und damit in ein einträgliches Amt zu Hause. Für die führenden Familien wurde das Militärunternehmertum – die operative Verantwortung für die Aufstellung, Ausbildung und Führung grösserer Verbände (Regiment, Kompanie) im Ausland – zu einer interessanten Tätigkeit, die neben der Aussicht auf Gewinn auch wertvolle soziale Kontakte verschaffte.

Die aufkommende Artillerie und die zunehmende Bedeutung langer Belagerungen von befestigten Plätzen veränderten den Charakter des Solddienstes. Die neue Kriegsführung erforderte die zunehmende Disziplinierung der Krieger im Rahmen einheitlicher, uniformierter Truppenverbände. Die Dienstzeiten waren nach wie vor befristet, dauerten nun aber deutlich länger als früher. Im Dreissigjährigen Krieg betrugen sie schon mehrere Jahre.

Die Schweizer Reformatoren verliehen der Kritik an der Reisläuferei eine Wendung ins grundsätzlich Religiös-Moralische. Die Interessengegensätze zwischen den traditionell stärker im Soldgeschäft engagierten Inneren Orten und den Städteorten waren eine Ursache für die Glaubensspaltung und führten zum Zweiten Kappeler Krieg 1531 zwischen den altgläubigen Orten der Innerschweiz und den reformierten Städten Zürich und Bern. Die reformierte Geistlichkeit blieb fortan der schärfste Kritiker der fremden Dienste, was mit ein Grund war, dass Bern und Zürich erst 1582 beziehungsweise 1614 der Allianz mit Frankreich beitraten.

Phase 3 (Mitte des 17. bis Mitte des 18. Jahrhunderts): Das 17. Jahrhundert und die beiden ersten Drittel des 18. Jahrhunderts sind in der Geschichte Europas eine Zeit fast ununterbrochener Kriege. Die Grossmächte begannen seit der zweiten Hälfte des 17. Jahrhunderts mit dem Aufbau stehender Heere. Mit dem Wandel der Kriegstechnik wurden die Soldaten mit Gewehren mit aufpflanzbaren Bajonetten für den Nahkampf ausgerüstet. Die Taktik des Schlachthaufens mit Kurzwaffen und Langspiessen war definitiv überholt. Für die Schlacht wurden die Fusstruppen in kleinere Einheiten eingeteilt und auf lange Kampflinien ausgedünnt, damit diese dem Feuer der Artillerie möglichst wenig Angriffsfläche boten. Diese linienförmigen, lang gezogenen Verbände mussten im Gefecht auf Kommando mechanisch genaue Bewegungen ausführen, die in Friedenszeiten in der Garnison mit unablässigem Exerzieren und Drill eingeübt wurden. Die militärischen Einheiten wurden grösser, die Dienstdauer länger und genau festgelegt. Strengere Dienstreglemente betonten Rangordnung und Disziplin. Hatte die Beute lange einen Teil der Entlöhnung des Söldners abgegeben, so setzte sich das Verbot der Plünderung immer mehr durch.

Die Allianzen im Allgemeinen und das Soldgeschäft im Besonderen waren seit dem 17. Jahrhundert zunehmend mit strukturellen Problemen konfrontiert. Die exorbitanten Kosten für den Unterhalt der stehenden Heere und für die zahlreichen Kriege belasteten die Grossmächte. Immer häufiger blieben die jährlichen Pensionen an die Orte und deren politische Elite aus, oft erhielten Offiziere und Soldaten in den Schweizer Regimentern ihren Sold nicht oder nur verspätet. Bisweilen nahmen die ausländischen Kriegsherren selbst bei den Orten und bei Privatpersonen in der Eidgenossenschaft Kredite auf, um dringlichsten Zahlungsverpflichtungen nachzukommen. In die Lücke sprangen in solchen Situationen seit der zweiten Hälfte des 17. Jahrhunderts auch Bankiers und Financiers, die in der Lage waren, kurzfristig grosse Summen Bargeld an die Truppen im Feld zu liefern und damit zu verhindern, dass die Verbände meuterten und kampfunfähig wurden. In der Kriegsfinanzierung betätigten sich auch Financiers aus Schweizer Handelsstädten, so etwa die St. Galler Familie Högger in Frankreich unter Ludwig XIV.

Die Kriegsherren intensivierten wegen der enorm steigenden Militärausgaben die bürokratische Kontrolle über ihre ausländischen Truppenverbände und schränkten die unternehmerische Freiheit der Soldunternehmer ein. Mit ausgabenseitiger Rationalisierung, das heisst durch die verschärfte Ausbeutung ihrer Soldaten, reagierten die Regiments- und Kompanieinhaber auf die sinkenden Gewinnmargen und auf steigende Werbekosten. Der Solddienst wurde auch für die Soldaten finanziell unattraktiver, weil die Handwerker- und Arbeiterlöhne in der Heimat nun vielfach höher lagen als der Sold. Die Militärunternehmer bekundeten zunehmend Mühe, die vertraglich vereinbarten Truppenbestände für die Kriegsherren zu rekrutieren, zumal die Zahl der Deserteure sehr hoch war. Zahlreiche Söldner nahmen Reissaus, sobald sie ihren ersten Sold, das sogenannte Handgeld, erhalten hatten, oder sie machten sich auf den Feldzügen davon. Es mehrten sich Zwangsrekrutierungen: Bettler und Landstreicher wurden verhaftet und in die fremden Dienste abgeschoben, junge Männer gerieten bei Trink- und Tanzgelagen in die Fänge professioneller Werbeagenten. Längst nicht mehr alle Soldaten in Schweizer Regimentern stammten im 18. Jahrhundert denn auch tatsächlich noch aus der Schweiz. In den bernischen Soldeinheiten stammte jeder Vierte nicht mehr aus dem Corpus helveticum. Der Anteil der Ausländer stieg jeweils dramatisch an, wenn es in den Krieg ging: Während des Siebenjährigen Kriegs stieg ihr Anteil im bernischen Regiment in Frankreich von 37 Prozent (1757) auf 56 Prozent (1763) an.[11] Der hohe Ausländeranteil bereitete den Militärunternehmern Kopfzerbrechen, tolerierten doch die Kriegsherren in den Schweizer Einheiten höchstens ein Drittel Nichtschweizer. Die französische und die niederländische Militärverwaltung weigerten sich, Nichtschweizern den höheren Sold für Schweizer Soldaten zu zahlen. Gewiefte Militärunternehmer führten deswegen mitunter auch Lombarden als Tessiner Untertanen oder Schwaben als Thurgauer Untertanen in ihren Kompanielisten, weil diese Ausländer sich nur schwer von Eidgenossen unterscheiden liessen.

Politisch-diplomatische Schwierigkeiten verursachten die sogenannten Transgressionen, das heisst vertragswidrige Einsätze der eidgenössischen Truppen in fremden Diensten. So waren Bern und Frankreich 1671 zwar übereingekommen, dass die zwölf bernischen Kompanien in französischen Diensten nicht gegen protestantische Mächte eingesetzt werden durften, doch führte sie König Ludwig XIV. von Frankreich dessen ungeachtet schon im Jahr darauf in einen Angriffskrieg gegen die Niederlande, und Bern protestierte vergeblich. Andere Kapitulationen untersagten den Einsatz von Schweizer Truppen in Offensivkriegen und beschränkten ihn auf die Verteidigung des Territoriums des Kriegsherrn. Auch darüber setzten sich selbstbewusste Monarchen wie Ludwig XIV. hinweg, was dazu führen konnte, dass sich im Feld Schweizer Regimenter bekämpften. Traurige Berühmtheit erlangte in dieser Beziehung die Schlacht von Malplaquet (11. September 1709) im Spanischen Erbfolgekrieg, in der sowohl aufseiten der französischen Armee als auch aufseiten der antifranzösischen Allianz Schweizer Regimenter fochten und die Berner Patrizierfamilie von May hüben wie drüben mit einem eigenen Regiment involviert war. Die eidgenössische Tagsatzung reagierte. Sie drohte Offizieren und Soldaten künftig mit Sanktionen, wenn sie sich offensiv gegen Mächte verwenden liessen, die mit einzelnen Kantonen verbündet waren. Ereignisse wie Malplaquet offenbarten die politischen Konsequenzen einer schwachen, unkoordinierten Aussenpolitik der eidgenössischen Orte, deren Eliten die partikularen Interessen letztlich höher gewichteten als jene der eidgenössischen Nation, die als solche noch kaum eine handlungsleitende Kategorie im politischen Denken der Elite darstellte. Finanzprobleme und Transgressionen waren dafür verantwortlich, dass sich die Verlängerung der Allianzen – insbesondere jener mit Frankreich – seit der Mitte des 17. Jahrhunderts schwierig gestaltete. Es bedurfte jahrelanger diplomatischer Verhandlungen, bis Frankreich und die 13 Orte ihre Allianz 1663 ein weiteres Mal verlängerten.

Im 18. Jahrhundert kam die Kritik reformerisch-aufgeklärter Kreise auf, die den Solddienst nicht mehr aus moralisch-religiösen, sondern aus bevölkerungs- und wirtschaftspolitischen Gründen ablehnten. Sie tadelten den Export junger Männer als Verlust wertvoller Arbeitskräfte für die heimische Wirtschaft und Gesellschaft. Die fremden Dienste galten diesen Reformkreisen als Zeugnis einer schlechten Regierung, die sich zu wenig um die Verbesserung der Lebensverhältnisse im eigenen Land bemühte.

Phase 4 (Mitte des 18. Jahrhundert bis zum Ende des Ancien Régime respektive bis Mitte des 19. Jahrhunderts): Das Leben in den Garnisonen prägte den Alltag der Söldner in der längeren Friedensperiode seit den frühen 1760er-Jahren. Die durchschnittlichen Dienstzeiten dauerten immer länger. Im Stichjahr 1792 hatte die Hälfte der Soldaten im Freiburger Regiment Diesbach mehr als sechs Jahre gedient. Darunter befanden sich zahlreiche Männer, die schon mehr als 20 Jahre bei der Truppe verbracht hatten. Wer sich so lange im Ausland aufhielt, kehrte nach der Entlassung aus dem Dienst nicht unbedingt in die Schweiz zurück. Viele blieben im Ausland, heirateten und gingen einer zivilen Tätigkeit nach. Viele der in der Region Paris stationierten Soldaten der Schweizergarde arbeiteten nach ihrer Dienstentlassung als Türsteher, Hausmeister, Gastwirte, Schneider, Schuhmacher oder Küster – Tätigkeiten, denen sie schon als Garnisonssoldaten in Friedenszeiten nachgegangen waren, um ihr Einkommen aufzubessern. Dabei hatten sie vom rechtlichen Sonderstatus der Schweizer Regimenter in Frankreich profitiert. Weil Schweizer Söldner keine Umsatzsteuer auf Wein bezahlten, betätigten sie sich gerne als Cafetiers und Beizer oder spannten mit einheimischen Gewerbetreibenden zusammen, welche über diese Mittelsmänner günstig Wein einkauften. Wie sehr die lange Dienstdauer die Bindung der Söldner an die alte Heimat lockerte, zeigte sich bei der Abdankung der Schweizer Regimenter durch die französische Nationalversammlung 1792. Allein von den 1500 Angehörigen des Schweizer Garderegiments traten 350 Mann in die reguläre französische Armee über und beteiligten sich fortan am Krieg der Französischen Republik gegen die Koalition der europäischen Monarchen.

Die Französische Revolution brachte das Ende der fremden Dienste. Söldnerheere erschienen im Zeitalter der Nationalarmeen mit allgemeiner Wehrpflicht und mit der Massenmobilisierung («levée en masse») der Staatsbürger als fragwürdig und überholt. Nach dem Ende der napoleonischen Herrschaft lebte die Tradition der fremden Dienste in der Restauration nochmals für kürzere Zeit auf (Sardinien-Piemont bis 1815, Grossbritannien bis 1816, Spanien bis 1823, Niederlande bis 1829, Frankreich bis 1830, Neapel bis 1859). Die liberal-radikalen Kräfte in der Schweiz verurteilten jedoch den Solddienst als eine der souveränen Republik unwürdige Erscheinung des Ancien Régime und verboten neue Kapitulationen in der Bundesverfassung 1848 und per Gesetz 1859.

Zivile Arbeitsmigration

Im Unterschied zu den Söldnern in fremden Diensten sind die zivilen Arbeitsmigranten der frühen Neuzeit im allgemeinen historischen Bewusstsein viel weniger gegenwärtig. Dies hat mehrere Gründe: Die historische Erinnerung an die fremden Dienste wurde im 19. und 20. Jahrhundert besonders von Nachkommen von Militärunternehmern und Offizieren aus dem Ancien Régime wachgehalten, die als Militär- und Kriegshistoriker neben der Familienmemoria auch das im Zeitalter des Nationalismus und Militarismus verbreitete Interesse an Militaria bedienten. Paul de Vallières Buch «Honneur et Fidélité» (1. Aufl. 1914), ein frühes Standardwerk zu den Schweizer fremden Diensten, wurde zu Beginn des Zweiten Weltkriegs ausdrücklich zur Stärkung des eidgenössischen Wehrwillens neu aufgelegt und erhielt Einführungen von General Henri Guisan (1874–1960) und Oberstkorpskommandant Ulrich Wille (1877–1959). Eine solch prominente Erinnerungstradition vermochte die zivile Arbeitsmigration wohl auch deshalb nicht zu stiften, weil sie nicht einen einzigen Berufsstand, sondern ganz verschiedene Tätigkeitsfelder berührte, und weil sie kein Massenphänomen, sondern das unspektakuläre Werk von Einzelpersonen und kleinen Gruppen war. Zivile Arbeitsmigranten waren vielfach als Spezialisten und Experten ihres Metiers unterwegs und fanden dank ihren handwerklichen und gewerblichen Fertigkeiten, ihres künstlerischen Talents, ihres Wissens oder ihren pädagogischen und kulturellen Kompetenzen ein Auskommen im Ausland. Die Weltläufigkeit und hohe Anpassungsfähigkeit dieser zivilen Arbeitsmigranten korrigieren verbreitete Vorstellungen: Zum einen widerlegen sie das Stereotyp einer ländlich-bäuerlichen, schollenverhafteten und wenig mobilen Schweiz, und zum anderen hinterfragen sie besonders die Vorstellung einer Bergwelt, in der die Menschen fernab von den dynamischen gesellschaftlichen Zentren und kulturellen Brennpunkten ein eingezogenes, bescheidenes Leben in den Bahnen der immer gleichen Gewohnheiten fristeten.

ZUCKERBÄCKER AUS GRAUBÜNDEN

Die Bündner Zuckerbäcker und ihre Bedeutung für die Verbreitung des Geschäfts mit Süssigkeiten und Kaffee quer durch das Europa des 17. bis 19. Jahrhunderts stellen eines der sonderbarsten und faszinierendsten Kapitel der schweizerischen Migrationsgeschichte dar. In hohem Mass erklärungsbedürftig ist dieses Geschäft, weil die Zuckerbäcker aus Graubünden eine Ware verkauften, die in ihrer Heimat kaum bekannt war. Kaffee und Zucker mussten als Kolonialwaren von weit her eingeführt werden. Bis weit ins 18. Jahrhundert galten sie aus christlich-moralisierender Sicht als verwerfliche Genussmittel, in ökonomischer Hinsicht aber als unnötige, teure Konsumgüter, die nicht für die breite Bevölkerung bestimmt waren.

Die Bündner Zuckerbäcker trafen den Geschmack einer kaufkräftigen adeligen und bürgerlichen Oberschicht in den Grossstädten des 18. und 19. Jahrhunderts, wo damals die Kaffeehauskultur aufkam. Als öffentlicher Raum unterschied sich das Kaffeehaus von den herkömmlichen Wirtshäusern, wo hauptsächlich Alkohol getrunken wurde. Im Kaffeehaus traf sich die gehobene Gesellschaft zur Erholung, zur Lektüre, zum Gespräch und zum Spiel. Dazu trank man Kaffee und verspeiste Fein- und Süssgebäck, womit man sich symbolisch von den Arbeitern und Handwerkern abhob, die sich solchen Luxus nicht leisten konnten.

Die Anfänge des Bündner Zuckerbäckergewerbes liegen im Venedig des 17. Jahrhunderts. Seit der Bündner Eroberung des Veltlins 1512 grenzten die Drei Bünde und die Republik Venedig in den Bergamasker Alpen aneinander. Die beiden Staaten unterhielten enge wirtschaftliche und politische Beziehungen. 1603 schlossen sie ein Bündnis, das den Bündnern gestattete, sich als Gewerbetreibende in Venedig niederzulassen. Schon 1612 hielten sich über 300 Bündner in der Lagunenstadt auf, wo sie sich zu einem frühen Zeitpunkt als Verkäufer von Kaffee betätigten. Aufgrund seiner führenden Rolle im Handel mit der Levante war Venedig ein Einfallstor für den «Türkentrank» im westlichen Europa; ein erstes Kaffeehaus wurde schon 1647 eröffnet. Dass sich die Bündner in Venedig auf das Gewerbe mit Kaffee und Backwaren spezialisierten, mochte damit zusammenhängen, dass ihnen dieses Gewerbe ein Betätigungsfeld eröffnete, das die eingesessenen Zünfte noch nicht besetzt hatten.

Das Geschäft der Bündner mit Süssigkeiten und Kaffee in Venedig florierte, bis die Serenissima die Bündner Handels- und Gewerbeprivilegien 1766 aufhob. Die Bündner Regierung hatte Venedig vor den Kopf gestossen, weil sie 1763 ein Bündnis mit dem habsburgisch-österreichischen Mailand abgeschlossen hatte. Venedig kündigte 1764 die Allianz mit den Drei Bünden, sodass 1766 3000 Bündner Kaufleute und Gewerbetreibende die Stadt verlassen mussten.[12] Da es damals in Graubünden weder Grossstädte noch Kaffeehäuser gab, zogen viele ausgewiesene Zuckerbäcker in die Städte Deutschlands (Berlin, Leipzig, Dresden), Polens, des Baltikums (Riga), Österreich-Ungarns und Russlands. Warschau wurde ein Zentrum des Bündner Konditoreigewerbes, von wo aus es sich im 19. Jahrhundert in zahlreiche weitere Städte des russischen Zarenreichs ausbreitete. St. Petersburg wurde für die Bündner Zuckerbäcker die zweite wichtige Niederlassung in Osteuropa. Wiederum andere wanderten im 18. und 19. Jahrhundert nach Süden und Westen, wo Marseille und die aufstrebenden französischen Atlantikhäfen neben den italienischen Städten häufige Destinationen waren.

Im europaweiten Bündner Zuckerbäcker- und Kaffeehausgewerbe gaben Familien aus dem Puschlav (Mini, Semadeni), aus dem Oberengadin (Josty, L'Orsa, Zamboni) und Unterengadin (Arquint), aus Davos (Branger, Isler, Wolf) und dem Bergell (Castelmur), aus dem Hinterrheintal (Caviezel) sowie dem Safiental (Gredig, Zinsli) den Ton an. Ihr Gewerbe blieb insofern bemerkenswert, als sie dieses bis zum Aufkommen des Tourismus in Graubünden in der zweiten Hälfte des 19. Jahrhunderts nur im Ausland ausübten. Zu Hause wurden keine Zuckerbäcker benötigt. Das ganze Gewerbe – von der Ausbildung der Lehrlinge und der Absolvierung der Gesellenzeit über die Tätigkeit der selbständigen Meister und Besitzer eines oder mehrerer Betriebe – spielte sich ausschliesslich im Ausland ab. Dennoch wurden die Beziehungen zur Heimat vielfach über Generationen hinweg aufrechterhalten und bestimmten so das Migrationsverhalten der Bergbevölkerung. Die Gewerbetreibenden in der Fremde zogen junge Landsleute und Verwandte als Lehrlinge nach. Sie heirateten Bündnerinnen, schickten ihre Kinder zur Ausbildung in die Schweiz und kehrten bisweilen als erfolgreiche Unternehmer nach Graubünden zurück, wo sie sich in repräsentativen Alterssitzen niederliessen, politische Ämter in Gemeinde und Kanton übernahmen oder als Pioniere im aufstrebenden Tourismus aktiv wurden.

HANDWERKER, GEWERBETREIBENDE UND HÄNDLER AUS DEN SÜDALPINEN TÄLERN

Die Wanderungs- und Laufbahnmuster der Zuckerbäcker aus Graubünden lassen sich auch bei anderen Handwerkern und Gewerbetreibenden aus den südalpinen Tälern des Tessins und Graubündens nachweisen. Zahlreiche Berufsgruppen betrieben dort eine saisonale oder lebenszyklische Wanderarbeit, die keine Besonderheit dieser heute schweizerischen Gebirgsgegenden, sondern grundsätzlich im ganzen Alpenraum von den Karnischen Alpen im Nordosten Italiens bis in die Täler der französischen Haute-Dauphiné verbreitet war. Aus den Bergtälern zogen zahlreiche Arbeitskräfte in die Ebene und kehrten jeweils nach einigen Monaten oder Jahren in ihre Bergdörfer zurück. Über die Migration pendelte sich ein intensiver Austausch von Dienstleistungen und Gütern zwischen den Bergen und den Städten der Tiefebene ein.

In ganz unterschiedlichen Gewerben wurde diese weiträumige Arbeitsmigration praktiziert, wobei sich einzelne Regionen auf bestimmte Tätigkeiten spezialisierten. Schon im 15. Jahrhundert tauchten Gepäckträger aus dem Bleniotal, dem Locarnese und der Leventina in Mailand, Genua und in der Toscana auf. Aus dem Onsernonetal kamen vor allem Hutmacher, während unter den Auswanderern aus dem Verzascatal, aus Minusio, Intragna und dem Misox die Kaminfeger stark vertreten waren. Das Bleniotal war im 18. und 19. Jahrhundert mit seinen Schokoladefabrikanten und -händlern sowie Marronibratern, die ihre Ware in Oberitalien, Frankreich, England, Holland und Deutschland absetzten, besonders im Konsumgütersektor stark vertreten.

Die Städte und Territorien Italiens waren aus politischen und kulturellen Gründen das erste Auswanderungsziel. Wirtschaftlich, kulturell und politisch-herrschaftlich gehörten die südalpinen Täler des Tessins zum Einflussbereich lombardischer Herrschaften. Erst im 15. Jahrhundert griffen die Innerschweizer Orte über den Gotthard nach Süden aus. Ihre Expansion wurde mit der Eroberung des Luganese, Locarnese und Mendrisiotto (1512/17) und dem Verzicht des Herzogtums Mailand auf diese Gebiete abgeschlossen. Schon im 16. Jahrhundert richteten Wanderarbeiter ihre Ziele auch nach Norden und Osten aus und waren seitdem je nach Gewerbe in Frankreich und den Niederlanden, in Deutschland, Österreich-Ungarn, Böhmen, Mähren und Polen anzutreffen.

Beobachtungen zur Wanderarbeit der Gepäckträger, Transportarbeiter sowie der Kaminfeger sollen diese allgemeinen Feststellungen veranschaulichen.

Gepäckträger und Transportarbeiter aus dem Locarnese waren in den grossen Häfen von Genua, Livorno und Pisa tätig, wo sie sich erfolgreich gegen Konkurrenten aus dem Bergamaskerland und Veltlin behaupteten. Im Hafen von Livorno knöpften die 50 Gepäckträger aus dem Locarnese (Rasa, Ronco, Losone) 1631 ihren Konkurrenten das Monopol gegen eine Jahresgebühr von 1750 Dukaten ab und willigten ein, ohne Ehefrauen im Zollgebäude des Hafens zu leben und nicht ohne obrigkeitliche Bewilligung in die Heimat zurückzukehren. Sie behaupteten das erbliche und lukrative Monopol auf die Verladearbeiten bis 1847.

Die Misoxer Kaminfeger stiegen in Wien im 17. und 18. Jahrhundert auf, als die Bevölkerung dieser Metropole von etwa 130000 Einwohner (1720) auf 260000 Einwohner (1818) anwuchs. In Grossstädten wie Wien ordneten die Behörden aus feuerpolizeilichen Gründen frühzeitig das regelmässige Fegen der Kamine an. Das Wiener Kaminfegergewerbe florierte nicht zuletzt auch deshalb, weil sich die Kaminfeger zünftisch-korporativ organisierten und feste Bezirke untereinander aufteilten. Die Zunftmeister konnten bis ins 19. Jahrhundert die Zahl der Meisterstellen auf 18 beschränken und damit die Marktverhältnisse kartellisieren. In der habsburgischen Residenz behaupteten mehrere Kaminfegerfamilien aus dem Misox eine starke Position. 30 Männer aus der Familie Martinola aus Soazza waren dort zwischen dem späten 17. und der zweiten Hälfte des 19. Jahrhunderts tätig. 28 Kaminfeger aus der Familie Toscano aus Mesocco schafften es bis zur Meisterschaft. Zwischen 1775 und 1860 stellten die zugewanderten Meister aus Soazza und Roveredo fast ausschliesslich die Vorstände der Kaminfegerzunft in Wien. Das angesehene Amt des kaiserlichen Hofrauchfangkehrers bekleideten zwischen der zweiten Hälfte des 17. Jahrhunderts und dem Jahr 1826 ausschliesslich Meister aus Soazza. Der Hofkaminfeger hatte alle Gebäude der kaiserlichen Verwaltung unter sich. Das Amt brachte nicht nur einen hohen Verdienst, sondern auch grosses Prestige ein.

Die in Wien lebenden Kaminfeger aus dem Misox standen in regem Austausch mit ihren Familien zu Hause. Das Beziehungs- und Kommunikationssystem funktionierte über die weite Entfernung in beide Richtungen. Es etablierte sich eine langfristig stabile Migrationstradition innerhalb eines Dorfes oder gar innerhalb derselben Familie, wie der Fall der Familie Toscano zeigt, die zwischen der Mitte des 18. und der Mitte des 19. Jahrhunderts 31 junge Männer nach Wien in die Lehre schickte. Für die anhaltenden Verbindungen zwischen Wien und dem Misox spricht auch die Tatsache, dass viele Wiener Gewerbler in der Heimat Grund und Boden in ihrem Besitz behielten und sich damit die Option der Rückwanderung offenhielten. Von der Verbundenheit mit der Heimat zeugten auch Schenkungen und Erbschaften der Wiener Familien für ihre Verwandten sowie fromme Legate für kirchliche Einrichtungen im Misox. Die Wanderungen der Misoxer Kaminfeger waren offenbar eine Mischung von lebenszyklischer Wanderung und permanenter Auswanderung. Für die einen beschränkte sich der Aufenthalt in Wien auf eine bestimmte Lebensphase, andere liessen sich dort dauerhaft nieder.

Ganz anders getaktet waren die Bewegungen der saisonal migrierenden Gepäckträger, Hutverkäufer, Marronibrater oder Bauarbeiter. Diese Saisonarbeiter hielten sich jeweils etwa ein halbes Jahr in der Fremde auf, kehrten dann in ihre Dörfer zurück, um im Jahr darauf wieder loszuziehen. Für mehrere Monate entleerten sich die betroffenen Tessiner Dörfer von ihren Männern, und die Frauen, Kinder und Alten blieben unter sich. Vermutlich bestanden diese Wanderzyklen schon im 16. Jahrhundert. Je nach Branche und regionaler Herkunft überwogen die Sommerwanderer, die jeweils zwischen März und Mai auszogen und im November oder Dezember zurückkehrten, oder die Winterwanderer, die zwischen Herbst und Frühling landesabwesend waren. So waren die Tessiner Bauarbeiter allgemein im Sommerhalbjahr von zu Hause weg, während die Männer aus den Alpentälern des Sopraceneri ihre Dörfer im Winter verliessen.

Die saisonale Wanderung war eine verbreitete gesellschaftliche Erscheinung. Einträge der Priester in den Kirchenbüchern geben für bestimmte Stichjahre einen Eindruck vom Ausmass der Auswanderung: In Mezzovico waren 1677 65 Prozent der erwerbsfähigen Männer (15–64 Jahre) bei der Erhebung nicht im Land. Im Blenitoal, wo im Jahr 1743 insgesamt 1741 Männer im Alter zwischen 18 und 60 Jahren lebten, waren zum Zeitpunkt der Erhebung 815 Männer (56%) landesabwesend. In einzelnen Blenieser Gemeinden lag dieser

Anteil wesentlich höher. So waren 1743 in Leontica 92 von 99 Männern, in Olivone 217 von 260, in Buttino 30 von 34, in Campo 42 von 53 und in Torre 24 von 30 Männern nicht zu Hause.[13] Auch wenn diese Zahlen für das Bleniotal besonders hoch sind und in anderen Gemeinden nur zwischen 11 und gut 21 Prozent der Männer im erwerbsfähigen Alter als Saisonarbeiter wanderten, bleibt allgemein festzuhalten, dass die saisonale Wanderung das soziale, ökonomische und kulturelle Leben dieser Tessiner Dörfer wesentlich prägte.

Welche ökonomische Logik lag den saisonalen Wanderungen zugrunde, und welche Folgen hatte diese für den Lebensalltag der Wandernden und der Zuhausebleibenden? Die Wanderung bildete das eine tragende Element einer Haus- und Familienwirtschaft, die ihre Subsistenz aus zwei Quellen bestritt. Die Männer brachten aus der Fremde Geldeinkünfte nach Hause, die sie in der Heimat nicht erwerben konnten, weil das Tessin nur wenig urbanisiert und kommerzialisiert war. Abgesehen vom fruchtbaren, flachen Mendrisiotto war das Tessin mit seinen vielen Tälern, Hügel- und Berglandschaften stark auf die Subsistenzlandwirtschaft ausgerichtet. Mit dem Geldeinkommen der Wanderarbeiter kauften sich die Haushalte Nahrungsmittel und Güter, die im Tessin nicht oder nicht in hinreichender Menge produziert wurden, vornehmlich Wein, Getreide und Salz, und sie bezahlten damit ihre Abgaben und Gebühren. Flüssiges Geld alimentierte zudem das lokale Kreditwesen und den Immobilienmarkt. Komplementär zu diesem geldwirtschaftlich-kommerziellen Pol der lokalen Ökonomie agierten die Frauen und übrigen Angehörigen des Haushalts, die zu Hause blieben. Sie bewirtschafteten die Felder, besorgten das Vieh und betrieben Sammelwirtschaft in den Wäldern. Sie produzierten die meiste Nahrung, die der Haushalt im Jahreslauf konsumierte. Männer und Frauen trugen je auf ihre Weise zur Subsistenz von Familie und Haushalt bei. Das saisonale Ausströmen der Männer erfolgte keineswegs aus der Not heraus, sondern war vielmehr in eine komplementäre Familienökonomie mit geschlechterspezifischer Rollen- und Arbeitsteilung eingebunden. Diese Verbindung von saisonalem Wandergewerbe und Subsistenzlandwirtschaft löste sich erst gegen Mitte des 19. Jahrhunderts auf, als sich mit der Massenauswanderung nach Übersee neue Möglichkeiten eröffneten.

Die duale Familienwirtschaft hat die Tessiner Täler in vielfältiger Hinsicht geprägt. Sie bestimmte die Rollenverteilung zwischen Männern und Frauen und den Zyklus der sozialen Reproduktion der Haushalte. Die Frauen trugen mit einer hohen Arbeitsbelastung die familiale Haus- und Landwirtschaft, was ihnen eine hohe Eigenverantwortung und Selbständigkeit verschaffte. Die Wanderungen der Männer strukturierten den Rhythmus der Heiraten und Geburten. Wo Winterwanderung vorherrschte wie im Bleniotal, wurde im Juni und Juli geheiratet, obwohl in diesen Monaten die anstrengenden Heuarbeiten anfielen. Die Kinder kamen im März und April des darauffolgenden Jahres zur Welt. Die letzten Monate der Schwangerschaft fielen damit günstigerweise in die Winterzeit, wo die Arbeitsbelastung in der Landwirtschaft vergleichsweise gering war. Die Sommerwanderer heirateten dagegen im Januar und Februar, die Geburten der Kinder häuften sich zwischen August und November. Auch das gesellschaftliche und politische Leben war auf die Wanderungen abgestimmt. Gemeindeversammlungen, Wahlen oder die Arbeiten im Gemeinwerk für die Ausbesserung von Kanälen, Wegen und Brücken fanden statt, wenn die Männer zu Hause waren.

Die meisten Wanderarbeiter und insbesondere die qualifizierten Baufacharbeiter waren für ihre berufliche Tätigkeit im Ausland auf eine gute Grundausbildung angewiesen. Lese-, Schreib- und Rechenfähigkeiten waren erforderlich, um Arbeitsverträge abzuschliessen, mit den Angehörigen zu Hause brieflich in Kontakt zu bleiben und die eigenen Geschäfte in der Fremde zu betreiben. Deshalb verdichtete sich seit dem 16. Jahrhundert das Netz an Dorfschulen. 1630 zählte man in der italienischen Schweiz 52 Schulen. Die meisten lagen im Sottoceneri, woher die meisten Baufachleute stammten. Allerdings waren diese Dorfschulen allein für die Knaben – die künftigen Wanderarbeiter – bestimmt, die vom sechsten oder siebten Lebensjahr an die Schule besuchten, bevor sie in der Regel mit zwölf Jahren ein erstes Mal auszogen. Ihre frühesten Erfahrungen als Wanderarbeiter machten die jungen Männer gewöhnlich, wenn sie von älteren Verwandten oder Nachbarn angeworben oder mitgenommen wurden.

BAUFACHLEUTE UND KÜNSTLER

Die hoch qualifizierten Baumeister, Maler, Bildhauer, Steinmetzen und Bauarbeiter aus den Tessiner und Bündner Tälern verdienen bei der Betrachtung der Arbeitsmigration besondere Aufmerksamkeit. Schon im Mittelalter zogen sie aus den lombardischen Voralpen aus und waren auf den grossen Baustellen der sich stark entwickelnden Städte Italiens anzutreffen. Hauptsächlich stammten sie aus dem Sottoceneri – aus der Umgebung von Lugano, dem Malcantone und dem Mendrisiotto, die im frühen 16. Jahrhundert unter die Herrschaft der eidgenössischen Orte gelangten –, häufig auch aus dem Misox, das seit dem späten 15. Jahrhundert bündnerisch war.

Auch diese ausgeprägte Spezialistenwanderung war meist zeitlich befristet. Die Facharbeiter hielten sich für eine Saison oder wenige Jahre in der Ferne auf. Im Rhythmus von Auszug und Rückkehr entstanden enge Beziehungen zwischen den Bauherren in Italien und den Baufachleuten aus den südalpinen Tälern. Die Verbindungen der Wanderer zu ihren Dörfern blieben bestehen, sodass die heimatliche Verwandtschaft und Nachbarschaft über die Jahrhunderte hinweg das wichtigste Reservoir für die Rekrutierung und Ausbildung junger Facharbeiter bildeten. Auf diese Weise entstanden eigentliche Dynastien von Baufachleuten, die über Generationen hinweg auf bedeutenden Bauplätzen des Auslands anzutreffen waren: die Aprile, die wie die Casella, die Lombardo und die Solari aus Carona stammten, die Artari aus Campione beziehungsweise Arogno, die Baroffio aus Mendrisio, die Bossi aus dem Luganese und Mendrisiotto, die Cantoni aus dem Valle di Muggio, die Carlone aus Rovio, die Castelli, Porri und Tencalla aus Bissone, die Fontana aus Melide, die Lucchesi aus dem Luganese, die Oldelli aus Meride, die Pozzi aus Castel San Pietro und die Silva aus Morbio Inferiore, die Soldati aus dem Malcantone, die Somazzi aus Montagnola und Gentilino, die Taddei und Verda aus Gandria oder die Visconti aus Curio.

Warum gerade Männer aus diesen Regionen über besondere bautechnische Fertigkeiten verfügten, ist nicht eindeutig zu klären. Eine gewisse Plausibilität hat die Vermutung für sich, dass die Vorkommen verschiedener Steinarten in den südalpinen Tälern frühzeitig die Meisterschaft in der Steinbearbeitung gefördert haben. Der unternehmerische Erfolg dieser Baufachleute gründete darin, dass sie eigentliche Konsortien («maestranze») bildeten, die alle anstehenden Arbeiten auf grossen Baustellen erledigten. Der Baumeister übernahm die Leitung des Bauplatzes und brachte die Spezialisten zusammen, die er für die verschiedenen Bauetappen benötigte: Steinmetzen, Maurer, Maler, Bildhauer, Stuckateure. Die gemeinsame Herkunft und die Zusammenarbeit auf den Baustellen begründeten die korporative Organisation dieser in hohem Grad arbeitsteiligen Unternehmungen. Mit dem Zusammenschluss zu Gesellschaften und Bruderschaften wahrten die Baufacharbeiter ihre Rechte und Interessen gegenüber Bauherren und lokalen Behörden und leisteten sich Hilfe in materieller Not, bei Krankheit oder Tod in der Fremde.

Frühe Wirkungsstätten dieser Wanderarbeiter waren die Bauhütten der romanischen und gotischen Kathedralen in Modena, Bergamo, Parma, Trient oder Mailand. Seit der zweiten Hälfte des 16. Jahrhunderts boten Rom und Neapel, wo die Päpste und die spanischen Vizekönige eine intensive städtebauliche Tätigkeit entfalteten, interessante Aufträge in der Übergangsperiode von der Spätrenaissance zum Barock. Seit dem 16. Jahrhundert wandten sich Tessiner und Misoxer Baumeister auch nach Norden und Osten (Deutschland, Schweden, Polen, Böhmen). Ab etwa 1700 weitete sich ihr Aktionsradius bis nach Russland aus, wo sie bis weit ins 19. Jahrhundert einen beträchtlichen Einfluss auf die Repräsentationsarchitektur ausübten.

Die Baumeister der frühen Zeit sind namentlich nicht bekannt. Im Unterschied zu den Architekten, Bildhauern und Malern der Renaissance, die sich als unverwechselbare Künstler einen Namen machten, verstanden sich jene noch als Handwerker, die im Auftrag ihrer Bauherren tätig waren und namenlos blieben. Doch seit dem 16. Jahrhundert traten auch unter den Tessiner und Misoxer Baumeistern, Malern und Stuckateuren Künstlerpersönlichkeiten hervor, die mit ihren Werken in die europäische Architektur- und Kunstgeschichte eingingen.

Tessiner und Misoxer Baufachleute im Ausland (A: Architekt/Baumeister; B: Bildhauer; I: Ingenieur; M: Maler; S: Stuckateur) (Auswahl, 15.–19. Jahrhundert)[14]

Name (Lebensdaten; Herkunft)	Art der Tätigkeit	Wichtigste Arbeitsorte
Domenico Gaggini (um 1420/25–1492; Bissone)	A; B	Genua, Neapel, Palermo
Giorgio Paleari (1520/30–1589; Morcote)	I	Mailand, Sardinien, Balearen, Pamplona
Matteo Castelli (um 1560–1632; Melide)	B; A	Rom, Warschau, Krakau, Vilnius
Isidoro Bianchi (1581–1662; Campione)	M	Turin
Giovanni Serodine (1594/1600; Ascona)	M; S	Spoleto, Rom
Domenico Sciascia (1599/1603–1679; Roveredo)	A	Steiermark
Pier Francesco Mola (1612–1666; Coldrerio)	M	Rom, Veneto, Emilia (Bologna)
Antonio Raggi (1624–1686; Vico Morcote)	B	Rom, London
Giovanni Antonio Viscardi (1645–1713; San Vittore)	A	München, Bayern
Domenico Rossi (1657–1737; Morcote)	B; A	Venedig, Rom, Friaul
Baldassare Fontana (1661–1733; Chiasso)	A; S	Rom, Mähren, Krakau, Olmütz
Giovanni Battista Artari (1664–um 1730; Arogno)	S; M; B	Hessen, Rastatt, Fulda, England
Andrea Galassini (1680–1740; Lugano)	S; A	Neuwied, Arolsen, Fulda,
Giocondo Albertolli (1742–1839; Bedano)	A; B	Parma, Florenz, Neapel, Mailand
Domencio Gilardi (1785–1845; Montagnola)	A	Moskau und Umgebung
Gaspare Fossati (1809–1883; Morcote)	A	Rom, St. Petersburg, Konstantinopel

51   Zivile Arbeitsmigration

Drei herausragende Tessiner Baumeister sollen hier stellvertretend für zahlreiche andere porträtiert werden. Ihre Bauten bestimmen noch heute das Stadtbild der Ewigen Stadt und Neapels.

Domenico Fontana (1543–1607) aus Melide kam als junger Stuckateur um 1563 nach Rom, wo er als Baumeister in die Dienste Papst Gregors XIII. (1502–1585, Papst ab 1572) trat. Die Begegnung mit Kardinal Felice Peretti, der als Sixtus V. (1521–1590, Papst ab 1585) Papst Gregor nachfolgte, förderte Fontanas Karriere massgeblich. Sixtus V. entfaltete eine intensive Bautätigkeit in Rom und beauftragte Fontana mit dem Bau der päpstlichen Paläste im Vatikan, Lateran sowie auf dem Quirinal. Er erneuerte die Wasserversorgung Roms und liess Wasser in die höher gelegenen Stadtteile führen, wofür Domenico Fontana – teilweise mit seinem Bruder Giovanni – Aquädukte und repräsentative Brunnen wie den Mosesbrunnen auf der Piazza San Bernardo errichtete.

Zusammen mit Giacomo della Porta (um 1532–1602) aus dem Melide gegenüberliegenden, heute italienischen Porlezza erbaute Fontana die Kuppel des Petersdoms. In einer bemerkenswerten Ingenieursleistung restaurierte er im Auftrag Sixtus' V. die umgestürzten, zerbrochenen ägyptischen Obelisken aus dem antiken Rom, überführte sie innerhalb weniger Jahre auf den Petersplatz (1586), die Piazza S. Maria Maggiore (1587), die Piazza S. Giovanni in Laterano (1588) und die Piazza S. Maria del Popolo (1589), wo er sie als nunmehr geweihte Monumente neu aufstellte. Nach dem Tod seines päpstlichen Patrons und Förderers verlor Fontana seine Stellung am päpstlichen Hof und trat 1592 in den Dienst des Vizekönigs von Neapel, für den er die Hafenanlagen Neapels umbaute, Strassenbauprojekte leitete und ab 1600 den neuen königlichen Palast errichtete.

Carlo Maderno (Maderni) (1555/56–1629), Fontanas Neffe aus Capolago am Luganersee, durchlief eine nicht minder eindrückliche Karriere. Um 1576 holten die Onkel den 20-Jährigen nach Rom, wo sie ihn als Stuckateur und Steinmetz, später als Architekten und Ingenieur beschäftigten. Als Domenico Fontana Rom in Richtung Neapel verliess, übernahm Maderno die Leitung der Bauunternehmen seines Onkels in Rom. Als sein bedeutendstes Werk gilt die Vollendung des Petersdoms, dessen Langhaus und Fassade unter Papst Paul V. (1552–1621, Papst ab 1605) nach seinen Plänen errichtet wurden. Neben Kirchen baute Maderno Paläste für den römischen Kurienadel und prägte mit seinem Stil die neue Barockarchitektur Roms.

Das Beziehungsmuster zwischen Fontana und Maderno spielte auch in der nächsten Generation im Fall von Francesco Borromini (1599–1667) aus Bissone. Borromini war ein entfernter Verwandter Madernos und arbeitete seit 1619 unter dessen Leitung auf dem Bauplatz des Petersdoms. Auch Borromini errichtete wie seine Verwandten in Rom zahlreiche Sakral- und Profanbauten, wobei er insbesondere in der Gunst von Papst Innozenz X. (1574–1655, Papst ab 1644) stand. Sant'Ivo alla Sapienzia – die Kapelle der Römer Universität – zeigt mit dem Kontrast von konkaven und konvexen Formen und der in einer spiralförmigen Spitze endenden Kuppel exemplarisch die Ausgefallenheit und Originalität von Borrominis Architektur, die ihn zum grossen Gegenspieler von Gian Lorenzo Bernini (1598–1680), dem zweiten «Stararchitekten» Roms im 17. Jahrhundert, machte.

Baumeister aus der Familie Porri (Pario) aus Bissone fanden schon vor Mitte des 16. Jahrhunderts ihren Weg nach Schlesien, etwas später auch nach Norddeutschland, Polen und schliesslich nach Schweden, wo sie im Auftrag der Kirche, von Königen, Fürsten, Adel und Städten Sakralbauten, Schlösser, Rathäuser und Festungen im Stil der lombardischen Renaissance errichteten. Giacomo Porri († 1575) arbeitete 1569/70 mit dem Luganeser Baumeister Giovan Battista Quadro († um 1590/91) an der Erweiterung des Warschauer Königsschlosses. Giacomos Bruder Francesco († 1580) trat als königlicher Architekt in die Dienste von Johann III. Wasa von Schweden (1537–1592, König ab 1568), für den er die Schlösser von Uppsala und Stockholm baute.

Die Bautätigkeit von Tessiner Baumeistern in Polen setzte sich im frühen 17. Jahrhundert fort. Matteo Castelli (um 1560–1632) – ein Neffe Domenico Fontanas und Carlo Madernos – wurde 1613 von König Sigismund III. Wasa (1566–1632, ab 1587 König von Polen) an den Hof nach Warschau berufen, nachdem er zuerst auf Madernos Bauplätzen in Rom als Bildhauer, Vorarbeiter und Planer gelernt und gearbeitet hatte. Castelli arbeitete am Bau des Warschauer Schlosses, eines der ersten Barockschlösser Mitteleuropas, welches den Einfluss der Architektur Fontanas und Madernos verrät. Castelli war es, der 1630 seinen Neffen Costante Tencalla aus

Bissone (um 1590–1646) nach Warschau holte, nachdem dieser in der Römer Werkstatt Madernos in die Lehre gegangen war. In Warschau trat Tencalla in königliche Dienste ein und schuf neben zahlreichen Bauten 1644 als eines seiner wichtigsten Werke die Sigismundsäule, das Wahrzeichen Warschaus auf dem Schlossplatz der polnischen Hauptstadt.

Grosse Bedeutung für die Verbreitung des italienischen Barocks nördlich der Alpen kam seit dem späten 16. und frühen 17. Jahrhundert den Baumeistern und Stuckateuren aus dem Misox zu. In der Gegenreformation manifestierte der intensive barocke Sakralbau in der Schweiz, in (Süd-)Deutschland, Österreich, Böhmen und Polen das neu erstarkte Selbstbewusstsein der katholischen Kirche. Diese wurde zur wichtigen Auftraggeberin für Baumeister und Künstler, die die neue Formensprache des Barocks beherrschten. Wie ihre Tessiner Kollegen aus dem Sottoceneri empfahlen sich die Misoxer ihren Bauherren durch eine überlegene Bautechnik und die gute Organisation der Bauplätze. Sie operierten in Bautrupps, die sich der Grösse und den Anforderungen des jeweiligen Bauauftrags flexibel anpassten. Die gemeinsame Herkunft, vielfältige verwandtschaftliche Verbindungen und die häufige Zusammenarbeit bürgten für einen gut eingespielten Baubetrieb, der auch schwierige Aufgaben bewältigte.

Gilg Vältin beziehungsweise Giulio Valentini (um 1540 bis nach 1616) aus Roveredo wirkte in den letzten Jahrzehnten des 16. Jahrhunderts im schwäbisch-bayerischen Raum. Vermutlich ging bei ihm Hans Alberthal (um 1575/80 bis um 1657), auch bekannt als Giovanni Albertalli und ebenfalls aus Roveredo stammend, in die Lehre. Dieser war später unter anderem in Dillingen, Augsburg, Eichstätt, Innsbruck, schliesslich in Bratislava tätig und gilt als ein Wegbereiter des Barocks in Süddeutschland.

Hatte der Dreissigjährige Krieg die Bautätigkeit in Süddeutschland längere Zeit zum Erliegen gebracht, so setzte in der zweiten Hälfte des 17. Jahrhunderts in den Residenzen zahlreicher mittlerer und kleiner Fürstenstaaten ein eigentlicher Bauboom ein. Einige herausragende Repräsentanten sollen hier stellvertretend für diese Misoxer Baumeistertradition mit ausgewählten Bauten porträtiert werden.

Giacomo Angelini (1632–1714) – beziehungsweise Jakob Engel, wie er in Deutschland genannt wurde – aus San Vittore stand ab 1661 im Dienst des Fürstbischofs von Eichstätt. Als Hofbaumeister prägte Angelini massgeblich das barocke Stadtbild Eichstätts und errichtete zahlreiche Kirchenbauten in der Umgebung der Bischofsstadt. Sein grösster Auftrag war der Neubau der fürstbischöflichen Residenz ab 1700. Diese wurde von Engels Landsmann Gabriele de Gabrieli (1671–1747) zu Ende gebaut, nachdem dieser in jungen Jahren an der markgräflichen Residenz in Ansbach mitgebaut hatte. 1714 wurde de Gabrieli Engels Nachfolger als Eichstätter Hofbaumeister. In dieser Funktion errichtete er über 30 Kirchen, Schlösser, Adelspaläste und Denkmäler. De Gabrielis Laufbahn bestätigt die Bedeutung landsmannschaftlicher und verwandtschaftlicher Beziehungen in der Tätigkeit der Baumeister aus dem Misox: De Gabrielis Mutter war die Schwester von Gaspare Zuccalli (um 1637–1717), der ab 1688 in Salzburg Hofbaumeister des Erzbischofs war. Als Eichstätter Hofbaumeister wurde de Gabrieli von zwei Brüdern und weiteren Mitarbeitern aus dem Misox unterstützt. Über seinen Onkel Gaspare Zuccalli war de Gabrieli auch mit Enrico Zuccalli (1642–1724) verwandt, der seit 1679 als Hofbaumeister des Kurfürsten von Bayern die oberste Leitung der Bauprojekte der Wittelsbacher innehatte, die ihre politischen Ambitionen im Reich durch eine intensive Bautätigkeit zur Darstellung brachten. Enrico Zuccalli – wie de Gabrieli aus Roveredo gebürtig – vollendete in München die Theatinerkirche und Schloss Nymphenburg, bevor er mit dem Bau der Schlösser Lustheim, des Neuen Schlosses Schleissheim, der Erweiterung von Nymphenburg und ab 1709 mit dem Bau von Kirche und Kloster Ettal massgeblich die bayerische Barockarchitektur prägte. Bei der Erweiterung von Schloss Nymphenburg (1701–1705) arbeitete Zuccalli mit Giovanni Antonio Viscardi (1645–1713) – einem weiteren Misoxer – zusammen, der ihn nach seiner Absetzung durch die kaiserliche Besatzung 1706 als Hofbaumeister ablöste und in Bayern zahlreiche Schlösser und Klosterkirchen errichtete.

Tessiner Baumeister, wie etwa die Solari aus Carona, hatten schon seit dem 15. Jahrhundert für Moskauer Grossfürsten gearbeitet. Russland wurde aber vor allem seit der Regierungszeit von Zar Peter dem Grossen (1672–1725, Zar ab 1682) neben Italien, (Süd-)Deutschland und Polen eine weitere wichtige Wirkungsstätte der Baumeister aus den südalpinen Tälern. Der von Peter dem Grossen seit 1703 in der Newa-Mündung vorangetriebene Bau einer neuen Haupt- und Residenzstadt wurde massgeblich von Domenico Trezzini (um 1670–1734) geleitet. Trezzini aus Astano im Malcantone hatte nach seiner Lehrzeit in Rom zuerst für König Friedrich IV. von Dänemark (1671–1730, König ab 1699) in Kopenhagen an der Hafenbefestigung und am Wiederaufbau der Börse gearbeitet, bevor er zum Baumeister des Zaren berufen wurde. Er verwirklichte selber mehrere herausragende Gebäude, die bis heute das Stadtbild St. Petersburgs prägen, so die Peter-und-Paul-Festung (1706–1734), die Peter-und-Paul-Kathedrale mit ihrem markanten Glockenturm (1712–1732), den Sommerpalast der Zaren (1710–1714) oder das Alexander-Newski-Kloster (1715–1720). Trezzini steht am Anfang einer bemerkenswert langen Präsenz von Tessiner Architekten im Zarenreich, die bis weit ins 19. Jahrhundert andauerte. Landsmannschaftliche Netzwerke spielten auch hier eine Rolle, stammten doch die in Russland tätigen Baumeister aus den Familien Adamini, Gilardi, Rossi, Rusca und Visconti alle aus dem Umland von Lugano. Mehrere Generationen der Adamini aus Bigogno und der Gilardi aus Montagnola prägten mit ihren Bauten für die Herrscherfamilie, den Hochadel und die orthodoxe Kirche das (spät-)klassizistische Erscheinungsbild von St. Petersburg und Moskau.

Das Wanderschicksal der Tessiner und Bündner Baufachleute teilten auch manche Schweizer Maler und Bildhauer aus Gebieten nördlich der Alpen.

Schweizer Künstler aus Orten nördlich der Alpen mit einer Tätigkeit im Ausland (Auswahl, 16.–19. Jahrhundert)[15]

Name (Lebensdaten; Herkunft)	Tätigkeit	Wirkungsstätten im Ausland
Hans Holbein d. J. (1497/98–1543; Augsburg bzw. Basel)	Maler	London
Tobias Stimmer (1539–1584; Schaffhausen)	Maler	Italien, Strassburg, Baden-Baden
Jost Ammann (1539–1591; Zürich)	Maler	Nürnberg, Würzburg, Frankfurt, Heidelberg
Joseph Werner (1637 bis um 1710; Bern)	Maler	Rom, Versailles, Augsburg, Berlin
Jean Dassier (1676–1763; Genf)	Medailleur	England
Johann Conrad Hedlinger (1691–1771; Schwyz)	Medailleur	Nancy, Paris, Stockholm, St. Petersburg, Berlin

Johann Caspar Füssli (1706–1782; Zürich)	Maler	Wien, Höfe in Süddeutschland
Jacques Antoine Dassier (1715–1759; Genf)	Medailleur	Rom, London, St. Petersburg
Johann Jakob Schalch (1723–1789; Schaffhausen)	Maler	London, Den Haag
Johann Melchior Wyrsch (1732–1798; Buochs Nidwalden)	Maler	Rom, Besançon
Samuel Hieronymus Grimm (1733–1794; Burgdorf)	Maler	Paris, London
Johann Heinrich Füssli (Fuseli) (1741–1825; Zürich)	Maler	Berlin, London
Angelika Kauffmann (1741–1807; Chur)	Malerin	Rom, London, Neapel
Alexander Trippel (1744–1793; Schaffhausen)	Bildhauer	London, Kopenhagen, Paris
Jakob Christoph Miville (1786–1836; Basel)	Maler	Rom, St. Petersburg

Seit der Reformation galten insbesondere die bilderfeindlichen reformierten Kantone als schwieriges Pflaster für Künstler, da diese in der frühen Neuzeit noch zu einem erheblichen Teil von kirchlichen Aufträgen lebten. Doch auch die katholischen Kantone, wo im 17. Jahrhundert ein intensiver barocker Sakralbau einsetzte, boten Künstlern weniger Beschäftigungsmöglichkeiten als das Ausland. Die auf Sparsamkeit und unmittelbare Nützlichkeit bedachten eidgenössischen Republiken waren mit Aufträgen für profane Repräsentationsbauten wesentlich knauseriger als die Monarchen und der Adel in den europäischen Fürstenstaaten, für die eine ostentative Zurschaustellung höfischen Glanzes und die mäzenatische Förderung der Kunst zum ständischen Selbstverständnis gehörten. Der Zürcher Maler Johann Caspar Füssli (1706–1782), der 1724–1731 in Wien und an süddeutschen Höfen als Porträtist tätig gewesen war und dessen Sohn Johann Heinrich Füssli (1741–1825) später in Rom und vor allem in London als Historienmaler sowie Professor an der Royal Academy Karriere machen sollte, schilderte in seiner «Geschichte der besten Künstler in der Schweiz» die Gründe, die Schweizer Künstler zur Auswanderung zwangen.

Johann Caspar Füssli zur Zwangsmigration von Schweizer Künstlern im Ancien Régime (1769)
«Es ist schwerer, als man glaubt, eine Geschichte der Künstler zu schreiben, von einer Nation, wo der grössere Teil bei einer edlen Einfalt der Sitten und einer glücklichen Mittelmässigkeit der Reichtümer ihren Aufwand mehr auf das Nötige verwendet, und wo folglich der Künstler, um zu einer wahren Grösse zu gelangen, aus Mangel von Kunst Sachen, und folglich auch Aufmunterung, sein Vaterland verlassen, und auswärts sich bilden muss, will er dann die Früchte seiner Kunst geniessen, so findet er sein Glück leichter und gewisser in Königs Städten und in Ländern, wo Pracht und Aufwand keine Grenzen haben.»[16]

GELEHRTE UND HAUSLEHRER

Zur Migrationsgeschichte der alten Schweiz gehören nebst den Söldnern, Zuckerbäckern, Kaminfegern und Baumeistern auch die Gelehrten und Hauslehrer – gewissermassen Migranten im Dienst der Wissenschaft und Erziehung. Diese hoch qualifizierten Spezialisten waren ausgeprägte Einzelwanderer und wurden bislang zu wenig in ihrer Bedeutung für eine schweizerische Verflechtungsgeschichte beachtet. Viele von ihnen verliessen das Land in der Erwartung, im Ausland eine bestimmte Lebensphase zu verbringen und dann mit besseren Aussichten auf eine angemessene berufliche und soziale Stellung in die Schweiz zurückzukehren. Für einige trat die Option der Rückkehr im Verlauf ihres Auslandsaufenthalts in den Hintergrund, weil sie ihre Kontakte zur alten Heimat gelockert und sich ihnen im Ausland attraktive Karriereperspektiven eröffnet hatten. Gelehrte und Gebildete verliessen die Schweiz, weil ihre geistige und kulturelle Kompetenz im Ausland mehr gefragt war als zu Hause, wo sie sich mit ihrem Wissen nicht das Ansehen und die Position verschaffen konnten, die ihren Kollegen im Ausland in Aussicht standen. Die Beschäftigung mit der Auswanderung von Schweizer Gelehrten und Gebildeten berührt auch die grundsätzliche Frage nach dem Status des gelehrten Wissens in der alten Schweiz. Fallbeispiele sollen die Chancen und Risiken der Gelehrtenwanderung aus der Schweiz erhellen.

Die Biografie Albrecht (von) Hallers (1708–1777) verdeutlicht den Spagat eines Mannes, der sich als Mediziner und Botaniker eine enorme Reputation in der europäischen Gelehrtenrepublik erwarb und zugleich als Angehöriger einer Familie am Rand des bernischen Patriziats darauf bedacht sein musste, seinen Nachkommen ein standesgemässes Auskommen in der aristokratischen Republik Bern zu sichern.

Haller galt im 18. Jahrhundert als einer der bedeutendsten Gelehrten Europas. Als Begründer der experimentellen Physiologie und als herausragender Botaniker gehörte er den wichtigsten europäischen Wissenschaftsakademien an. Die Reichweite seines Korrespondenznetzes zeigte seinen Rang und Einfluss an. Hallers Netzwerk umfasste 1200 Korrespondenten und reichte von Schweden bis Südspanien und von Irland bis Moskau. Der junge Haller war nach dem Studium der Medizin in Tübingen und Leiden 1729 nach Bern zurückgekehrt, wo er zunächst als Arzt praktizierte und sich erfolglos um die Stelle des Stadtarztes und eine Professur an der Hohen Schule bewarb. 1736 wurde er als Professor der Anatomie, Botanik und Chirurgie an die neue Universität Göttingen berufen, die als Reformuniversität die experimentelle Forschung förderte. Haller trug mit seinen Forschungen und Publikationen massgeblich zum Aufschwung der Göttinger Universität bei, an der er auch das Präsidium der Akademie der Wissenschaften übernahm. Gleichwohl kehrte er 1753 zur grossen Überraschung seiner Gelehrtenkollegen nach Bern zurück. Die Rückkehr erfolgte aus Gründen der langfristigen Familienökonomie. Die Haller waren wohl Burger der Stadt Bern und gelangten ab und zu in den Grossen Rat der Republik, doch gehörten sie nicht zur patrizischen Elite. Albrecht Haller war 1745 – noch von Göttingen aus – dank der Protektion des Berner Schultheissen in den Grossen Rat gewählt worden, doch war ihm sehr wohl bewusst, dass er nur mit seiner Anwesenheit in Bern sich selber und seinen Söhnen eine Perspektive im bernischen Magistratenstand sichern konnte. Im höheren Interesse der Familie brach Haller seine glänzende universitäre Karriere ab, verzichtete auf die Forschungseinrichtungen in Göttingen und hoffte, nach seiner Rückkehr auf eine einträgliche Landvogtei gewählt zu werden, die ihm und seinen Angehörigen ein standesgemässes Auskommen sichern sollte. Den sehnlichst erhofften Sprung in den Kleinen Rat schaffte er allerdings trotz neunmaliger Bewerbung nie. Um in der Berner Aristokratie ganz nach oben zu gelangen und dort zu bleiben, waren nicht wissenschaftliche Pionierleistungen gefragt, sondern die richtige Geburt.

Hallers Beispiel verdeutlicht, was für ein hartes Pflaster die Schweiz im 18. Jahrhundert für Gelehrte war. Die einzige Universität in Basel sowie die reformierten Hohen Schulen in Genf, Bern, Zürich und Lausanne waren keine Stätten der wissenschaftlichen Forschung, sondern dienten der Ausbildung von Theologen, Pfarrern und Juristen. Für Gelehrte, die wie Haller Wissenschaft als empirische Naturforschung betrieben und für ihre Experimente an Tieren und Pflanzen Labors und botanische Gärten benötigten, gab es in der Schweiz keine institutionelle Wirkungsstätte. Hier fehlten auch Akademien der Wissenschaften, die in den grossen Monarchien seit dem 17. Jahrhundert als neuartige Forschungseinrichtungen zum Nutzen der Gelehrsamkeit sowie zum Ruhm der Monarchen gegründet worden waren. Die kleinen eidgenössischen Republiken hätten es nie als ihre Aufgabe betrachtet, mit Staatsgeldern Wissenschaftsakademien zu unterhalten – nicht etwa, weil ihnen das Geld dazu gefehlt hätte, sondern weil dies ausserhalb ihres kulturellen Horizonts und ihres Staatsverständnisses lag. Sie investierten wohl Geld in die Ausbildung von Pfarrern, die nützlich waren, um die Menschen im richtigen Glauben und in der christlichen Moral zu unterrichten, aber nicht in die Forschung, den ergebnisoffenen Prozess der Akkumulation von Wissen.

Schweizer Gelehrten, die sich wie Haller mit ihren Forschungen und Publikationen in der europäischen Gelehrtenrepublik profilieren und von der Wissenschaft leben wollten, blieb nur die Auswanderung übrig.

Schweizer Gelehrte der frühen Neuzeit im Ausland
(Auswahl, 16.–18. Jahrhundert)[17]

Name (Lebensdaten; Herkunft)	Tätigkeit im Ausland
Francesco Ciceri (1521–1596; Lugano)	Altertumsforscher; 1561 Professor für Rhetorik in Mailand
Jost Bürgi (1552–1632; Lichtensteig)	1579 Hofastronom und Hofuhrmacher, Mechaniker von Landgraf Wilhelm IV. von Hessen-Kassel; Kammeruhrmacher von Kaiser Rudolf II. in Prag; Mathematiker
Jean Le Clerc (1657–1736; Genf)	1684–1731 Philosophielehrer in Amsterdam; Philologe, Historiker

Jean-Pierre Crousaz (1663–1750; Lausanne)	1724–26 Philosophieprofessor Universität Groningen; 1726–1733 Hauslehrer von Landgraf Friedrich II. von Hessen-Kassel
Jean Barbeyrac (1674–1744; Genf)	1717–42 Philosophieprofessor Universität Groningen
François Pierre Castella de Gruyère (1690–1764; Freiburg)	1723–62 Philosophielehrer und Dozent für Moraltheologie in Chambéry, Besançon, Marseille und Lyon
Samuel König (1712–1757; Bern)	1745 Professor für Philosophie und Mathematik in Franeker (NL); 1749 Hofrat und Bibliothekar von Wilhelm IV. von Oranien
Emer de Vattel (1714–1767; Neuenburg)	1743ff. und erneut ab 1760 in sächsisch-polnischen Diensten, zuletzt als Geheimrat in Dresden; einer der Begründer des Völkerrechts
Johann Georg Sulzer (1720–1779; Winterthur)	1747–63 Mathematiklehrer in Berlin; 1750 Mitglied, 1776 Direktor der philosophischen Klasse der Berliner Akademie; Philosoph, Kunsttheoretiker
Johann Bernhard Merian (1723–1807; Basel)	1749 Mitglied, 1770 Direktor der Abteilung für schöne Künste, 1797 ständiger Sekretär der Berliner Akademie; Philosoph

Was für Haller der Aufenthalt in Göttingen gewesen war, wurde für andere Schweizer Gelehrte der Aufenthalt an der Akademie in Berlin oder in St. Petersburg. Im 18. Jahrhundert stammte zeitweilig ein Drittel der Mitglieder der Berliner Akademie aus der Schweiz. Besonders eindrücklich war die Schweizer Präsenz an der russischen Akademie der Wissenschaften in St. Petersburg, wo ein eigentliches helvetisches Netzwerk die Politik der Akademie im 18. Jahrhundert wesentlich bestimmte.

Als die noch von Peter dem Grossen 1725 gegründete Akademie in St. Petersburg unter Zarin Katharina I. (1684–1727, regierende Zarin ab 1725) ihre Tätigkeit aufnahm, musste sie als Erstes renommierte Gelehrte aus dem Ausland gewinnen. In Russland selber, das sich unter Zar Peter kulturell stark nach Westeuropa hin geöffnet hatte, fehlte das geeignete Personal. Unter den 22 Ausländern, die zwischen 1725 und 1727 ihre Arbeit als residierende Akademiemitglieder in St. Petersburg aufnahmen, befanden sich auch die Basler Mathematiker Jacob Hermann (1678–1733), Leonhard Euler (1707–1783) sowie Nicolaus (1695–1726) und Daniel Bernoulli (1700–1782).

Basel war im späten 17. und im 18. Jahrhundert ein europäisches Zentrum der Mathematik, Physik und Mechanik. Dies hatte weniger mit der Qualität der dortigen Universität zu tun als mit der Tatsache, dass sich die Bernoulli – eine ursprünglich aus Antwerpen stammende Frankfurter Refugiantenfamilie – 1622 in Basel eingebürgert hatten. Mit den Gebrüdern Jakob (1654–1705) und Johann (1664–1748) stellte diese Familie zwei der besten Mathematiker ihrer Zeit. Die Bernoulli-Brüder begründeten eine eigentliche Gelehrtendynastie, deren Angehörige zusammen mit ihren Schülern Jacob Hermann und Leonhard Euler im frühen 18. Jahrhundert in Europa den Ruhm der Basler Mathematik und Physik begründeten.

Nicht von ungefähr holte sich die junge Petersburger Akademie also ihre Mathematiker in der Stadt am Rheinknie. Sie nutzte dabei die Dienste angesehener, gut vernetzter Gelehrter in Mitteleuropa. Für die St. Petersburger Akademie suchte Christian Wolff (1679–1754), der berühmte Philosoph, Jurist und Mathematiker der deutschen Aufklärung, im deutschsprachigen Raum nach geeigneten Gelehrten, unterbreitete der Akademie Personalvorschläge und handelte teilweise direkt mit den Kandidaten die Anstellungsbedingungen aus. Wolff knüpfte auch die ersten Kontakte zu Johann I. Bernoulli, der zwar selber die Anfrage ablehnte, doch an seiner Stelle seine Söhne Nicolaus und Daniel empfahl. Beide zogen in der Folge nach Russland, wo Nicolaus sehr früh verstarb und Daniel bis zu seiner Rückkehr nach Basel 1733 wirkte. Auf der Basis dieser frühen persönlichen und institutionellen Verbindung zur Akademie konnten sich die Beziehungen zwischen Russland und Basel verstetigen und dauerhaft für die Rekrutierung neuer Gelehrter genutzt werden.

Bei den Berufungen an die russische Akademie der Wissenschaften zog das Basler Netzwerk im 18. und frühen 19. Jahrhundert die Fäden. Besonders erfolgreich war das Gespann Daniel Bernoulli (in St. Petersburg 1725–1733) und Leonhard Euler (in St. Petersburg 1725–1741, 1766–1783), die beide als Schaltstellen bei der Rekrutierung von Akademieangehörigen aus der Schweiz fungierten. Nur zwei Schweizer Gelehrte – der Schaffhauser Botaniker Johann Ammann (1707–1740; ab 1733 in St. Petersburg) und der Basler Mathematiker Jacob Hermann (in St. Petersburg 1725–1731) – verdankten ihre Mitgliedschaft in der Akademie nicht unmittelbar diesem Netzwerk. Daniel Bernoulli holte beziehungsweise vermittelte nicht nur seinen Bruder Johann II. (1710–1790; in St. Petersburg 1732–1733), sondern auch Euler selbst nach Russland. Leonhard Euler wiederum holte den Neuenburger Schneidersohn und Mathematiker Frédéric Moula nach St. Petersburg (1703–1782; in St. Petersburg 1733–1735/36 [?]). Gemeinsam warben Daniel Bernoulli und Euler in Basel auch den Schreinersohn und Mathematiker Niklaus Fuss (1755–1825; in St. Petersburg 1773–1825) sowie den Mechaniker für mathematische Instrumente Isaak Bruckner (1686–1762; in St. Petersburg 1733–1745) an. Euler sicherte den langfristigen Einfluss dieses Beziehungsnetzes. Nach einem ersten längeren Aufenthalt in St. Petersburg 1727–1741 war er von 1741 bis 1766 als Direktor der Mathematischen Klasse der preussischen Akademie in Berlin tätig, ohne aber die Beziehungen nach Russland abzubrechen. Mehr als die Hälfte der deutschen Gelehrten, die zwischen 1741 und 1766 an die St. Petersburger Akademie wechselten, verdankten ihren Ruf Eulers Empfehlung. Als Zarin Katharina II. (1729–1796, Kaiserin ab 1762) Euler 1766 nach St. Petersburg zurückholen wollte, sagte dieser unter der Bedingung zu, seinen in Russland geborenen Sohn Johann Albrecht (1734–1800) – selber Physiker und Mathematiker, Mitglied der preussischen Akademie und Direktor der Berliner Sternwarte – mit nach Russland nehmen zu können. 1769 wurde Johann Albrecht Euler zum Sekretär der St. Petersburger Akademie ernannt, was ihm grossen Einfluss auf die Tätigkeit der Akademie verschaffte. Er lud die beiden Genfer Astronomen Jean-Louis Pictet (1739–1781) und Jacques-André Mallet (1740–1790) ein, in Russland 1769 den Gang der Venus vor der Sonne zu beobachten und naturkundliche Forschungen in Lappland anzustellen. 1786 holte Johann Albrecht Euler seinen Schwiegersohn Jacob Bernoulli (1759–1789) nach St. Petersburg. Vater Leonhard Euler, ab 1771 praktisch erblindet, zog 1773 den jungen Basler Niklaus Fuss als ständigen Gehilfen nach. Fuss wurde 1783 selber Professor für Mathematik und folgte 1800 seinem Schwiegervater Johann Albrecht Euler als Sekretär der Akademie nach, womit sich der Einfluss des Basler Netzwerks auf die Berufungspolitik der russischen Akademie um eine weitere Generation verlängerte. Fuss war massgeblich an der Ernennung seines Schwagers Jacob Bernoulli beteiligt und wirkte bei der Berufung der beiden Zürcher Hans Jakob Fries (Chirurg; 1749–1801) und Johann Kaspar Horner (Astronom, Geograf; 1774–1834; in St. Petersburg 1806–1809) an die Akademie mit. Fuss' Sohn Paul Heinrich (1798–1855) –

wiederum ein Mathematiker – folgte seinem Vater als Sekretär der Petersburger Akademie nach.

Vater und Sohn Euler sowie Niklaus Fuss, der als Gatte der Euler-Tochter beziehungsweise -Enkelin zu diesem familiären Netzwerk gezählt werden muss, bestimmten über ein Jahrhundert lang die Entwicklung der Petersburger Akademie mit und stiegen in Russland bis in höchste Staatsämter auf. Die temporäre oder dauerhafte Auswanderung schweizerischer Gelehrter brach nach diesen ersten Pioniergenerationen keinesfalls ab, sondern setzte sich im 19. Jahrhundert verstärkt fort und war damit Teil einer insgesamt beachtlichen Wanderung von Schweizerinnen und Schweizern nach Russland, die mit der Russischen Revolution 1917 abrupt abbrach.

Die Aufenthalte Albrecht Hallers in Göttingen und der Basler Mathematiker in Russland stellen die Spitze eines breiteren Phänomens dar. Als diese Gelehrten mit ihren Forschungen Wissenschaftsgeschichte schrieben, waren zahlreiche gut ausgebildete Schweizerinnen und Schweizer als Erzieher, Hauslehrer und Gouvernanten im Ausland tätig. Erzieher und Hauslehrer sind eine charakteristische Erscheinung der europäischen Schul- und Bildungsgeschichte des 17. bis 19. Jahrhunderts. Adelige und wohlhabende Bürger, die es sich leisten konnten, stellten Privatlehrer für die individuelle schulische Bildung und Erziehung ihrer Kinder an. Die Pädagogen hielten sich für eine vertraglich vereinbarte Zeit im Haushalt ihres Dienstherrn auf und schulten die ihnen anvertrauten Kinder im Einzelunterricht. Zu ihren Aufgaben als Erzieher konnte es auch gehören, die ihnen anvertrauten Zöglinge im fortgeschrittenen Alter auf Bildungsreisen durch Europa oder beim Studium an die Universität zu begleiten. Viele Schweizer Abgänger von Universitäten und Hohen Schulen überbrückten im 18. Jahrhundert die Wartezeit bis zur Anstellung als Pfarrer oder in einem anderen Amt mit der zeitweiligen Beschäftigung als Erzieher und Hauslehrer im Ausland. In der zweiten Jahrhunderthälfte war das Überangebot an Theologen in der reformierten Schweiz so gross, dass viele unter ihnen lange – mitunter vergeblich – auf die Wahl auf eine vakante Pfründe warteten. Für ledige Frauen bot die Anstellung als Erzieherinnen in adeligen und grossbürgerlichen Familien des Auslands im späten 18. und 19. Jahrhundert eine attraktive, ihren geistigen und kulturellen Fähigkeiten entsprechende Erwerbsmöglichkeit, die für sie in der Schweiz erst mit dem starken Ausbau der Volksschule im Verlauf des 19. Jahrhunderts entstehen sollte.

Besonders Männer und Frauen aus der reformierten französischsprachigen Schweiz empfahlen sich mit einer guten Ausbildung für Anstellungen als Pädagoginnen und Pädagogen im Ausland. Sie beherrschten die französische Sprache und hatten den richtigen, protestantischen Glauben. Französischkenntnisse waren im 18. Jahrhundert eine unabdingbare Voraussetzung nicht nur für eine berufliche Karriere in Politik und Diplomatie, sondern auch für die Gesellschaftsfähigkeit von Angehörigen der Oberschicht. Gleichzeitig kam der religiös-moralischen Erziehung von Kindern und Jugendlichen ein hoher Stellenwert zu, weshalb protestantische Fürsten, Adelige und Bürgerfamilien in Deutschland, den Niederlanden, Skandinavien und Russland ihre Zöglinge lieber Pädagogen und Gouvernanten aus Neuchâtel, der Waadt und Genf anvertrauten als katholischen Franzosen.

Ein Gesamtbild dieser Pädagogenmigration zu vermitteln, ist schwierig, doch schätzt man, dass Hunderte von Schweizerinnen und Schweizern im 18. und 19. Jahrhundert im Ausland tätig waren. Wiederum ragen einzelne Figuren heraus, die nach ihrer Tätigkeit als Hauslehrer und Erzieher beziehungsweise Erzieherinnen in anderen Positionen Berühmtheit erlangten. Stellvertretend für zahlreiche andere kann hier Frédéric-César de la Harpe (1754–1838) genannt werden, der Waadtländer Revolutionär und Mitglied des Helvetischen Direktoriums 1798–1800. Zwischen 1783 und 1795 war er für die Erziehung von Alexander und Konstantin Romanow, der beiden Enkel von Zarin Katharina II. von Russland, verantwortlich gewesen und hatte damit die Basis für eine lebenslange, enge Beziehung zur russischen Zarenfamilie gelegt. Dies gilt ebenso für Jeanne Huc-Mazelet (1756–1852) aus Morges, die von 1790 bis 1794 für die Erziehung von Alexanders jüngerer Halbschwester Maria Pawlowna (1786–1859) zuständig war. Beide Waadtländer nutzten ihre Beziehungen zu Zar Alexander I. (1777–1825, Zar ab 1801) beziehungsweise zu dessen Schwester, als es nach dem Zusammensturz der Herrschaft Napoleons 1813–1815 für die Waadtländer Politik darum ging, die Diplomatie der Grossmächte gegen Berns Ansprüche auf die Restauration der Herrschaft über die Waadt zu mobilisieren und die Souveränität des jungen Westschweizer Kantonalstaats abzusichern.

Schweizer Erzieherinnen bzw. Erzieher und Hauslehrer im Ausland (Auswahl, 17.–19. Jahrhundert)[18]

Name (Lebensdaten; Herkunft)	Hauslehrer/Erzieher(in) in/bei/von (Dauer der Tätigkeit)	Weitere Tätigkeiten
Samuel Chappuzeau (um 1625–1701; Genf)	Wilhelm III. von Oranien (1656–1661)	Autor von Theaterstücken und historischen Werken
Daniel Crespin (1641–1716; Vallorbe)	Paris (1670–1680)	Professor an der Akademie Lausanne
Johann Caspar Seelmatter (1644–1714; Zofingen)	Graf von Bentheim (1674–1675)	Professor an der Hohen Schule Bern, Pfarrer
Nicolas Fatio (1664–1753; Genf)	England (ab 1687)	Mathematiker, Physiker, Mitglied der Royal Society
Jean-Pierre de Crousaz (1663–1750; Lausanne)	Friedrich II. von Hessen-Kassel (1726–1733)	Philosoph, Professor und Rektor der Akademie Lausanne
Johann Conrad Wirz (1688–1769; Zürich)	Emmerich (Niederrhein) (1708–1711)	Theologe, Pfarrer, Antistes der Zürcher Kirche
Dominik Benedikt von Weber (1689–1766; Schwyz)	Erzieher des späteren polnischen Königs Stanislaus August Poniatowski	Mathematiker, Astronom, Naturforscher
François de Fégely (de Seedorf) (1691–1758; Freiburg)	Erzieher von Karl Theodor von Pfalz-Sulzbach, dem späteren Kurfürsten von Bayern	Theologe, Hofbeichtvater
Jacob Vernet (1698–1789; Genf)	Paris (1720–1722, ?–1728)	Professor an der Akademie Genf
Frédéric Moula (1703–1782; Neuenburg)	Pommern (1732)	Mathematiker, Professor und Mitglied der Akademie in St. Petersburg, Gelehrter
Jean Bertrand (1708–1777; Orbe)	Niederlande (1735–1742)	Theologe, Pfarrer, Gelehrter
François-Louis Allamand (1709–1784; Vevey)	Frankreich, Niederlande, Deutschland (1741–1748)	Pfarrer, Professor an der Akademie Lausanne
Abraham Trembley (1710–1784; Genf)	Prinz von Hessen-Homburg; Söhne des engl. Gesandten William Bentinck in Den Haag (1739–1747); Söhne des Herzogs von Richmond (1749–1756)	Bibliothekar, Naturforscher, Gelehrter

Elie Bertrand (1713–1797; Orbe)	Erzieher der polnischen Grafen Mniszech (in Bern)	Theologe, Pfarrer, polnischer Geheimrat und Minister
Nicolas von Béguelin (1714–1789; Courtelary)	Erzieher des späteren preussischen Königs Friedrich Wilhelm II. (um 1745/46)	Jurist, Mathematiker, Mitglied der Berliner Akademie
Henri Alexandre de Catt (1725–1795; Morges)	Niederlande (ab 1750)	Theologe, Mitglied der Berliner Akademie
Jean-Henri Andrié (1729–1788; Valangin)	Friedrich Heinrich von Preussen, Neffe Friedrichs II.	Neuenburger Staatsrat und preussischer Kammerherr
Paul-Henri Mallet (1730–1807; Genf)	Dänische Königsfamilie (1755–1760)	Ratsherr, Diplomat, Geschichtsschreiber
Elie Salomon Reverdil (1732–1808; Nyon)	Erzieher der Prinzen Friedrich und Christian von Dänemark (1760ff.)	Pfarrer, Mathematikprofessor, dänischer Staatsrat, Ratsherr und Politiker
Jean-Paul Marat (1743–1793; Boudry)	Bordeaux (1760)	Jakobiner, Abgeordneter im französischen Nationalkonvent
Joseph Des Arts (1743–1827; Genf)	Grafen Potocki (Hamburg, Galizien)	Jurist, Ratsherr, Syndic
Pierre Prevost (1751–1839; Genf)	Niederlande, Lyon und Paris (1774–1780)	Theologe, Jurist, Philosoph, Professor an der Genfer Akademie
Frédéric-César de La Harpe (1754–1838; Rolle)	Alexander und Konstantin Romanow, Söhne von Zarin Katharina II. (1783–1795)	Jurist, Ratsherr, Mitglied des Helvetischen Direktoriums, Waadtländer Grossrat
Philippe Abraham Louis Secretan (1756–1826; Lausanne)	Brüssel (1784)	Ratsherr, Mitglied des Helvetischen Direktoriums, Waadtländer Grossrat
Jeanne Huc-Mazelet (1765–1852; Morges)	Maria Pawlowna, Halbschwester des Zaren Alexander I. (1790–1804)	
Charles Monnard (1790–1865; Daillens)	Paris (1813–1816)	Theologe, Grossrat, Professor und Rektor der Akademie Lausanne, Professor in Bonn, Geschichtsschreiber

Die Beobachtungen zur Auswanderung und Rückwanderung von Gelehrten, Erziehern und Hauslehrern geben Anlass zu einigen allgemeinen Feststellungen zur Bildungs- und Wissenschaftsgeschichte der Schweiz. Im Vergleich zum Ausland, wo Wissenschaftsakademien und Reformuniversitäten das höhere Bildungswesen und die Dynamik der Forschung in Medizin und Naturwissenschaften bestimmten, fällt die Rückständigkeit der höheren Bildungseinrichtungen in der Schweiz des Ancien Régime auf. Hier richteten erst die liberalen Regierungen im 19. Jahrhundert Universitäten als zeitgemässe Forschungs- und Bildungsanstalten ein. Die alte Schweiz hingegen bot ihren Gelehrten keine deren Fähigkeiten entsprechenden Beschäftigungsmöglichkeiten. Ihre Forschung betrieben die Schweizer Gelehrten in ihrer Freizeit und als Mitglieder zahlreicher privater gelehrter Gesellschaften, sicherten sich daneben aber ihre Existenz in einem Brotberuf als Pfarrer oder Magistraten, sofern sie nicht als Privatgelehrte von ihrem Vermögen leben konnten. Nicht zufällig stammten zahlreiche Schweizer Gelehrte des 18. Jahrhunderts aus Familien der soziopolitischen Elite. Der Ruf an eine Universität oder Akademie im Ausland bot demgegenüber die Gelegenheit, aus der Vereinzelung eines privaten Gelehrtendaseins hinauszutreten und die Forscherneugier in einem engen institutionellen Austausch mit Gleichgesinnten und gegen Bezahlung befriedigen zu können. Besonders die Zugehörigkeit zu einer Wissenschaftsakademie versetzte die Gelehrten in einen prestigeträchtigen Kontext am Hof eines grossen Monarchen, wo sich mit innovativer Forschung nicht nur Ruhm und Ehre in der Gelehrtenrepublik, sondern auch die Gunst und Zuwendung eines mächtigen Patrons erwerben liessen – ganz im Unterschied zu den republikanisch-aristokratischen Kleinstaaten zu Hause, wo wissenschaftliche Leistungen keine Karriereperspektiven eröffneten und die Obrigkeiten keinerlei Interesse bekundeten, die Staatseinnahmen für die Finanzierung wissenschaftlicher Forschung statt für die Alimentierung der regierenden Geschlechter zu verwenden.

WER GEHT, WER KOMMT?
ZUR SCHWEIZER SIEDLUNGSWANDERUNG

Siedlungswanderungen waren aufgrund ihres kollektiven Charakters und der Perspektive der Migrierenden auf die dauerhafte Niederlassung am Zielort in der Regel organisierte Unternehmungen. Sie wurden von interessierten Kreisen in den Zielländern vorangetrieben und sollten grössere Gruppen zur dauerhaften Verlegung ihres Lebensmittelpunkts bewegen.

Grössere Gruppen von Schweizer Siedlungswanderern wanderten erstmals gegen Ende des Dreissigjährigen Kriegs in den 1640er-/1650er-Jahren aus. Im Dreissigjährigen Krieg hatten Württemberg oder die Pfalz Bevölkerungsverluste von bis zu 70 Prozent hinnehmen müssen. In der zweiten Hälfte des 17. Jahrhunderts wurden diese Gebiete erneut durch Kriege zwischen Frankreich und dem Reich in Mitleidenschaft gezogen. Die Landesherren dieser Territorien in der näheren und weiteren Nachbarschaft warben deshalb in der vom Krieg verschonten Schweiz um Bauern, die die entvölkerten Landstriche wieder besiedeln sollten. Zwischen 1660 und 1740 zogen 15 000 bis 20 000 Menschen in Richtung Freigrafschaft Burgund, Elsass, Pfalz, Baden, Württemberg, Bayern und Brandenburg weg.

Europäische Destinationen schweizerischer Siedlungswanderung (17.–18. Jahrhundert)[19]

Zeitraum	Herkunft	Zielräume	Personenzahl (Schätzwerte)
1660–1740	Schweiz im Allgemeinen	Elsass, Pfalz, Freigrafschaft Burgund, Baden, Württemberg, Bayern, Brandenburg	15 000–20 000
1650–1700	Berner und Zürcher Landschaft	Hanau-Lichtenberg (Nordelsass)	1350
frühe 1690er-Jahre	Kanton Bern	Neuruppin (Brandenburg)	1500
1712	⅔ Welsche, ⅓ Deutschschweizer	Preussisch-Litauen	350 Familien
1767–1769	katholische Gebiete	Andalusien	800

Die geschätzten Werte vermitteln wenig von der sozialen Dynamik und den organisatorischen Herausforderungen von Siedlungswanderungen in der frühen Neuzeit. Regionalstudien vermögen besser die Ausmasse und die lokalen Muster der permanenten Auswanderung aufzuzeigen.

Aus 22 Dörfern des bernischen Aargaus wanderten zwischen 1648 und 1700 jeweils 5 bis 115 Personen in die Pfalz aus. Zwischen 10 und 40 Prozent der Bewohner dieser Dörfer verliessen in diesem Zeitraum definitiv das Land.[20] Dabei konnten sich regionale Auswanderungstraditionen einspielen, die sich über mehrere Generationen erstreckten, wie das Beispiel der Kirchgemeinde Ottenbach im Zürcher Knonauer Amt zeigt: Zwischen 1649 und 1749 verliessen insgesamt 667 Personen die Gemeinde, mehr als 75 Prozent in Richtung Elsass, Zweibrücken und Pfalz. Die Auswanderung erfolgte dabei keineswegs kontinuierlich, sondern in ausgeprägten Wellenbewegungen.[21]

Die Auswanderer aus dem Knonauer Amt waren überwiegend sogenannte Tauner, das heisst Angehörige der ländlichen Unterschicht, deren Haushalte sich von den bescheidenen Gütlein und der Betätigung im Landhandwerk kaum ernähren konnten und die folglich in Ernte- und Teuerungskrisen als Erste unter Hunger und Not zu leiden hatten. Auch Knechte und Mägde zogen weg, die im Ausland wegen des Arbeitskräftemangels gute Beschäftigungsmöglichkeiten fanden. Eine eigene Gruppe stellten die Täufer, Angehörige einer in der Reformation entstandenen Freikirche, dar, die sich trotz der Verfolgung durch die Obrigkeit meist in peripheren ländlichen Räumen hatten halten können. Die Auswanderung eröffnete dieser Glaubensgruppe die Aussicht, sich ein für allemal der Verfolgung durch Kirche und Obrigkeit zu entziehen und in der Fremde eine sichere Existenz mit herrschaftlich garantierter Glaubensfreiheit aufzubauen. Im Elsass und in anderen Gebieten gehörten die fleissigen Täufer aus der Schweiz bald einmal zu den Pionieren des Landbaus, die auf ihren Höfen erfolgreich Methoden zur Steigerung der agrarischen Erträge ausprobierten.

Die auswandernden Aargauer und Knonauer versuchten, die mit dem Wechsel ihres Wohnorts verbundenen Risiken möglichst gering zu halten. Sie setzten auf Faktoren der Konstanz und Stabilität, die die Kosten der Ansiedlung in der Fremde berechenbarer machen sollten. Sie bevorzugten Zielgebiete, deren Konfession und Sprache ihnen vertraut waren. Gerne zogen sie auch in Gegenden, wo sich früher ausgewanderte Verwandte oder Nachbarn niedergelassen hatten. Vor dem Aufbruch verkauften sie nicht ihren gesamten Grundbesitz, um so ihr Bürgerrecht in der Gemeinde zu behalten und sich die Option auf die Rückkehr offenzuhalten. Die endgültige Ablösung von der alten Heimat erfolgte mitunter erst Jahrzehnte nach dem Wegzug.

Für Siedlungswanderer nach Übersee entfiel die Option der Rückwanderung allerdings in den allermeisten Fällen, sei dies aus Kostengründen oder aus politisch-rechtlichen Überlegungen. Aufschlussreich ist in dieser Hinsicht das frühe Kolonisationsprojekt des Berner Patriziers Christoph von Graffenried (1661–1743), der 1710 eine Gruppe von 106 Auswanderern anführte, mit denen er sich im heutigen North Carolina niederlassen und dort die Stadt New Berne gründen wollte.[22] Die bernische Obrigkeit unterstützte das Vorhaben, bestand doch mehr als die Hälfte der Gruppe aus verhafteten Täufern, die der Berner Rat auf diese Weise endgültig loswerden wollte. Die englische Krone förderte das Unternehmen aus kolonialpolitischen Gründen. Von den im März 1710 mit der Kolonistengruppe abgereisten Täufern traf allerdings kein einziger in Nordamerika ein, weil sie sich auf dem Weg nach Amsterdam von Glaubensgenossen in Deutschland und in den Niederlanden befreien liessen. Auch das Kolonisationsprojekt in Übersee endete schon 1713 abrupt, nachdem von Graffenried bei der Suche nach Bodenschätzen von Indianern gefangen genommen und erst gegen die Zusicherung, die Kolonie nicht weiter auszubauen und die Indianer nicht in ihren Fisch- und Jagdrechten einzuschränken, wieder freigelassen worden war. Während Graffenrieds Gefangenschaft war die Siedlung New Berne von den Indianern weitgehend zerstört worden.

Trotz solchen Rückschlägen setzte seit der ersten Hälfte des 18. Jahrhunderts eine permanente Schweizer Auswanderung in die englischen Kolonien Nordamerikas ein. In den Vereinigten Staaten von Amerika lebten schon 1790 etwa 25 000 Auswanderer aus der Schweiz, mehrheitlich in Städten. Ihren Höhepunkt erreichte die Massenauswanderung im 19. Jahrhundert. In jedem Jahrzehnt zwischen der Mitte des 19. Jahrhunderts und den 1920er-Jahren verliessen die Menschen zu Zehntausenden definitiv die Schweiz. Allein in den 1880er-Jahren waren es mehr als 90 000, die von der Aussicht auf ein besseres Leben in Übersee angelockt wurden. Die Auswanderung wurde massgeblich durch professionelle Auswanderungsagenturen organisiert und durch die rasante Verbesserung der Transportmittel (Eisenbahn, Hochseedampfer) erleichtert. Neben Nord- und Südamerika war Russland seit dem 18. Jahrhundert eine wichtige Destination für Siedlungswanderer. Bis zur Russischen Revolution 1917 zogen mehr als 20 000 Schweizerinnen und Schweizer vorübergehend oder auf Dauer nach Russland, darunter – neben Hofbeamten und Offizieren, Architekten, Gelehrten, Ärzten, Zuckerbäckern, Erziehern und Gouvernanten – im 19. Jahrhundert auch zahlreiche Käser.

EINWANDERER VERÄNDERN DIE SCHWEIZ

In der frühen Neuzeit handhabten Städte und Dörfer die dauerhafte Niederlassung und bürgerrechtliche Integration von Fremden aus Angst vor wirtschaftlicher Konkurrenz und vor den steigenden Kosten für die Armenfürsorge grundsätzlich sehr restriktiv. Die Zuwanderung grösserer Gruppen in die Schweiz blieb bis zur starken Immigration von Arbeitskräften im Zeitalter der industriellen und demografischen Revolution im 19. Jahrhundert die Ausnahme. Eine solche Ausnahme stellten die reformierten Glaubensflüchtlinge dar, die zwischen dem 16. und 18. Jahrhundert einwanderten und ein wichtiges Kapitel der schweizerischen Migrationsgeschichte bilden. Die reformierten Territorien der alten Schweiz waren naheliegende Zufluchtsorte für Menschen, die wegen ihres protestantischen Glaubens zur Flucht beziehungsweise Auswanderung gezwungen wurden. Als Kernlande der (zwinglischen und calvinischen) Reformation boten die reformierten Orte diesen Menschen Schutz vor Verfolgung. In Genf, in der Waadt, in Neuenburg sowie in den reformierten Städten der deutschen Schweiz ersuchten Glaubensflüchtlinge aus Italien (Veltlin, Toscana), Savoyen, Frankreich und England schon ab den 1530er-Jahren um Hilfe und um zeitweilige oder dauerhafte Aufnahme.

Neugläubige Glaubensflüchtlinge gelangten in zwei Phasen in die reformierte Schweiz. Eine erste Bewegung («premier refuge») setzte in den 1530er-/1540er-Jahren ein und dauerte bis zum Ende der Religionskriege in Frankreich und der Proklamation des Toleranzedikts von Nantes 1598 durch den französischen König Heinrich IV. (1553–1610, ab 1589 König von Frankreich). Zentren der Zuwanderung waren die reformierten Gebiete der Westschweiz, allen voran Genf, dann aber auch die bernische Waadt und Neuenburg. Fast 8000 Refugianten liessen sich schätzungsweise zwischen 1549 und 1587 als Hintersassen in Genf nieder, das 1580 etwa 17 300 Einwohner zählte. 3000 Flüchtlinge blieben auf Dauer in Genf und machten sich dort als Drucker, Buchhändler und besonders als erfolgreiche Textilfabrikanten und -händler einen Namen. Viele Refugianten der ersten Flüchtlingswelle kehrten nach Frankreich zurück, sobald es die sehr wechselhafte konfessionspolitische Lage in Frankreich zuliess.

Die grosse Einwanderung französischer Hugenotten («second refuge») datiert aus dem letzten Viertel des 17. Jahrhunderts und dem frühen 18. Jahrhundert und wurde durch die Religionspolitik König Ludwigs XIV. von Frankreich ausgelöst, der 1685 das Toleranzedikt von Nantes widerrief. Ungefähr 150 000 Hugenotten sollen die Flucht der erzwungenen Konversion vorgezogen haben. Etwa 60 000 durchquerten dabei die Schweiz, doch liessen sich nur rund 20 000 definitiv hier nieder. Die Solidarität mit den savoyischen und französischen Glaubensbrüdern und -schwestern hielt sich auch in den reformierten Städten und Kantonen in engen Grenzen, sobald erste Hilfe einmal geleistet worden war. Angst vor wirtschaftlicher Konkurrenz, vor politischen Repressalien des mächtigen Nachbarn Frankreich sowie die Ernte- und Hungerkrisen des späten 17. Jahrhunderts veranlassten die Orte zur Wegweisung der meisten Flüchtlinge. Da diese im Gegensatz zu den Glaubensflüchtlingen im 16. Jahrhundert nicht mehr nach Frankreich zurückkehren konnten, zogen viele nach Deutschland weiter, wo sie vor allem in calvinistischen und lutherischen Territorien aufgenommen wurden.

Unter den Familien, die sich nach der Flucht dauerhaft in der Schweiz niederliessen, fanden einige Zugang zur Elite ihrer neuen Heimatstadt, wobei vielfach ihr unternehmerischer Erfolg die Verbindung zu den führenden Geschlechtern anbahnte und die Integration in die soziopolitische und kulturelle Elite erleichterte. Das wirtschaftliche, kulturelle und politische Profil der Städte Genf, Lausanne, Neuenburg, Basel und Zürich in der Neuzeit ist massgeblich von eingewanderten Familien mit Refugiantenhintergrund geprägt worden. Die erfolgreiche Einbindung in die städtische Oberschicht liess die Erinnerung an diese Herkunft mit der Zeit verblassen.

Refugiantenfamilien in der Oberschicht der Städte Genf, Lausanne, Neuchâtel, Basel und Zürich (Auswahl, 16.–18. Jahrhundert)[23]

Name	Herkunft (heutige Staatszugehörigkeit)	Jahr der Aufnahme als Hintersasse (H) respektive Bürger (B)	Tätigkeitsfelder der Familie
Genf			
de Normandie	Champagne (F)	1548 (B)	Magistraten
Bordier	Raum Orléans (F)	1554 (H) / 1571 (B)	Tuchhändler, Goldschmiede und Juweliere, Magistraten, Gelehrte, Pfarrer

Sarrasin	Burgund (F)	1555 (B)	Bankiers, Magistraten, Professoren, Pfarrer
Trembley	Lyonnais (F)	1555 (B)	Magistraten, fremde Dienste, Gelehrte
de Saussure	Lothringen (F)	1556 (B: Lausanne) / 1635 (B)	Magistraten, fremde Dienste, Kaufleute, Gelehrte
Micheli	Lucca (I)	1556 (H) / 1664 (B)	Magistraten, fremde Dienste, Gelehrte
Mallet	Rouen (F)	1566 (B)	Kaufleute, Bankiers, Magistraten
Diodati	Lucca (I)	1572 (B)	Seidenhändler, Magistraten, Pfarrer
Flournoy	Champagne (F)	1572 (Niederlassung) / 1600 (B)	Kaufleute, Bankiers, Magistraten, Pfarrer
Thellusson	Lyonnais (F)	1572 (H) / 1637 (B)	Seidenfabrikanten, Kaufleute, Bankiers, Magistraten
Franconis	Dauphiné (F)	1574 (B)	Kaufleute, Bankiers, Magistraten
Tronchin	Troyes (F)	1579 (B)	Magistraten, Gelehrte, Pfarrer, Kaufleute, Bankiers, Händler
Saladin	Lyonnais (F)	1596 (B)	Kaufleute, Bankiers, Magistraten
Burlamachi/ Burlamaqui	Lucca (I)	Ende 16. Jh. (H) / 1631 (B)	Seidenhändler, Magistraten, Professoren und Pfarrer
Turrettini	Lucca (I)	1587 (Niederlassung in Zürich via Basel) / 1593 (Niederlassung) / 1627 (B)	Seidenhändler, Magistraten, Professoren, Pfarrer, Gelehrte
Baulacre	Tours (F)	Um 1600 (Niederlassung) / 1654 (B)	Händler, Gold- und Silberdrahtzieher
Grenus	Nordfrankreich	1620 (B)	Bankiers, Magistraten, fremde Dienste
Calandrini	Lucca (I)	1634 (B)	Seidenhändler, Gold- und Silberdrahtzieher, Magistraten, Bankiers

Fatio	Val d'Ossola (I)	1647 (B)	Getreide- und Salzhändler, Magistraten, fremde Dienste, Gelehrte, Bankiers
Claparède	Nîmes (F)	1691 (H) / 1724 (B)	Gelehrte, Kaufleute, Magistraten
Cazenove	Languedoc (F)	1697 (H) / 1702 (B)	Fabrikanten, Bankiers
Boissier	Languedoc (F)	1699 (B)	Kaufleute, Reeder, Bankiers, Magistraten, Gelehrte
Sellon	Nîmes (F)	1699 (B)	Kaufleute, Bankiers, Magistraten
Fazy	Briançonnais (F)	1702 (H) / 1735 (B)	Indiennefabrikanten, Politiker (19. Jh.)
Aubert	Dauphiné (F)	1708 (B)	Fabrikanten, Kaufleute, Bankiers, Magistraten
Pourtalès	Cevennen (F)	1716 (B)	Kaufleute, Bankiers
Labat	Gard (F)	1725 (B)	Kaufleute, Bankiers, Magistraten
Lausanne			
Constant (de Rebecque)	Artois (F)	1614 (B)	Kaufleute, Magistraten, Gelehrte, Pfarrer, fremde Dienste
de Chandieu	Dauphiné (F)	1652 (B)	Herrschaftsherren, fremde Dienste
Neuchâtel			
Deluze	Charente (F)	1691 (B)	Kaufleute, Indiennefabrikanten
Pourtalès	Cevennen (F)	1729 (B)	Kaufleute, Bankiers, Indiennehändler, Magistraten
Basel			
Socin	Bellinzona	1560 (B)	Kaufleute, Magistraten
Battier	Lyonnais (F)	1569 (B: Genf) / 1573 (B)	Kaufleute, Magistraten, Gelehrte
Pellizzari	Veltlin, Chiavenna (I) via Genf	1573 (B)	Seiden- und Garnhändler, Fabrikanten

Vertemate (Werthemann)	Plurs (I)	1583 (Niederlassung)	Kaufleute, Fabrikanten, Bankiers
Passavant	Luxeuil (F)	1596 (B)	Seidenfabrikanten, Ärzte, Bankiers
Miville	Colmar (F)	1606 (B)	Händler, Seidenfärber, Wundärzte
Bernoulli	Antwerpen (Belgien)	1622 (B)	Kaufleute, Gelehrte, Magistraten
Christ (Chrestien)	Elsass (F)	1622 (B)	Magistraten, Seidenfabrikanten, Pfarrer, Gelehrte
Sarasin	Metz (F)	1628 (B)	Fabrikanten, Kaufleute, Magistraten
de Bary	Tournai (Belgien)	1633 (B)	Seidenbandfabrikanten und -händler, Magistraten
Forcart	Köln (D)	1637 (B)	Tuchhändler, Magistraten
Fatio	Val d'Ossola (I)	1640 (B)	Magistraten, fremde Dienste, Gelehrte
Legrand	Tournai (Belgien)	1640 (B)	Seidenfabrikanten, Magistraten, Professoren
Raillard	Lothringen (F)	1641 (B)	Magistraten, Pfarrer
Vischer	Colmar (F)	1649 (B)	Kaufleute, Magistraten
Leissler	Bockenheim (b. Frankfurt) (D)	1675 (B)	Händler, Bankiers, Magistraten
Zürich			
von Muralt (Muralto)	Locarno	1566 (B: Zürich) / 1570 (B: Bern)	Seidenfabrikanten, -händler, Magistraten
Pestalozzi	Chiavenna (I)	1567 (B)	Seidenfabrikanten, -händler, Grossrat
von Orelli	Locarno	1592 (B, bedingt) / 1679 (B, uneingeschränkt)	Seidenhändler, Magistraten, fremde Dienste

Die Integrationspolitik der Stadt Genf spiegelt deutlich die beiden grossen Flüchtlingsbewegungen wider. Mehrere Familien aus dem ersten Refuge (Mitte und zweite Hälfte des

16. Jahrhunderts) fanden Zugang zur Elite. Darunter waren Franzosen und Luccheser stark vertreten. Zürich nahm protestantische Familien aus südalpinen Tälern auf, besonders jene, die 1555 auf Druck der katholischen Orte Locarno hatten verlassen müssen. Refugianten aus Lothringen und den spanischen Niederlanden bevorzugten die deutschsprachige eidgenössische Grenzstadt Basel. Nicht immer gelangten die Refugianten auf direktem Weg an ihre neue Bleibestätte. Die Wanderung konnte über mehrere Stationen erfolgen, in deren Verlauf die Familien sich in Linien aufspalteten, so im Fall der Fatio, die einen Zweig in Basel und in Genf begründeten, oder bei den Pourtalès, die je eine Linie mit Bürgerrecht in Genf und in Neuenburg besassen. Für die Aufnahme dieser Familien ins städtische Bürgerrecht sowie deren Aufstieg in die soziale, politische und kulturelle Elite ihrer neuen Heimatstadt legte häufig wirtschaftlicher Erfolg die Grundlage. Die Familien aus Lucca und aus dem Locarnese brachten das Seidengewerbe nach Genf beziehungsweise nach Zürich und etablierten dort eine blühende Seidenindustrie. Die Franzosen Fazy, Deluze und Pourtalès führten um 1700 die Indiennefabrikation ins Land ein. Der wirtschaftliche Erfolg dieser Familien auch nach der erzwungenen Migration gründete in der Tatsache, dass sie ihr bewegliches Vermögen, oft in Form von Wechselbriefen, rechtzeitig ins Ausland transferiert und die Liquidität für ihre Geschäftstätigkeit bewahrt hatten. Ebenso hatten sie ihre Bestellbücher und Kundendaten mitgenommen. Die Geschäftsbeziehungen und die unternehmerischen Qualifikationen waren im Gepäck der Refugianten mitgewandert, was eine entscheidende Voraussetzung dafür bildete, dass die reformierten Gebiete der Schweiz seit der zweiten Hälfte des 16. Jahrhunderts ein starkes Wachstum in verschiedenen Branchen der gewerblichen Warenproduktion erlebten. Heiratsverbindungen mit Familien aus der alten lokalen Elite eröffneten erfolgreichen Zuwanderern auch den Zugang zu den Räten. Sie sicherten auf diese Weise nicht nur ihren bemerkenswerten sozialen Aufstieg in der neuen Heimat ab, sondern gewannen auch Einfluss auf die Politik, nicht zuletzt auch auf die Wirtschafts- und Handelspolitik ihrer Städte. Materieller Wohlstand ermöglichte vielen männlichen Angehörigen dieser Familien akademische Studien und ein Leben als Gelehrte. Zahlreiche Theologen und Juristen wirkten als Professoren an Universitäten, Akademien oder Hohen Schulen. Seit dem späten 17. Jahrhundert brachten diese Familien auch Mediziner und Naturforscher hervor, die sich als Privatgelehrte und Pioniere in der Botanik, Geo-

logie oder Alpenforschung einen Namen in der europäischen Gelehrtenrepublik machten.

Ein Massenphänomen wurde die Einwanderung in die Schweiz allerdings erst in der zweiten Hälfte des 19. Jahrhunderts, als die expandierende Schweizer Wirtschaft ihren Bedarf an Arbeitskräften immer weniger im Inland decken konnte. Die Zuwanderung übertraf zahlenmässig erstmals zwischen 1888 und 1900 die Auswanderung. Vor dem Ersten Weltkrieg machten die mehrheitlich unqualifizierten italienischen Bauarbeiter mehr als ein Drittel der Ausländer in der Schweiz aus. Ihre starke Präsenz, die Angst der Schweizer Arbeiter vor ausländischer Konkurrenz und sinkenden Löhnen sowie fremdenfeindliche Gefühle provozierten in Bern 1893 und in Zürich 1896 Zusammenstösse zwischen italienischen und Schweizer Arbeitern sowie den Ordnungskräften.

Kommerzielle Verflechtung

Der schweizerische Raum ist im Unterschied zu benachbarten Gebieten in den Alpen arm an natürlichen Rohstoffen. In der französischen Dauphiné, in den Alpen der Lombardei und des Piemonts sowie in Tirol gab es wesentlich reichere Eisenerzvorkommen als in der Schweiz. Vor der Entdeckung der Rheinsalinen von Schweizerhalle in der ersten Hälfte des 19. Jahrhunderts konnte das Land seinen hohen Salzbedarf für die Viehzucht und die Käseherstellung nicht selber decken. Die Salinen von Bex in der Waadt reichten bei Weitem nicht aus. Salz wurde deswegen aus Tirol, aus dem Salzkammergut, dem bayerischen Reichenhall, aus der Freigrafschaft Burgund und als Meersalz aus der Camargue eingeführt. Kohle wurde im 18. Jahrhundert nur an wenigen Orten in der Waadt und auf der Zürcher Landschaft abgebaut. Zudem war der Anteil der öden, agrarisch nicht nutzbaren Areale an der Gesamtfläche des Landes hoch. Klima und Witterung gestatteten in der Regel nicht mehrere Ernten innerhalb eines Vegetationszyklus. Getreide musste seit jeher aus dem Elsass, aus Oberschwaben oder Oberitalien importiert werden. An natürlichen Ressourcen verfügte die alte Schweiz über Wasser und Holz – die beiden wichtigsten Energieträger im vormodernen Zeitalter der «solaren», nicht-fossilen Energiewirtschaft. Wasser trieb die Mühlen zum Mahlen des Getreides und für die Gewinnung von Nahrungsmitteln und Werkstoffen an (Öl-, Säge-, Stein-, Pulver-, Walk-, Papiermühlen). Holz lieferte die Energie für Haushalte, Gewerbe und Industrie, war zusammen mit Stein der wichtigste Baustoff und diente als Werkstoff für die Anfertigung von Geräten. Während Wasser lokal genutzt und bewirtschaftet werden konnte, war der Holzhandel ein Geschäft auf grössere Distanzen. Baumstämme liessen sich mit der Flösserei in grosser Zahl über weite Distanzen verfrachten. Die in alle Himmelsrichtungen abfliessenden Flüsse wurden seit dem 13. Jahrhundert als Wasserstrassen für den Holzhandel genutzt. Nicht nur die nahen Städte des schweizerischen Mittellandes, sondern auch holzarme Städte und Gewerberegionen im deutschen Rheinland, in Tirol, im französischen Rhonetal und in der Poebene wurden mit Triftholz aus den Alpen und Voralpen versorgt.

Vor diesem Hintergrund kommt der kommerziellen Verflechtung eine hohe Bedeutung für die Wirtschaft der alten Schweiz zu. Exemplarische Fallstudien zu den Warenströmen zwischen der Schweiz und dem Ausland sollen im Folgenden aufzeigen, wie Importe und Exporte ineinander griffen und sich langfristig jene Austauschbeziehungen einspielten, die das Land mit lebenswichtigen Nahrungsmitteln und Rohstoffen versorgten und es ihm ermöglichten, Fertigprodukte erfolgreich ausserhalb seines sehr begrenzten Binnenmarktes abzusetzen.

Die folgenden Beobachtungen sind unter der Vorgabe zu lesen, dass für die Zeit vor dem Bundesstaat nur bedingt von einem schweizerischen Wirtschaftsraum gesprochen werden kann. Die Wirtschaftsgeschichte bestätigt die Vorstellung, dass die Entstehung der Schweiz das Ergebnis eines langfristigen Verdichtungsprozesses gewesen ist. Im Spätmittelalter gehörte die Eidgenossenschaft im eigentlichen Sinn, das heisst das Herrschaftsgebiet der 13 Orte, zu einem «transnationalen» Wirtschaftsraum, der auch Süddeutschland und das Elsass umfasste. Die Westschweiz zählte damals eher zum italienischen Wirtschaftsraum, zumal die aufstrebenden Genfer Messen eine wichtige Rolle in der Geschäftsstrategie der grossen italienischen Handels- und Bankhäuser spielten. Seit dem 16. Jahrhundert zeichneten sich die Konturen eines eidgenössischen Wirtschaftsraums ab. Die Tagsatzung koordinierte wirtschaftspolitische Angelegenheiten der Orte. Sie unternahm Anläufe zur Harmonisierung der Münzpolitik, war um die Koordination der Allianz- und Soldverträge mit auswärtigen Mächten besorgt, suchte den freien oder privilegierten Handel und Wandel im Innern und mit benachbarten Mächten durchzusetzen, und intervenierte bei auswärtigen Herrschaften zugunsten eidgenössischer Kaufleute, die mit ihren Geschäften im Ausland in Schwierigkeiten gerieten. Dennoch schuf erst der Bundesstaat von 1848 den ersten nationalen Wirtschaftsraum. Wenn im Folgenden von der wirtschaftlichen Verflechtung der Schweiz mit dem Ausland die Rede ist, so sind die Vereinfachungen einer solchen Redeweise in Rechnung zu stellen. Sie stellt nationale Einheitlichkeit und Koordination heraus, wo sich in der Realität die wirtschafts- und handelspolitischen Interessen je nach Branche, Kanton und Region erheblich unterschieden. Allenfalls punktuell, so etwa in der Allianz- und Soldpolitik oder bei der Salzversorgung, fand eine koordinierte Handelspolitik der Orte statt.

DER HANDEL MIT VIEH UND KÄSE

Die Bauern im voralpinen und alpinen Raum (Greyerzerland, Pays d'Enhaut, Saanenland, Berner Oberland, Emmental, Entlebuch, Innerschweiz, Toggenburg, Appenzell) nahmen im Spätmittelalter eine folgenschwere Umstellung ihrer Landwirtschaft vor: Sie gaben den Anbau von Getreide auf und spezialisierten sich auf die Zucht von Grossvieh, auf Milchwirtschaft und Käseherstellung. Mit dem Verzicht auf die agrarische Mischwirtschaft, die prioritär die Selbstversorgung sichern sollte, und mit ihrer Ausrichtung auf die Viehzucht optierten diese Regionen für die Chancen des Marktes. Sie setzten sich gleichzeitig den Risiken der Konjunktur aus, wurden sie doch von Getreideimporten abhängig.

Die Umstellung auf die Viehwirtschaft erforderte eine neue Wirtschaftsweise und die Umnutzung des Bodens. Entscheidend war hierfür die Einführung der Alpwirtschaft, dank welcher genug Raufutter für grössere Viehherden gewonnen werden konnte. Die bäuerlichen Betriebe optimierten die Bodennutzung, indem sie diese auf drei Höhenstufen verteilten. Die Äcker in der Talsohle wurden in Heuwiesen umgewandelt. Diese erbrachten das Winterfutter für das Vieh, weil dort die Vegetation am frühesten einsetzte und mit einer intensiven Nutzung des ertragreichen Grünlands zwei Ernten (Heu, Emd) möglich waren. Der bäuerliche Betrieb verlagerte seinen Arbeits- und Lebensmittelpunkt im Takt mit den Vegetationsphasen und begab sich auf eine betriebswirtschaftlich anspruchsvolle Wanderung zwischen Talgrund und Alp. Von November bis April hielten sich Menschen und Tiere im Tal auf. Das Vieh wurde dann die meiste Zeit im Stall gehalten und musste mit dem Heuvorrat aus der letzten Ernte durchgefüttert werden. Diese Phase stellte den eigentlichen Engpass für den Betrieb dar, weil die Menge des Heuvorrats vorgab, wie viel Vieh überwintert werden konnte. Ab März und April konnte das Vieh partiell wieder mit frischem Gras aus der neuen Vegetationsperiode im Tal gefüttert werden. Im Mai wanderte der Betrieb auf die erste Höhenstufe (Maiensäss). In dieser Zeit wuchs auf den Talwiesen das Grünfutter für den Winter, das im Frühsommer mit dem ersten Schnitt als Heu und im Spätsommer mit dem zweiten Schnitt als Emd geerntet wurde. Für den Hochsommer wanderte der Betrieb auf eine noch höhere Geländestufe. Auf der Alp verbrachte er die wärmsten Monate des Jahres. In dieser Zeit wurden auch Wiesen auf dem Maiensäss und auf der Alp für eine Heuernte genutzt. Die Wanderungen im Jahreslauf forderten den Dreistufenbetrieben eine beachtliche Organisationsleistung ab. Die Sommermonate waren sehr arbeitsintensiv und erforderten die Anwesenheit von Arbeitskräften auf allen drei Höhenstufen: Während im Tal unten Heu und Emd und allenfalls noch eine kleine Getreideernte eingebracht wurden, wurde auf dem Maiensäss ein Schnitt für das Heu vorgenommen und oben auf der Alp das Vieh gehütet und gemolken, die Milch zu Käse verarbeitet und auch hier noch eine Heuernte eingebracht. Häufig erforderte dies die Verteilung der Arbeitskräfte im bäuerlichen Haushalt oder die Einstellung zusätzlicher Arbeitskräfte.

Mit der Einführung der Alpwirtschaft reagierten die Bergbauern auf Exportchancen für Produkte aus der Viehwirtschaft. Viel früher als die Getreidebauern des Mittellandes, die strukturell in die feudal-korporative Agrarverfassung eingebunden blieben, stellten sie auf Marktproduktion um. Sie richteten ihre Austauschbeziehungen auf die Städte beziehungsweise auf die Viehmärkte der vorgelagerten Ebene aus und versorgten die Bevölkerung der oberitalienischen Städte mit Fleisch.

Dieser auch als «Welschlandhandel» bezeichnete Viehhandel mit Italien fand jeweils im Herbst nach dem Alpabzug statt. Die Herden wanderten auf verschiedenen Routen nach Süden. Aus den westlichen Voralpen und Alpen des Waadtlandes und Saanenlandes ging es über den Col des Mosses, den Col du Pillon oder Sanetschpass ins Rhonetal und von da über den Grossen St. Bernhard oder den Simplon weiter nach Italien. Die Herden aus dem Berner Oberland und Emmental zogen über den Rawilpass, die Gemmi, den Lötschenpass oder die Grimsel ins Wallis und von dort über die Gommer Pässe oder den Simplon weiter südwärts. Für das Entlebuch, die Innerschweiz, das Freiamt und die Gebiete am linken Zürichseeufer bot sich der Gotthard als direkteste Verbindung nach Süden an, zumal mit diesem Pass die Alpen mit einem einzigen Übergang traversiert werden konnten. Die Glarner benutzten sowohl den Klausen und Gotthard als auch den Panixerpass und dann die Bündner Pässe. Die Bündner Pässe waren auch für die Herden aus der Ostschweiz und den Drei Bünden selber die Hauptrouten. Das Vieh der Appenzeller und Toggenburger Bauern dagegen wurde hauptsächlich ins schweizerische Mittelland und nach Süddeutschland verkauft.

Der Welschlandhandel aus dem schweizerischen Raum war Teil eines umfassenderen, grenzüberschreitenden Marktgeschehens. Norditalien befriedigte seine Nachfrage nach Fleisch über drei Marktregionen: Die östlichen Regionen (Venetien, Friaul bis auf die Höhe von Verona und Mantua) wurden mit Fleisch aus der Steiermark, aus Illyrien und Ungarn versorgt; hier gelangte nur wenig Vieh aus dem schweizerischen Raum zum Verkauf. Die lombardischen Städte bezogen ihr Fleisch überwiegend aus den eidgenössischen Kantonen, dem Wallis und Graubünden. Das Piemont schliesslich wurde mit Vieh aus Savoyen und den Westschweizer Alpen versorgt. Der alljährliche Viehtrieb aus den Alpen in die Städte der Ebene setzte im Spätmittelalter ein und dauerte bis ins 19. Jahrhundert fort. Für das 18. Jahrhundert wird das Ausmass dieses Handels auf jährlich 15 000 bis 20 000 Tiere geschätzt.

Die Rinder transportierten sich in einem tagelangen Marsch gewissermassen selber zur Schlachtbank. Mit Tagesmärschen zwischen vier und sechs Stunden brauchten die Herden allein für die Gotthardstrecke zwischen Flüelen und Giubiasco acht Tage. Entlang dieser Strecke mussten die Viehhändler Wiesen für die Fütterung des Viehs mieten. Weidewiesen direkt an der Landstrasse mussten am teuersten bezahlt werden, wobei sich die Länderorte Uri, Schwyz und Unterwalden bei der Pacht der Mietweiden entlang der von ihnen politisch kontrollierten Gotthardroute den Vortritt vor den übrigen Eidgenossen sicherten. Der Trieb nach Süden musste im Herbst über die Bühne gehen, bevor die Pässe unpassierbar wurden und solange auf dem Weg in den Süden noch Gras wuchs. Die Fütterung mit Heu wäre die Händler zu teuer zu stehen gekommen.

Erste Zielorte des Viehtriebs waren die Viehmärkte südlich der Alpen. Der im Oktober stattfindende Viehmarkt von Lugano war eine wichtige Drehscheibe des Welschlandhandels. Dort ging es für die Bauern und Viehhändler darum, den besten Preis für ihr Vieh zu erzielen und sich möglichst günstig mit Waren und Gütern einzudecken, die sie zu Hause brauchten. Der Welschlandhandel war für die Viehzüchter und -händler mit Risiken verbunden. Ein unelastisches Angebot traf auf eine elastische Nachfrage. Die Bauern und Händler aus dem Norden mussten ihr Vieh unbedingt loswerden. Eine Rückkehr mit unverkauften Tieren war ausgeschlossen, weil zu Hause das Winterfutter für diese Tiere fehlte. Die Nachfrage dagegen war elastisch, weil die Bewohner der oberitalienischen Städte ihren Fleischkonsum auf ihre wirtschaftliche Lage abstimmten und in wirtschaftlich angespannten Zeiten weniger Fleisch assen. Die Gewinnchancen in diesem Geschäft waren wechselhaft. Die Preise stiegen langfristig mit der wachsenden Bevölkerung, kurzfristig in Kriegszeiten, wenn die Bauern aus den Alpen vom Ausfall der Nahrungsmittelproduktion in den Kriegsgebieten Nutzen ziehen konnten.

Wie es um die Nachfrage bestellt war, erfuhren die Bauern und Händler auf dem Marsch nach Süden rasch. Ein gutes Zeichen war es, wenn ihnen die italienischen Viehhändler bis an den Gotthard entgegenkamen, um ihnen die Tiere möglichst frühzeitig auf der Strasse abzukaufen. Wer in Bellinzona oder Giubiasco sein Vieh immer noch nicht verkauft hatte und seinen Weg über den Ceneri fortsetzen musste, hatte schwierige Geschäfte zu gewärtigen. Der Aufenthalt auf dem Markt in Lugano war mit hohen Spesen verbunden. Das hohe Angebot drückte die Preise. Wer dann immer noch Rinder übrig hatte, musste sein Glück auf einem Nachmarkt versuchen oder trotz den Verboten seine Tiere ins Mailändische führen und auf einen Verkauf auf dem Weg in die lombardische Metropole hoffen. Wer bis Mailand ziehen musste, war den Käufern ausgeliefert. Einzelne verbrachten den halben Winter in der Lombardei und lösten zuletzt kaum die Hälfte des Wertes. Wer im riskanten Welschlandhandel langfristig bestehen wollte, musste mit den nötigen Kapitalreserven ausgestattet sein.

Die frühkapitalistische Wirtschaftsweise, die der Welschlandhandel in den alpinen Viehzuchtgebieten einführte, verstärkte sich im 16. Jahrhundert, als die Herstellung von haltbarem, exportfähigem Hartkäse aufkam. Mit der sogenannten Labkäserei konnten nun im Unterschied zu den bislang produzierten Fett- und Magerziger lagerbare Hartkäse hergestellt werden, die wegen ihrer Rinde auch leicht transportierbar waren. Käse wurde damit zur Exportware. Ein kommerzieller Austausch zwischen Berggebieten und Konsumzentren im Flachland pendelte sich ein. Die Nachfrage der Städte nach Käse bewog gewisse Gegenden auf die Haltung von Milchkühen statt von Jung- und Schmalvieh umzusteigen und die Käserei hauptberuflich zu betreiben, während sie davor nur ein bäuerlicher Nebenerwerb gewesen war. Zentren der exportorientierten Labkäserei wurden Gebiete im nördlichen Voralpen- und Alpenraum vom Appenzell über die Innerschweiz und das Berner Oberland bis ins Greyerzerland, wo der Aufstieg des Greyerzer Käses einsetzte. Die Hauptabnehmer waren auch hier Gebiete im nördlichen und südlichen Alpenvorland – das Elsass und Deutschland, Italien sowie Frankreich. Ein wichtiger Abnehmer schweizerischen Hartkäses wurde etwa die französische Kriegsmarine, welche ihre Matrosen damit ernährte.

Der Käsehandel lag vielfach in der Hand traditionsreicher Familiengesellschaften aus der Nähe der Produktionsgebiete. Der Transport erfolgte möglichst kostengünstig auf dem Wasser. Vevey war deshalb ein wichtiger Handelsplatz für Greyerzer, der über den Genfersee und die Rhone nach Frankreich verschifft wurde. Auf dem Rückweg brachten dieselben Handelsleute Korn und Wein als Handelswaren mit. Das Geschäft mit dem Käse entwickelte sich in der Neuzeit langfristig günstig. Mit der wachsenden Bevölkerung stiegen – besonders im 18. Jahrhundert – auch die Preise.

Im schweizerischen Käsehandel spielten die Allianzverträge der Eidgenossen und ihrer Zugewandten mit Frankreich eine entscheidende Rolle. Seit dem frühen 16. Jahrhundert konnte der Käse aus der Eidgenossenschaft zollfrei in Frankreich eingeführt werden, was diesem Produkt einen Wettbewerbsvorteil sogar gegenüber französischem Käse aus der Franche-Comté verschaffte. Der französische König lieferte seinen eidgenössischen Allianzpartnern zudem Salz zu vorteilhaften Bedingungen.

DER SOLDDIENST ALS KOMMERZIELLE VERFLECHTUNG

Zu den wichtigsten Exportartikeln der alten Schweiz gehörten die Reisläufer beziehungsweise Söldner. Vielfach auf denselben Wegen wie das Schlachtvieh – und wie dieses für den Tod auf der Schlachtbank bestimmt – zogen sie aus, um ihre Dienste auswärtigen Kriegsherren anzubieten. Nicht zufällig kamen zahlreiche Krieger in der Frühzeit des Reislaufs aus der Innerschweiz, wo die Umstellung der Landwirtschaft auf die Viehzucht Arbeitskräfte freigestellt hatte.

Viel zu häufig ist die Geschichte des eidgenössischen Solddienstes allein aus kriegs- und militärgeschichtlicher Sicht geschrieben worden. Gegen diese verkürzte Perspektive ist die Tatsache ins Feld zu führen, dass der Solddienst ein politisches und wirtschaftliches Unternehmen war, bei dem zwei Vertragspartner miteinander ins Geschäft kamen. Dabei ging es um wesentlich mehr als um Kriegsdienste. Diese waren vielmehr Teil eines umfassenden Transfers von Ressourcen und Leistungen, auf den sich die Orte mit ihren ausländischen Bündnispartnern einigten und der letztlich auf dem Prinzip einer Interessenpolitik auf Gegenseitigkeit basierte. Die Allianzpartner versorgten sich wechselseitig mit knappen Gütern und Diensten. Erst der ganzheitliche Blick auf das System offenbart die grundlegende Bedeutung der fremden Dienste, die über das rein Militärische weit hinausging und die so überhaupt erst die Langlebigkeit der militärischen Migration zu erklären vermag.

Allianzen als Institutionen eines umfassenden Ressourcentransfers (Beispiel Frankreich)

Leistungen der Orte	Leistungen des Allianzpartners
Werberechte und privilegierter Zugriff auf den Söldnermarkt	Faktische Sicherheitsgarantie für die Orte, die als Söldnerreservoir dienen
Sicherheits- und bündnispolitische Garantien (beispielsweise militärische Hilfe, keine Unterstützung von Feinden des Allianzpartners); Befriedung der geostrategisch wichtigen Alpenübergänge	Sicherheits- und bündnispolitische Garantien wie zum Beispiel militärische Hilfe gegen Angriffe; Frankreich als Garant des innereidgenössischen Gleichgewichts und Friedens
Kompensierung des Bevölkerungsdefizits grosser Kriegsmächte	
	Ausbildung und Finanzierung eines eidgenössischen stehenden Heers im Ausland
	Militärunternehmertum und Offiziersstellen in fremden Diensten als Faktor der Elitebildung und des Herrschaftssystems in den Orten
Ausrichtung der inneren Politik und Aussenbeziehungen des Orts auf die Interessen des Allianzpartners	Jahrgelder und (offene beziehungsweise heimliche) Pensionen an die Räte, Bürger und Landleute und an einflussreiche Vertrauensleute in den Orten: Bedeutung als Einnahmeposten bei den Staatsfinanzen, als Patronageressource für die Eliten und als symbolisches Zugeld für die Bürger und Landleute des Orts

	Handels- und Zollprivilegien für Exportgüter (Käse, Textilien)
	Salzlieferungen zu günstigen Bedingungen

Wenn die eidgenössischen Orte ihrem Allianzpartner den privilegierten Zugang zu ihrem Söldnermarkt gewährten, handelten sie sich im Gegenzug Sicherheit ein, hatte doch der Allianzpartner ein besonderes Interesse an einem unversehrten, funktionierenden Söldnermarkt in der Eidgenossenschaft. Nichtangriffsklauseln und Zusagen für militärische Hilfe im Fall eines Angriffs durch Dritte stärkten die Sicherheitslage der Allianzpartner. Aus diesem Grund war dem König von Frankreich, dem wichtigsten Bündnispartner der Eidgenossen, immer daran gelegen, alle 13 eidgenössischen Orte in der Allianz mit ihm zu vereinen. Dies zu bewerkstelligen und ein Minimum an Einvernehmen unter den Kantonen herzustellen, stellte angesichts der notorischen Zerstrittenheit der Orte eine besondere diplomatische Herausforderung für den französischen Botschafter in der Eidgenossenschaft dar. In der Regel ist ihm dieses Kabinettstück ansprechend gelungen, sodass die Allianz der Orte mit Frankreich durchaus als wichtige einigende Klammer des eidgenössischen Bündnissystems bezeichnet werden darf.

Dank den Bündnissen mit den Orten kompensierten die grossen kriegführenden Mächte ihre geringe Bevölkerungszahl und konnten damit den «schwerwiegendsten Nachteil ausgleichen, unter dem im Zeitalter der Söldnerheere ein Land leiden konnte».[24] Im Gegenzug sorgte die Allianzmacht für die zeitgemässe Ausrüstung und Ausbildung der Schweizer Truppen in ihren Diensten. Sie finanzierte die Modernisierung des eidgenössischen Militärs und ersparte den Orten damit die entsprechenden hohen Kosten. Mit anderen Worten: Die Allianzmächte beziehungsweise deren Steuerzahler finanzierten die im Ausland stationierten stehenden Heere der Eidgenossen und erlaubten ihnen sogar, diese bei Bedarf heim zu rufen.

Für die Angehörigen der regierenden Familien in den Orten war der Einsatz in fremden Diensten ein wichtiger Faktor in der militärischen und politischen Laufbahnplanung. Der Besitz von Soldregimentern und -kompanien war für sie lange Zeit eine rentable Kapitalanlage. Die finanziellen und ökonomischen Leistungen des Allianzpartners machten die

Allianzen zu Grundpfeilern der politischen Elitebildung und des Herrschaftssystems in den Orten. Die Mächte liessen sich die Freundschaft der Kantone einiges kosten: In gewissen Kantonen stellten die jährlich an die Staatskasse ausbezahlten ausländischen Pensionen einen beträchtlichen Teil der Staatseinnahmen dar. Neben diesen offiziellen Zahlungen in die Staatskassen liessen die Diplomaten der Allianzmächte in allen Kantonen grössere und kleinere Beträge den Ratsherren oder einzelnen Bürgern und Landleuten zukommen. Zu den direkten finanziellen Zuwendungen in den Staatssäckel oder in die Taschen der Ratsherren und Bürger gesellten sich ökonomische Leistungen. Für gewisse Kantone waren diese mindestens so interessant und lukrativ wie die Pensionen in Bargeld. Frankreich räumte eidgenössischen Kaufleuten Zoll- und Handelsprivilegien in Frankreich ein, was den Schweizer Exportwaren auf dem französischen Binnenmarkt Vorteile gegenüber den Konkurrenten aus Italien, Deutschland und selbst aus Frankreich verschaffte. Als im 17. und 18. Jahrhundert die Schweizer Textil- und Uhrenindustrie sowie die Käseherstellung einen starken Aufschwung erlebten, begünstigten die Privilegien den Zugang zum französischen Markt für Waren, die aus der Eidgenossenschaft stammten, beziehungsweise für solche Waren, deren eidgenössische Herkunft zumindest attestiert wurde. Nicht zuletzt solche handelspolitischen Vorteile bewogen schliesslich auch Zürich, 1614 erstmals in die Allianz mit Frankreich einzutreten, nachdem die Stadt jahrzehntelang unter dem Druck ihrer Kirchenführer allen Bündnissen mit auswärtigen Mächten ferngeblieben war. Die Zürcher Geistlichkeit schluckte 1614 diese Kröte umso leichter, als die reformierten Glaubensbrüder in Frankreich damals unter dem Schutz des Toleranzedikts von Nantes (1598) von König Heinrich IV. standen. Waren für Handelsrepubliken wie Zürich, Basel, Schaffhausen oder St. Gallen diese handelspolitischen Vergünstigungen interessant, so fielen für andere Kantone die günstigen Salzlieferungen aus dem Ausland ins Gewicht. Seit der König von Frankreich in den 1670er-Jahren die Freigrafschaft Burgund mit ihren reichen Salzvorkommen erobert hatte, konnte er mit dem Salz besonders jene Kantone ködern, die, wie besonders Freiburg, eine exportorientierte Vieh- und Käsewirtschaft betrieben.

Die politische Ökonomie des Kantons Freiburg zeigt exemplarisch, welchen kommerziellen Nutzen ein Kanton aus seinem starken Engagement im Solddienst für die Krone

Frankreich ziehen konnte. Zugleich wird auch deutlich, wie sich kommerzielle Abhängigkeiten leicht als diplomatische Waffen einsetzen liessen.

Der Aufstieg des Greyerzer Käses zum Exportschlager, die agrarkapitalistische Entwicklung im Greyerzer Land und die Konsolidierung der patrizischen Vorherrschaft in der Stadt Freiburg wären ohne die Allianz mit Frankreich nicht möglich gewesen. Diese setzte seit dem 16. Jahrhundert einen komplexen Ressourcentransfer in Gang. Freiburg exportierte Soldaten und Käse nach Frankreich. Frankreich bezahlte Freiburg wie allen übrigen Orten jährlich Pensionen als Zeichen der Freundschaft und als Entgelt für den privilegierten Zugang zum Schweizer Söldnermarkt. Der Verkauf des Greyerzers auf dem Hauptmarkt in Lyon liess gutes Geld ins Land fliessen. Schliesslich erhielt Freiburg aus Frankreich auch das Salz, das es in grossen Mengen für die Viehzucht und Käseherstellung benötigte, zu vorteilhaften Bedingungen. Freiburg bezog sein Salz am liebsten aus Salins in der Freigrafschaft Burgund und erhielt dieses, seit Frankreich die Franche-Comté 1674 definitiv erobert hatte, zu einem Rabatt von 25 Prozent. Der König band damit die Freiburger an sich und konnte mit dem burgundischen Salz starken diplomatischen und handelspolitischen Druck auf Freiburg ausüben.

In diesem Ressourcenaustausch griffen mehrere Teile einer ausgefeilten Mechanik ineinander. Die Freiburger Patrizier sicherten ihre Herrschaft über Stadt und Kanton dank der Kontrolle über dieses System ab. Nicht von ungefähr zählte Freiburg in der alten Eidgenossenschaft zur engsten Gefolgschaft Frankreichs. Patrizische Familien waren selber in das Käsegeschäft eingestiegen, hatten Alpweiden in den Freiburger Alpen gekauft und waren auf diese Weise direkt an den Erträgen des Käsehandels beteiligt. Weil die Viehzucht weniger Arbeitskräfte an die Landwirtschaft band als der Getreidebau, wurden mit der Spezialisierung der Greyerzer Bauern auf die Milch- und Käsewirtschaft Arbeitskräfte freigesetzt, die als Infanteristen in den Freiburger Soldkompanien im Dienst Frankreichs hochwillkommen waren, denn langfristig gestaltete sich die Rekrutierung von Söldnern immer schwieriger. Das Soldgeschäft im eigentlichen Sinn führte den Freiburger Patriziern weitere Einnahmen zu: Sie verdienten als Militärunternehmer und Besitzer von Regimentern und Kompanien und waren an der Verteilung der französischen Pensionen an die Ratsherren beteiligt.

Söldner, Käse, Salz und Pensionen – Ressourcentransfers zwischen Freiburg und Frankreich.[25]

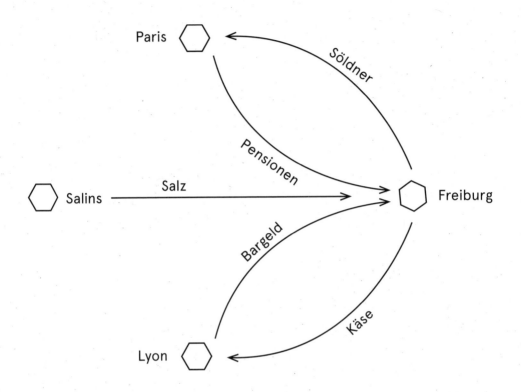

Freiburg exportierte zwei Produkte nach Frankreich: Soldaten und Käse. Als unmittelbare Gegenleistung bezog Freiburg wie alle Kantone jährlich die sogenannten Pensionen.
Aus dem Erlös des Käses auf dem Hauptmarkt in Lyon floss zusätzlich gutes Geld ins Land. Eine entscheidende Voraussetzung für die Viehzucht und Käseherstellung war die Lieferung grosser Mengen an Salz zu möglichst vorteilhaften Bedingungen. Freiburg kaufte sein Salz am liebsten in Salins in der Freigrafschaft Burgund. Seit dieses Territorium im Besitz Frankreichs war (1674/78), bot der König das Burgundersalz zu einem Rabatt von 25 Prozent an. Er tat dies nicht ganz uneigennützig, wusste er doch, dass er damit die Freiburger besonders eng an sich binden und von sich abhängig machen konnte. Das burgundische Salz eignete sich vorzüglich, um diplomatischen und handelspolitischen Druck auf Freiburg auszuüben. Die Freiburger politische Ökonomie garantierte das Funktionieren dieses Ressourcentauschs, auf dem letztlich die politische und ökonomische Vormachtstellung des Freiburger Patriziats basierte. Nicht von ungefähr zählten die Freiburger Patrizier zu den treuesten Gefolgsleuten des Königs von Frankreich in der Eidgenossenschaft. Diese Beziehungen schufen aber auch Abhängigkeiten. Die Grafik zeigt zwei neuralgische Punkte im Kreislauf zwischen Frankreich und Freiburg. Der Kreislauf konnte unterbrochen beziehungsweise gestoppt werden, wenn Frankreich kein Salz mehr lieferte oder die Ausführung des Gewinns aus dem Käsehandel in Lyon blockierte.

Die Allianz vermittelte zwischen den Interessen zweier Parteien: Frankreich war an der politischen Anbindung Freiburgs sowie an Soldaten und Käse interessiert, Freiburg und insbesondere das dortige Patriziat bezogen Einkünfte aus dem Handel mit Soldaten, Salz und Käse. Die Funktionstüchtigkeit dieses institutionellen Arrangements dauerhaft zu sichern, gehörte zu den obersten Zielen patrizischer Politik. Gute Beziehungen zum grossen Nachbarn waren die erste Voraussetzung dafür. Der König von Frankreich wusste um diese Abhängigkeit und spielte seine Macht gegenüber den Freiburgern aus, wenn seine Interessen dies erforderten. In der Affäre de Diesbach 1710/11 liess Ludwig XIV. die Freiburger spüren, wie rasch er sie zur Räson bringen konnte. Jean-Frédéric-Roch de Diesbach (1677–1751), Soldoffizier in Frankreich, hatte sich 1710 mächtig darüber ärgern müssen, dass ihm zum wiederholten Mal die Beförderung zum Obersten abgeschlagen worden war. Frustriert wechselte er – mitten im Spanischen Erbfolgekrieg – die Seite und setzte im Auftrag des Prinzen Eugen von Savoyen (1663–1736) in der Schweiz Werbungen für ein Regiment für die antifranzösische Allianz in Gang. Frankreich reagierte auf den Vertrauensbruch des Freiburger Patriziers und forderte Freiburg und die übrigen Orte auf, die Werbungen für das Regiment Diesbach zu verbieten. Die Blockade der französischen Salzlieferungen und der Freiburger Erlöse aus dem Käsehandel in Lyon verlieh der Forderung Nachdruck. Österreich bot zwar den bedrängten Freiburgern Ersatz für das Burgunder Salz an, doch beugte sich der Freiburger Grosse Rat bald einmal Ludwigs Druck. Er erklärte Diesbachs Kapitulation mit den Niederlanden für ungültig, worauf Frankreich das Embargo wieder aufhob. Die Abhängigkeit Freiburgs von Frankreich war stärker als die Solidarität des Freiburger Patriziats mit einer führenden Familie aus seinem Kreis. Die langfristige Anbindung an Frankreich hielt die Gnädigen Herren von Freiburg auch davon ab, auf das Angebot Österreichs einzutreten. Die Episode verdeutlicht das Verhältnis Frankreichs zu den katholischen Orten der Eidgenossenschaft unter der Regierung Ludwigs XIV. Der König und sein Ambassador in Solothurn wussten die Druckmittel einzusetzen, die ihnen die Allianz mit den Orten verschaffte, und bekundeten nötigenfalls keinerlei Respekt vor der Souveränität der Kantone.

Die Abhängigkeit Freiburgs von Frankreich blieb bis zum Ende des Ancien Régime bestehen. Die Freiburger Patrizier besassen bis 1792 ihre Regimenter und Kompanien in französischen Diensten. Mit Pensionen von 33 000 Pfund im Jahr nahm Freiburg unter den Kantonen den zweiten Rang hinter Solothurn auf der Liste der französischen Pensionenempfänger ein. Drei Viertel seines Salzkonsums deckte Freiburg mit Lieferungen aus dem französischen Salins. Schliesslich profitierten die Freiburger Käsehändler bis zur Revolution von ihren Handelsprivilegien in Frankreich. Letzteres war im 18. Jahrhundert keine Selbstverständlichkeit mehr. Die gnädige Behandlung der Freiburger Käseexporteure durch die französischen Zollbehörden muss umso mehr betont werden, als die Kaufleute aus anderen Kantonen schon seit dem späten 17. Jahrhundert Mühe bekundeten, die Einhaltung der Handels- und Zollprivilegien vor Ort durchzusetzen. Der König war angesichts des desolaten Zustands der französischen Staatsfinanzen im Grunde nicht mehr in der Lage, fremden Staaten politisch motivierte Geschenke zu machen sowie ausländische Waren auf Kosten des französischen Zolls und des einheimischen Gewerbes zu subventionieren.

DER HANDEL MIT WAREN DER VERLAGS- UND HEIMINDUSTRIE

Die Heim- und Verlagsindustrie hat die transnationale kommerzielle Verflechtung der Schweiz in der frühen Neuzeit nochmals verstärkt. Seit der zweiten Hälfte des 16. Jahrhunderts entwickelten sich mehrere Regionen zu Zentren der gewerblichen Warenproduktion. Sie verarbeiteten und veredelten Rohstoffe und stellten Waren und Konsumgüter für einen Markt her, der im 17. und 18. Jahrhundert immer internationaler wurde. Die Heim- und Verlagsindustrie entwickelte sich langfristig sehr günstig, sodass die Schweiz im 18. Jahrhundert zu den am stärksten industrialisierten Ländern des europäischen Kontinents zählte und günstige Voraussetzungen für die Fabrikindustrialisierung des 19. Jahrhunderts besass.

Mit dem Aufschwung der gewerblichen Produktion verlagerte sich der Schwerpunkt der verarbeitenden Wirtschaft von der Stadt auf das Land, von den Werkstätten der städtischen Zunfthandwerker in die Webstuben und Ateliers der ländlichen Heimarbeiter. Im Unterschied zu den Zunfthandwerkern stellten die Heimarbeiter ihre Produkte nicht mehr primär für den lokalen und regionalen Konsum, sondern für den Export her, zumal der schweizerische Markt für die

Abnahme ihrer Waren viel zu klein war. Schliesslich unterschieden sich der traditionelle städtische Zunfthandwerker und der neuartige Typus des ländlichen Heimarbeiters auch hinsichtlich ihrer jeweiligen Stellung im Produktionsprozess. Der Zunfthandwerker war ein selbständiger Warenproduzent und kontrollierte als solcher die Produktion vom Ankauf der Rohstoffe über die Verfertigung der Ware bis zu deren Verkauf. Der Heimarbeiter hingegen war in das sogenannte Verlagssystem eingebunden – eine Produktionsorganisation, in deren Mittelpunkt der sogenannte Verleger stand. Dieser brachte das Kapital in die Produktion ein: Er kaufte den Rohstoff, übergab ihn dem Heimarbeiter zur Verarbeitung und nahm diesem das fertige Produkt ab, um es über seine Vertriebskanäle abzusetzen. Diese kapitalistisch organisierte Produktion unterstand ganz der Kontrolle des Verlegers. Der Heimarbeiter wurde für seine Arbeit und für die seiner Frau und Kinder entlöhnt, war selber aber nicht mit Kapital am Unternehmen beteiligt. Mit der Verlagerung der Produktion zu den ländlichen Heimarbeitern umgingen die Verleger die vielfältigen Einschränkungen der zünftischen Wirtschaftsverfassung in den Städten. Sie konzentrierten sich zudem auf Nischenprodukte, die vom traditionellen Handwerk nicht hergestellt wurden und die grosses Finanzkapital, transnationale Geschäftsbeziehungen und gute Kenntnisse weit entfernter Märkte erforderten – alles Voraussetzungen, über die ein städtischer Handwerker in der Regel nicht verfügte.

Zentren der gewerblichen Warenproduktion in der Schweiz mit deren jeweiligen Hauptprodukten (16. bis frühes 19. Jahrhundert)

Region	Produkte
Stadt Genf	Golddrahtzieherei, Indienne, Uhren, Schmuck
Drei-Seen-Land (Boudry, Cortaillod, Biel, Greng)	Indienne
Waadtländer, Neuenburger Jura	Uhren, Spitzenklöppelei
Südliches Fürstbistum Basel	Spitzenklöppelei
Emmental, Oberaargau, bernischer Aargau (Schafisheim, Lenzburg, Möriken)	Leinen- und Baumwolltuche, Indienne
Teile der Luzerner und Zuger Landschaft	Leinen- und Baumwolltuche

Innerschweiz (Gersau, Engelberg, Zug und Teile der Luzerner Landschaft)	Schappespinnerei, Seidenkämmelei
Stadt Basel	Indienne
Basler Landschaft	Seidenbänder, Strümpfe
Zürcher Oberland und linkes Seeufer	Baumwolltuche, Seidenstoffe
Toggenburg, Appenzell Ausserrhoden	Leinen- und Baumwolltuche
Stadt und Landschaft St. Gallen	Stickerei, Leinen- und Baumwolltuche
Glarus	Baumwolltuche, Indienne
Lugano	Seidenstoffe

Die Zentren der schweizerischen Verlags- und Heimindustrie lagen hauptsächlich in reformierten Gebieten. Katholische Gebiete wurden erst später erfasst, als Seidenfabrikanten die Verarbeitung von Seidenabfällen in Innerschweizer Billiglohngebiete verlagerten. Die Vorreiterrolle der protestantischen Gebiete hing auch mit der Niederlassung protestantischer Glaubensflüchtlinge in Genf, Neuenburg, Basel und Zürich zusammen.

Drastisch wirkte sich der hugenottische Impuls auf die Dynamik der gewerblichen Industrie bei der sogenannten Indiennedruckerei (Zeugdruck) aus. Die Kunst, Baumwolltuche farbig zu bedrucken, war in der zweiten Hälfte des 17. Jahrhunderts aus Indien eingeführt worden. Marseille gehörte zu den frühesten Zentren in Europa. Indiennestoffe wurden im 18. Jahrhundert ein enormer kommerzieller Erfolg. Die hohe Nachfrage zeugte von der Verfeinerung des Geschmacks und von den steigenden Ansprüchen an die materielle Kultur. Indiennestoffe fanden bei der Anfertigung eleganter Bekleidung ebenso wie bei der Einrichtung gehobener Interieurs mit Vorhängen, gepolsterten Fauteuils und Kanapees Verwendung. Die bunten Stoffe befriedigten die wechselhaften Ansprüche der Mode. Farben und Muster konnten den besonderen Bedürfnissen der Käufer angepasst werden. Bunte, künstlerisch anspruchsvolle Blumenmuster richteten sich an eine kaufkräftige Kundschaft, während einfache geometrische, einfarbige Muster für Abnehmer mit kleinerem Portemonnaie gedacht waren. Refugianten gründeten die ersten Indiennemanufakturen im späten 17. Jahrhundert in Genf, wo es 1710 bereits deren vier gab. Von hier aus breitete sich dieser neue Produktionszweig seit den 1720er-Jahren dem Jurasüdfuss entlang über das Drei-Seen-Land (Zentren um Boudry und Cortaillod [NE]; Greng [FR], Biel) in die deutsche Schweiz (Zentren im Aargau, in Zürich, Glarus und in der Ostschweiz) aus. Daneben war die Stadt Basel ein zweites frühes Zentrum, wo die Gebrüder Ryhiner 1717 die Indiennefabrikation aus Amsterdam einführten. Das Bedrucken von Baumwolltüchern mit waschechten Farben war ein in hohem Mass arbeitsteiliger Vorgang und erforderte die Zusammenarbeit zahlreicher Arbeiterinnen und Arbeiter an einer zentralen Produktionsstätte: Zeichner und Maler entwarfen die Druckmuster. Stecher übertrugen die kolorierten Muster auf Handmodel aus Holz. Farbmischer stellten die Farben für das Einfärben der Handmodel her, die die Drucker schliesslich von Hand auf die Baumwolltücher pressten.

In der Westschweiz war die gewerbliche Warenproduktion neben der Herstellung von Textilien auf die Anfertigung von Uhren spezialisiert, die sich ebenso dynamisch wie die Indiennemanufakturen entwickelte. Neben Uhren, deren Gehäuse mit Edelsteinen verziert werden konnten, stellte die Genfer «Fabrique» silbernes Tafelgeschirr und -besteck, Schmuck, Emailarbeiten und Dosen her. Diese ausgesprochenen Luxusgüter wurden an eine schmale, kaufkräftige Schicht in ganz Europa und darüber hinaus verkauft. Zwischen der Stadt Genf und den Höhen des Waadtländer und Neuenburger Jura spielte sich eine Arbeitsteilung ein: Die Heimarbeiter auf dem Lande stellten die Rohlinge, Zifferblätter, Zeiger und Ketten her. In der Stadt besorgten hoch spezialisierte Handwerker die Endfertigung der Uhren unter Aufsicht der Verleger. Ihren Höhepunkt erreichte die Genfer Uhrenindustrie in den Jahrzehnten vor der Französischen Revolution, als sie ihre Waren vom fernen Osten bis in die nordamerikanischen Kolonien absetzte. Für den Absatz von Uhren im Osmanischen Reich und in Persien war Konstantinopel die erste Aussenhandelsstation. Dort unterhielten Genfer Uhrmacher schon seit dem späten 16. Jahrhundert eine Kolonie. Für manchen Genfer Uhrmacher gehörte es zum beruflichen Werdegang, einige Jahre in Konstantinopel verbracht zu haben. Der Vater von Jean-Jacques Rousseau beispielsweise war für die Uhren im Topkapipalast, dem Wohn- und Regierungssitz des Sultans, verantwortlich. 1737 lebten 160 Genfer am Bosporus und unterhielten dort eine eigene Kirche und Schule. Daneben waren die Genfer auch in den grossen Messestädten des Reichs sowie in Polen und Russland vertreten.

Siehe Abb. 1: Das Deckengemälde in der Trogner Pfarrkirche

Der Erfolg der exportorientierten gewerblichen Industrie ist ein Schlüssel zum Verständnis der transnationalen ökonomischen Verflechtung der Schweiz im Ancien Régime. Die Heim- und Verlagsindustrie war wie der Vieh- und Käsehandel mehrfach von weiträumigen Marktbeziehungen und von der kommerziellen Verflechtung mit der europäischen und globalen Ökonomie abhängig. Dies gilt einmal für die Versorgung der Heimarbeiter mit Lebensmitteln. Regionen mit verdichteter gewerblicher Warenproduktion versorgten sich nicht mehr selber mit Nahrung. Statt das nötige Getreide selber zu produzieren, importierten sie dieses möglichst aus benachbarten Gebieten, um die Transportkosten tief zu halten. Es bildeten sich komplementäre Wirtschaftsräume aus, als angrenzende Regionen wie das Elsass, Oberschwaben oder Oberitalien ihre Landwirtschaft auf die Lieferung von Getreide in die Schweiz ausrichteten. Über transnationale Handelsbeziehungen bezogen auch die Fabrikanten und Verleger die Rohstoffe, die sie verarbeiten und veredeln liessen. Diese mussten teilweise von weit her beschafft werden, entsprechend teuer war der Import. Rohseide stammte aus Norditalien und Südfrankreich, zum Teil aber auch aus Indien. Die Baumwolle wuchs in Ägypten und auf Plantagen in der Karibik und in Nordamerika. Gold, Diamanten und Edelsteine wurden aus Südafrika und Indien über Lissabon importiert, und auch die Färbstoffe für die Indiennedruckerei stammten aus Übersee. Auch für den Absatz ihrer Waren waren die Verleger-Unternehmer auf Handels- und Geschäftsbeziehungen angewiesen, die die Grenzen der Schweiz weit überschritten. Sowohl die billigeren Stoffe für den Massenkonsum als auch Luxuswaren wie feine Seidenstoffe, Uhren und Schmuck fanden ihre Käufer jenseits der Landesgrenzen, denn der Schweizer Markt konnte diese Produktion nicht absorbieren. Für den Absatz von Massenware war die Bevölkerung viel zu klein. In der Schweiz fehlten aber auch die grossen Höfe und Metropolen, wo der Adel und das vermögende Bürgertum die ersten Abnehmer für teure Stoffe sowie wertvolle Uhren und Schmuckstücke waren. Schliesslich erforderte auch ein erfolgreiches Marketing eine enge Verflechtung der Schweizer Unternehmer mit dem Ausland. Wer für internationale Märkte und kaufkräftige Kunden in ganz Europa und bisweilen darüber hinaus produzierte, musste deren Bedürfnisse kennen. Damit ihre Produkte den raffinierten Geschmack und das Distinktionsbedürfnis der ausländischen Kunden befriedigen konnten, mussten die Fabrikanten die Entwicklung des Stils und den Wandel der Moden in den Zentren Europas aufmerksam verfolgen. Die ausländischen Niederlassungen von Schweizer Uhren-, Schmuck- und Textilfirmen sicherten deshalb nicht nur den Nachschub an Rohstoffen und den Absatz der Fertigprodukte, sondern beobachteten auch die Entwicklung der Märkte und registrierten Veränderungen von Stil und Mode. Sie beschäftigten Spezialisten, die die Produkte aus der Schweiz verfeinerten und den Bedürfnissen der Kundschaft anpassten. Sie informierten die Fabrikanten in der Schweiz über Neuerungen und schickten Muster erfolgreicher Konkurrenten in die Schweiz, damit diese zu Hause kopiert werden konnten. Der Erfolg der Schweizer Unternehmer beruhte nicht zuletzt darauf, dass ihre Waren erfolgreich den englischen oder französischen Stil kopierten, der in London beziehungsweise in Paris gefragt war. Der Marktvorteil der Schweizer Hersteller gegenüber ihren englischen und französischen Konkurrenten bestand darin, den jeweiligen Geschmack zu treffen, dies aber zu einem deutlich tieferen Preis. Die Westschweizer Uhrenfabrikanten drangen so erfolgreich in den französischen und englischen Markt ein, dass die Londoner und Pariser Uhrenmacher am Ende des 18. Jahrhunderts nicht nur die Märkte im Osten Europas ganz an die Schweizer abtraten, sondern auch damit begannen, illegal Schweizer Waren zu importieren, um sich im einheimischen Markt gegen die Konkurrenz aus der Schweiz behaupten zu können. Londoner Uhrmacher schmuggelten Schweizer Uhren ins Land, ersetzten die originalen Zifferblätter durch solche mit dem eigenen Namen und versuchten auf diese Weise, am Erfolg der Schweizer Uhren teilzuhaben und das Handicap zu kompensieren, dass sie selber zu teuer produzierten.

Worauf basierte der Erfolg dieser Industrie, die sich im Ausland auch gegen Einfuhrbeschränkungen und Schutzzölle durchsetzen musste? Die Luxuswaren aus der Schweiz kamen in relativ kleinen Stückzahlen auf den Markt und waren qualitativ hochstehende Produkte im Hochpreissegment. Sie eigneten sich für den Schmuggelhandel, mit dem sich die Importbeschränkungen und Schutzzölle in den Exportgebieten umgehen liessen. Doch erklärt dies allein nicht den Erfolg. Ebenso wichtig waren die günstigen Produktionsbedingungen in der Schweiz. Hier fehlten zwar die natürlichen Rohstoffe, die für teures Geld von weit her eingeführt werden mussten. Doch konnten die Unternehmer auf genügend Arbeitskräfte zurückgreifen, die flexibel, gut ausgebildet und relativ günstig waren. Und schliesslich erwies es sich als erfolgsträchtige Geschäftsstrategie, die Produktion auf Luxuswaren auszurichten. Erstens schuf die raffinierte Verarbeitung der Rohstoffe den hohen Mehrwert der Endprodukte. Qualitätsarbeit veredelte die teuren Rohstoffe zu wertvollen Waren, welche leicht zu transportieren waren und deren Preise nicht nur die hohen Kosten für die Rohmaterialen deckten, sondern auch gute Gewinne versprachen. Zudem war die Luxusgüterindustrie im 18. Jahrhundert ein Wachstumsmarkt. In den kaufkräftigen Oberschichten Europas wuchs die Nachfrage nach Stoffen, Uhren und Schmuck, die die Verfeinerung der Moden und Geschmacksrichtungen befriedigten. Die Schweizer Protoindustrie erschloss sich mit ihren Waren erfolgreich diesen Markt, weil ihre Produkte den Geschmack der Zeit trafen und höchste Qualitätsansprüche zu Preisen befriedigten, welche die Konkurrenz in den Metropolen aus dem Feld schlugen.

Neben ökonomischen Faktoren mögen auch die Kultur und der Standort des Landes eine vorteilhafte Rolle gespielt haben. Als Kontaktzone zwischen dem deutschen, französischen und italienischen Kulturraum bot sich die Schweiz als Zone des Austauschs zwischen den grossen Kulturräumen an. Die Westschweizer Verleger und Buchdrucker des 18. Jahrhunderts haben dieses kulturelle Alleinstellungsmerkmal jedenfalls erkannt und ihre Kenntnisse des französischen und des deutschen Buchmarkts für die Ausrichtung ihrer Verlagsprogramme genutzt. Das macht- und marktpolitische Gewicht des Landes war zu gering, um auf gleicher Augenhöhe mit den grossen Nachbarn operieren zu können. Das Geschäftsmodell schweizerischer Unternehmer lief folglich darauf hinaus, kritische Differenzen zum Umland zu eigenen Gunsten zu nutzen und aus der besonderen Lage Kapital zu schlagen. Ein starkes Indiz für diese These bietet der Erfolg der schweizerischen Indienneindustrie im 18. Jahrhundert. Sie verdankte ihren Aufschwung massgeblich der Tatsache, dass Frankreich 1685 hugenottische Pioniere der Indiennefabrikation aus dem Land verjagte und 1686 die Herstellung und den Gebrauch dieser farbigen Tuche im eigenen Land verbot, um die französischen Tuchhersteller zu schützen. Was lag für die aus Frankreich vertriebenen und nunmehr in der Westschweiz niedergelassenen Indiennefabrikanten näher, als grenznah auf Schweizer Boden neue Manufakturen zu errichten und von dort aus ihre Ware auf den grossen französischen Markt zu schmuggeln, wo die bunten Stoffe trotz Verbot sehr begehrt waren? Als sich Mitte des 18. Jahrhunderts die Aufhebung des Verbots in Frankreich abzeichnete, gehörte der Herisauer Johann Rudolf Wetter (1705 bis nach 1767) zu den Ersten, die sich mit der Eröffnung einer grossen Stoffdruckmanufaktur im französischen Markt und nahe am Handelshafen Marseille positionierten, und zwar 1758 in Orange.

DIE «MARCHANDS-BANQUIERS» UND DAS TRANSNATIONALE FINANZ- UND BANKGESCHÄFT

In Handelsstädten wie Basel, Genf, Zürich und St. Gallen profilierte sich im späten Ancien Régime der Unternehmertyp des «marchand-banquier», der Warenhandel und Finanzgeschäfte kombinierte. Der kapitalintensive Handel mit Rohstoffen und Luxusgütern legte es Händlern nahe, ihre kommerziellen Beziehungen auch für Finanzdienstleistungen zu nutzen. Handelshäuser im grenzüberschreitenden Warenverkehr brachten wichtige Voraussetzungen für die Diversifizierung des Geschäftsmodells mit: Sie waren Kredit- und Wechselgeschäfte mit verschiedenen Währungssystemen und den zahlreichen kursierenden Münzsorten gewohnt. Sie kannten sich mit dem bargeldlosen Zahlungsverkehr über Schuldverschreibungen und Wechselbriefe aus und verfügten über ein weitgespanntes Netz von Geschäftspartnern, was für die Zahlungsfähigkeit und Kreditwürdigkeit wichtig war. Uhren- und Schmuckhersteller waren wegen ihres Handels mit Edelmetallen für das transnationale Münz- und Finanzgeschäft besonders geeignet, wussten sie doch um die Spekulationsgewinne, die sich aus den Preis- und Kursunterschieden bei Gold und Silber sowie bei den im Umlauf befindlichen Gold- und Silbermünzen erzielen liessen.

Die transnationale Verflechtung der alten Schweiz liess gutes Geld ins Land fliessen. Die Bündnisgelder und Pensionen der Allianzmächte, die Erlöse aus dem Vieh- und Käsehandel, die Gewinne aus dem Handel mit Textilien, Uhren und Schmuck brachten Gold- und Silbergeld aus dem Ausland in die Schweiz. Auch das machtpolitische Abseitsstehen der Kantone wirkte sich günstig auf die Kapitalbildung im Land aus. Die Orte waren nicht in die grossen europäischen Kriege des 17. und 18. Jahrhunderts verwickelt und verzichteten auf kostenintensive Reformen von Verwaltung und Militär. Seit dem 17. Jahrhundert akkumulierten die Staatsschätze und mancher private Haushalt Kapital, das nach Anlagemöglichkeiten suchte. Der Kapitalüberhang konnte im 17. und 18. Jahrhundert nicht mehr vom Kreditmarkt im Innern absorbiert werden. Hatten die Obrigkeiten früher in den Kauf von Adelsherrschaften investiert, so war der Markt mit Feudalrechten nach dem 16. Jahrhundert weitgehend ausgetrocknet. Auch für Private wurden Kapitalanlagen schwieriger, wie der Rückgang der Zinsen für grundpfandrechtlich gesicherte Kredite (Gülten) von fünf auf teilweise drei Prozent anzeigt. Einen weiteren Hinweis auf den Kapitalüberhang des späten Ancien Régime liefern die Umstände, die zur Gründung der Bank Leu in Zürich 1755 führten. Der Zürcher Rat wollte die hohe Kaufkraft in der Bevölkerung auffangen, weil sie die Inflation verstärkte. Er beauftragte eine Kommission damit, nicht nur Staatsgelder gewinnbringend im Ausland anzulegen, sondern ihre Geschäftsbeziehungen zu den grossen Finanzplätzen Europas auch den eigenen Bürgern anzubieten. Diese konnten neu ihre Ersparnisse aufs Rathaus bringen, wo sie Kassenscheine oder sogenannte Rathausobligationen erhielten. Die Ratskommission unter dem Vorsitz des Säckelmeisters und späteren Bürgermeisters Johann Jacob Leu (1689–1768) legte die Ersparnisse der Zürcher im Ausland an und verzinste deren Einlagen aus den Kapitalerträgen zu drei bis dreieinhalb Prozent. In Zürich stiess diese Anlagemöglichkeit auf grosse Nachfrage. Bisweilen musste die Kommission die Annahme neuer Kundengelder sperren oder rationieren. Sie trat nach aussen unter dem Namen Leu & Cie. auf; aus ihr ging nach der Privatisierung des Unternehmens die Bank Leu hervor.

Wie der grenzüberschreitende Warenhandel war auch das Banken- und Finanzgeschäft weitgehend in der Hand von protestantischen Privat- und Handelsbankiers aus dem hugenottischen Milieu, die vielfach familiär und geschäftlich miteinander verbunden waren. Von Genf, Lausanne, Neuenburg, Basel, Zürich und St. Gallen aus unterhielten sie, oft mit eigenen Niederlassungen in Finanzzentren wie Paris, London und Amsterdam, engste Beziehungen zur hugenottischen Hochfinanz in England, den Niederlanden, Frankreich und im Reich. Diese Financiers hatten Zugang zu ausländischen Regierungen und entwickelten neuartige, mitunter risikoreiche Anlage- und Kreditinstrumente. Ihre Niederlassungen in London, Paris, Lyon, Genua oder Amsterdam waren auf transnationale Finanz- und Kreditgeschäfte spezialisiert. Sie finanzierten wirtschaftliche Unternehmungen und den Kolonialhandel, sie boten ihrer Privatkundschaft vielfältige Anlagemöglichkeiten in Renten und Unternehmungen an. Ausländische Regierungen nahmen bei ihnen Kredite auf oder waren für die Kriegsfinanzierung auf deren Dienste angewiesen.

KOMMERZIELLE INFRASTRUKTUREN

Die Schweiz lag schon im Spätmittelalter im Schnittpunkt der grossen Handels- und Verkehrswege, die den Kontinent von Süden nach Norden und von Westen nach Osten durchzogen. Die transnationale kommerzielle Verflechtung der Schweiz in der frühen Neuzeit erweiterte die Basis für die Entstehung einer kommerziellen Infrastruktur, die den Transport und die Distribution von Rohstoffen und Fertigprodukten besorgte. Am einen Ende des Spektrums dieses hoch spezialisierten Dienstleistungsgewerbes agierten global tätige Grosshandelshäuser. Diese brachten Baumwolle und Färbstoffe aus Westindien in die Webkeller der Heimarbeiter und zu den Manufakturen der Indiennefabrikanten und verfrachteten anschliessend die fertigen Tuche zu den grossen Mittelmeer- und Atlantikhäfen, von wo sie nach Afrika und Amerika verschifft wurden. Am anderen Ende des Spektrums bewegten sich die Hausierer mit ihrem kleinen Angebot an Fertigwaren auf ihrer Rückentrage. Zwischen diesen Extremen waren viele weitere Dienstleister im Transportwesen und Zwischenhandel tätig. Die kommerzielle Infrastruktur vervollständigten Tavernen und Gasthäuser, wo all jene Verpflegung und Unterkunft fanden, die unterwegs waren.

In der gesamten frühen Neuzeit waren die Mittelmeerhäfen Venedig, Genua und besonders Marseille für den Schweizer Fernhandel zentral. Lyon war als Zwischenlager und Bankenplatz im Schweizer Geschäft mit Frankreich und Südwesteuropa von grosser Bedeutung. Dies zeigten nicht nur die zahlreichen Niederlassungen von Schweizer Handelshäusern, sondern auch die Bildung der «nation suisse» als besondere korporative Interessenorganisation der Schweizer Kaufleute in dieser französischen Stadt. Mit dem indischen und amerikanischen Überseehandel kamen im 18. Jahrhundert die Häfen am französischen Atlantik stark auf (Le Havre, Lorient, Nantes und Bordeaux). Marseille blieb aber eine wichtige kommerzielle Drehscheibe für die Schweiz. Mit 171 Kaufleuten stellten die Schweizer dort im 18. Jahrhundert die grösste Gruppe unter den 489 registrierten Händlern aus dem Ausland. Die reformierte Schweizer Kolonie konnte ihre konfessionelle Ausnahmestellung behalten und unterhielt einen eigenen Pfarrer und Friedhof. Neben Marseille behauptete sich Genua als Hafenstadt und Anlaufstelle für Schweizer Handelsfirmen. Die Genfer Uhren- und Schmuckindustrie versorgte sich dort mit Edelmetallen und Edelsteinen. In Genua eröffnete die Schweizer Kolonie eine reformierte Kirche (1824) und eine Schweizer Schule (1851). Nicht von ungefähr liessen sich im 18. und 19. Jahrhundert auch zahlreiche Bündner Zuckerbäcker in diesen Hafenstädten als kommerzielle Brennpunkte nieder.

International tätige Schweizer Handelshäuser (Auswahl, 16. bis frühes 19. Jahrhundert).[26] In eckigen Klammern ist die in Frankreich gebräuchliche Schreibweise des Namens angegeben.

Stadt bzw. Kanton	Handelshaus
Appenzell Ausserrhoden	Honnerlag, Zellweger (Trogen), Tobler (Heiden, Wolfhalden, Grub, Trogen), Wetter (Herisau)
Basel (Stadt)	Battier, Bischoff, Burckhardt, De Bary, Faesch, Falkner, Forcart, Fürstenberger, Hagenbach, Hoffmann, Merian, Mitz, Ochs, Ryff, Sarasin, Zaeslin
Biel	Schwab, Verdan
Genf (Stadt)	Balbani, Burlamaqui, Calandrini, Cazenove, Diodati, Fatio, Fazy, Lullin, Micheli, Turrettini
Glarus	Blumer, Tschudi (Schwanden), Becker, Jenny & Aebli, Oertli, Weber & Aebli (Ennenda)
Graubünden	Bavier, Massner, Salis-Soglio (Chur)
Neuenburg	Bovet, Deluze, De Pury, Du Pasquier, Meuron, Pourtalès
Schaffhausen (Stadt)	Amman, Frey, Peyer, Schalch, Ziegler
St. Gallen (Landschaft)	de Albertis, von Bayer (Rorschach), Heer (Rheineck), Sulser (Azmoos), Custer, Näf, Stadler (Altstätten)

St. Gallen (Stadt)	Gonzenbach [Gonzebat], Hochreutiner [Horutener], Högger [Hogguer], Kunkler [Councler], Scherrer, Schlumpf [Sellonf], Zili, Zollikofer [Sollicoffre]
Zürich (Stadt)	Bébié, Escher (vom Glas), Füssli, Hess, Hirzel, Holzhalb, Hottinger, von Muralt, Orelli, Pestalozzi, Werdmüller

Die Stammsitze der bedeutenden Handelshäuser lagen in Regionen mit verdichteter gewerblicher Warenproduktion, die sie mit Rohstoffen versorgten und deren Fertigprodukte sie übernahmen. Die Geschäftsbücher lassen – sofern überliefert – den Aktionsradius dieser Handelsfirmen erkennen.

Vier Handelshäuser und ihre Handelswaren (18. Jahrhundert)[27]

Name (Stadt bzw. Kanton)	Handelswaren (gemäss Bilanz des Jahres)	Wichtigste Bezugs- und Absatzgebiete
Pourtalès (Neuchâtel)	Baumwoll- und Indiennestoffe (Bilanz von 1747)	Frankreich, London, Schweiz
Amman (Schaffhausen)	Kolonialwaren, Färbstoffe, Stoffe, Garne, Metallwaren (Bilanz von 1762)	Schweiz, Reich, Amsterdam
Burckhardt (Basel)	Baumwolle aus Französisch-Westindien, Baumwollgarne, rohe, gefärbte und bedruckte Baumwolltücher, Färbstoffe, Kolonialwaren wie Kaffee, Zucker und Gewürze, Salz, Leder, Eisenwaren, Textilien aus Indien und China (Bilanz von 1773)	Schweiz, Frankreich, Amsterdam, Cadiz
Pestalozzi (Zürich)	Export von Seidenstoffen, Kolonialwaren, Indienne (Bilanz von 1787)	Schweiz, Reich, Oberitalien

Im Fall des um 1720 in Schaffhausen gegründeten Handelshauses von Johann Jacob Amman (1699–1777) erlaubt die Überlieferung sogar tiefe Einblicke in die Geschäftstätigkeit. Amman betrieb – seit den 1750er-Jahren mit seinem Sohn Johann Heinrich (1722–1794) – Grosshandel mit Färbstoffen (Indigo, Krapp, Grünspan, Karmin), Baumwolle, Genussmitteln (unter anderem Zucker, Kaffee, Tabak), Blech, Stahl sowie Sicheln und Sensen. Die Waren aus den Kolonien kauften sie vorab in den französischen Atlantikhäfen, dann auch in Amsterdam und Rotterdam, in Venedig, Triest sowie in Marseille. Ihre Absatzzone umfasste das Burgund, Lyon und

Genf, die Schweiz, das Elsass und Oberdeutschland sowie die Leipziger Messen mit einem Kernraum in der Nordostschweiz, in Oberschwaben (einschliesslich Augsburg) und Franken, wo sie die Zentren des Textilgewerbes belieferten. Umsatz und Gewinne des Amman'schen Handelshauses in den 1750er- und 1760er-Jahren spiegeln die Dynamik der gewerblichen Textilproduktion wider: Hatte das Unternehmen 1749/51 noch gut 130 000 Gulden im Jahr umgesetzt, waren es in den 1770er-Jahren im Jahresdurchschnitt 960 000 Gulden. Die Gewinne erhöhten sich von 9000 Gulden pro Jahr (1757–1760) auf knapp 30 000 Gulden pro Jahr in den 1760er-Jahren. In den 1760er-Jahren bauten die Amman das internationale Wechselgeschäft zu einem weiteren Standbein ihrer Firma aus.

Schweizer Grosshandelshäuser liessen sich in den Hafenstädten am Atlantik nieder, wo der Kolonialhandel abgewickelt wurde. Die Geschäfte mit den britischen, niederländischen oder französischen Indienkompanien eröffneten Händlern aus Europa neue Betätigungsfelder mit lukrativen Gewinnperspektiven. Ein Basler Adressbuch von 1743 verzeichnet für diese eine Stadt bereits zwölf Handelsfirmen, die mit Kolonialwaren handelten. Wer keine eigene Niederlassung in den grossen Häfen eröffnen wollte beziehungsweise konnte, beteiligte sich finanziell an bestehenden Handelsunternehmen. So stiegen die Schaffhauser Amman 1766/67 – mit Krediten der Pariser Zweigstelle des Genfer Bankhauses Thellusson, Necker & Cie. – in die Schaffhauser Handelsfirma Schalch in Bordeaux ein und hatten auf diese Weise am Überseehandel teil. Dieser eröffnete mit dem Reedereigeschäft und dem Verkauf von Anteilen an Schiffsladungen Handelskapitalisten, Indiennefabrikanten und vermögenden Privatiers in der Schweiz interessante Anlagemöglichkeiten. Vereinzelt wagten Kaufleute aus der Schweiz auch den letzten Schritt und erwarben selber Plantagen in Übersee. 1771 kauften Johann Jakob Thurneysen aus Basel und der Neuenburger Jacques-Louis Pourtalès (1722–1814) gemeinsam Kaffee- und Zuckerplantagen auf der Insel Grenada und liessen sie mit Sklavenarbeit bewirtschaften. Für beide war der Kauf primär eine rentable Kapitalanlage, die sie in den politisch unruhigen 1790er-Jahren wieder abstiessen. Andere, wie der Neuenburger David de Pury (1709–1786) oder der Basler Christoph Burckhardt (1740–1812), waren indirekt über Kapitalanteile an Frachtschiffen am lukrativen transatlantischen Dreieckshandel beteiligt, bei dem europäische Gewerbeprodukte

(Textilien, Werkzeuge, Feuerwaffen, Metall- und Glaswaren, Alkohol) an die westafrikanische Küste exportiert wurden, von wo Sklaven auf die Zuckerrohr-, Baumwoll-, Kaffee-, Kakao- und Tabakplantagen in der Karibik und in Nordamerika verfrachtet wurden. Auf ihrer Rückfahrt brachten die Schiffe die Erzeugnisse der Plantagenwirtschaft nach Europa.

Schweizer Kaufleute schlugen aber auch Kapital aus der günstigen Lage der Eidgenossenschaft mitten in einem chronisch kriegerischen Europa, indem sie einen florierenden (Zwischen-)Handel mit Kriegsmaterial und lebenswichtigen Gütern, so etwa mit Metallen, Tuchen, Leder, Pferden, Rindern, Getreide, Salpeter, Schiffs- und Munitionsbedarf, betrieben. Der Zwischenhandel über neutrales Schweizer Gebiet verstiess zwar gegen die Handelssperren der kriegführenden Mächte, war aber gerade wegen des damit verbundenen Risikoaufschlags einträglich. Dass Schweizer Händler die angeblich zum Eigengebrauch in die Schweiz importierten Waren mit gefälschten Attesten ihrer eidgenössischen Obrigkeiten im Ausland weiterverkauften, war den betroffenen Mächten durchaus bewusst und führte zu heftigen Protesten bei der Tagsatzung und den Kantonen. Diese fruchteten häufig umso weniger, als der Zwischenhandel über neutrales Terrain letztlich auch im Interesse der einen oder anderen kriegführenden Macht selber lag, die sich auf diesem Weg mit kriegswichtigen Gütern eindeckte, an die sie sonst wegen der Handelssperren des Gegners nicht herangekommen wäre.[28]

Der illegale Zwischenhandel basierte auf grenzüberschreitenden Netzwerken, die auch in Friedenszeiten für den Schmuggelhandel mit Produkten aus der Schweiz genutzt wurden. Schmuggler aus den Grenzregionen um Genf, aus dem Waadtländer, Neuenburger und französischen Jura brachten Indiennestoffe und Uhren illegal nach Frankreich und umgingen so die französischen Importbeschränkungen und Zölle. Von den Druckerpressen der Neuenburger Société typographique sowie von weiteren Verlagen in Genf, Lausanne und Basel brachten sie illegal nachgedruckte Bestseller oder zensurierte Bücher über die Grenze nach Frankreich. Schwunghaft war auch der Schmuggel mit Tabak, der aus dem Elsass oder der Pfalz in die Schweiz und von da aus nach Frankreich gelangte. Es dürfte kein Zufall sein, dass die Berner Obrigkeit in der ersten Hälfte des 18. Jahrhunderts im Seeland, in der Broye und Waadt den Anbau von

Tabak förderte, von dem ein Teil über die grüne Grenze nach Frankreich gelangt sein dürfte. Schliesslich wurden auch die aus allianzpolitischen Gründen massiv verbilligten Salzlieferungen aus der Franche-Comté an die Kantone zu einer beliebten Schmuggelware. Ein Teil des für die Schweiz bestimmten Salzes wurde zurückgeschmuggelt und an Bewohner der französischen Grenzregion verkauft, die wegen der hohen Salzsteuer für das weisse Gold aus ihrer Heimat dreimal mehr bezahlen mussten als die benachbarten Schweizer. Schmuggelhändler und die Einwohner der Franche-Comté profitierten beide von dieser Win-win-Situation.

Kaufleute und Schmuggler aus Grenzgebieten nutzten die Optionen, welche die politisch-ökonomischen Differenzen zwischen der Schweiz und dem Nachbarland eröffneten. Dabei konnte auch der unklare völkerrechtliche Status gewisser Gebiete von Vorteil sein, wie das Beispiel des schon erwähnten, sehr erfolgreichen Neuenburger Indiennefabrikanten und -händlers Jacques-Louis Pourtalès zeigt. Als Sohn von Hugenotten in Genf geboren, war Pourtalès seit 1729 Bürger von Neuenburg. Als solcher war er Untertan des preussischen Königs und zugleich Angehöriger eines Zugewandten Orts der Eidgenossenschaft – und somit Schweizer im weiteren Sinn. Im Verlauf seines langen Lebens erwarb er auch die englische und französische Staatsbürgerschaft, sodass er sich je nach Situation über die passende Staatsangehörigkeit ausweisen konnte.

Ihre grenzüberschreitenden Beziehungen machten sich auch jene Tessiner und Comasker Familien zunutze, die sich auf den Südhandel und den Vertrieb von Kolonialwaren und Lebensmitteln (unter anderem Dörr- und Zitrusfrüchte, Schokolade, Trockenfische, Wein) in der deutschen Schweiz, Deutschland und den Niederlanden spezialisierten. Die Ronca und Brentano aus Ortschaften am Comersee liessen sich mit ihren Handels- und Speditionsunternehmen in Luzern beziehungsweise Rheinfelden nieder. Die Balli und Pedrazzini aus dem Maggiatal operierten in den Niederlanden und Deutschland. Ohne die Beziehungen zu ihren Herkunftsgebieten abzubrechen, konnten sich die erfolgreichsten unter ihnen dauerhaft in Städten nördlich der Alpen etablieren und von dort aus mit ihren Agenten interregionale und transnationale Handelsunternehmungen aufbauen, die häufig Stützpunkte in mehreren Städten unterhielten. So wie sich die ungleich berühmteren Brentano im 18. Jahrhundert in der Frankfurter Gesellschaft integrieren konnten, krönten die Pedrazzini aus Campo (Vallemaggia) ihren Aufstieg 1773 mit der Aufnahme unter die Gildemeister in Kassel.

Mit der Entwicklung der Warenproduktion in verdichteten Gewerberegionen und dem damit korrespondierenden Aufschwung des Handels gelang es den Städten in der Eidgenossenschaft in der frühen Neuzeit immer weniger, ihre angestammten Markt- und Handelsprivilegien zu behaupten. So wie sich die gewerbliche Warenproduktion mit der Heimindustrie auf das Land verlagerte, so wurde auch der Warenhandel vielfach zur Domäne ländlicher Kleinhändler und Hausierer. Mit der Einführung neuer Jahr- und Wochenmärkte in Landgemeinden und der Einrichtung neuer Gast- und Wirtshäuser sowie von Kramläden in Marktorten und entlang der Überlandstrasse vermehrten sich die Plätze eines geregelten Warenhandels im 18. Jahrhundert besonders auf der Landschaft. Am Ende der Distributionskette agierten Hausierer aus der Schweiz und aus dem Ausland, die als Wanderhändler von Haus zu Haus zogen und ein grosses Angebot an Waren in kleinen Stückzahlen feilboten. Über diese Kolporteure kamen auch Leute in abgelegenen Gebieten mit den Warenströmen der globalen Ökonomie in Berührung – als Käufer eines baumwollenen Halstuchs, eines Seidenbandes oder von Kaffee und Zucker.

Aussenpolitische und diplomatische Verflechtung

Vor 1798 kann nur bedingt von einer eidgenössischen Aussenpolitik die Rede sein. 1798 richtete die Helvetische Republik erstmals ein schweizerisches Aussenministerium ein, und dies bemerkenswerterweise zu einer Zeit, als die französische Besetzung eine eigenständige schweizerische Aussenpolitik nicht zuliess. Die Bildung eines Aussenministeriums war gleichwohl mehr als nur ein Baustein in der Souveränitätsfassade der kurzlebigen Helvetischen Republik. Sie war Teil jener nachholenden Fundamentalmodernisierung, mit der die spätaufklärerischen Politiker der Helvetik die Schweizer Staatlichkeit auf das Niveau der fortschrittlichen Länder Europas heben wollten. Die Helvetik richtete auch erstmals ständige Schweizer Gesandtschaften in Paris (1798), Mailand (1798) und Wien (1802) sowie Konsulate in mehreren Hafenstädten ein. Die Orte der alten Eidgenossenschaft hatten ihre diplomatischen Interessen jeweils nur mit Ad-hoc-Gesandtschaften an die jeweiligen Höfe beziehungsweise Regenten vertreten. Nur die kleine Republik Genf unterhielt als einziger Staat im Corpus helveticum im 18. Jahrhundert einen ständigen Gesandten im Ausland, und zwar in Paris, und zeigte damit an, wie wichtig ihr der direkte diplomatische Draht zum grossen Nachbarn – nicht zuletzt wegen der Genfer Kapitalanlagen in Frankreich – war.

Die Frage, inwiefern für die alte Eidgenossenschaft überhaupt von Aussenpolitik und Diplomatie die Rede sein kann, muss noch in eine andere Richtung erörtert werden. Der Begriff «Aussenpolitik» setzt die Unterscheidung zwischen einem Innen und einem Aussen voraus und wirft die Frage auf, was denn in der alten Schweiz innen und was aussen war. Genau besehen existierten bis 1798 zwei Handlungsräume der Aussenpolitik. Als föderativer Verbund war das Corpus helveticum kein einheitliches Staatswesen, sondern ein Konglomerat zahlreicher eigenständiger Klein- und Kleinststaaten, die zueinander wohl engere Bündnisbeziehungen unterhielten als zu anderen Herrschaften – mehr aber nicht. Insofern können die Beziehungen zwischen den Orten als eine Art innere Aussenpolitik bezeichnet werden, deren Gegenstand die Aushandlung der sehr ungleichen, spannungsreichen Bündnisbeziehungen unter den Kantonen war.[29] In den Bundesverträgen, den zwischenörtischen Abkommen des Spätmittelalters und der frühen Neuzeit (Sempacherbrief 1393; Stanser Verkommnis 1481; die vier Landfrieden 1529, 1531, 1656, 1712; die Defensionale des 17. Jahrhunderts) sowie in einer jahrhundertelangen Praxis eidgenössischer Schiedsgerichtsbarkeit und politischer Vermittlung entwickelten die Orte die Normen und Gewohnheiten dieser inneren Aussenpolitik. Von dieser inneren Aussenpolitik ist sodann die Sphäre einer äusseren Aussenpolitik zu unterscheiden, die die Beziehungen einzelner Orte oder ihrer Gesamtheit zu auswärtigen Mächten wie Habsburg-Österreich, dem Reich, Frankreich, Spanien, Mailand, Venedig, Savoyen, dem Papst oder den Niederlanden betraf.

Mag auch der Vorschlag, die Beziehungen der alten Orte untereinander als Aussenpolitik und nicht als Innenpolitik zu bezeichnen, aus Sicht der traditionellen Nationalgeschichte zunächst befremden, so bestätigt das politische Verhalten der Orte selber die Angemessenheit dieser Begrifflichkeit. Von den ersten Bündnissen im 13. Jahrhundert bis zum Ende der alten Eidgenossenschaft im Frühjahr 1798 haben die Länder und Städte ihre politischen Beziehungen zueinander mit den klassischen Instrumenten der Aussenpolitik geregelt. Bündnisverträge regelten die Beziehungen zwischen den Orten als eigenständigen Partnern, die sich mit Allianzen mehr Sicherheit und Einfluss verschaffen wollten. Diplomatischen und weniger innenpolitischen Charakter besass auch die Art und Weise, wie die Orte miteinander kommunizierten und ihre Konflikte lösten. Die gemeineidgenössische Politik wurde auf der Tagsatzung verhandelt, einer politischen Einrichtung, die man am treffendsten im diplomatischen Vokabular als Kongress hoher eidgenössischer Gesandter definieren kann. Auseinandersetzungen zwischen den Kantonen wurden durch Schiedsgerichte und Vermittlung der neutralen, unbeteiligten Orte beigelegt, mithin wiederum auf diplomatischem Weg, und nicht durch eine zentrale politische oder gerichtliche Instanz mit allseits anerkannter Entscheidungs- und Exekutivgewalt.

Wie wenig sich die Orte exklusiv als Teile eines gemeinsamen Staatswesens betrachteten, bezeugten sie selber mit dem Abschluss zahlreicher Sonderallianzen, die ihre partikulare

Position gegenüber den anderen Orten stärken sollten. Die Schutzvereinigung der sieben katholisch-konservativen Kantone von 1845, die die liberal-radikalen Kantone als illegalen Sonderbund betrachteten und 1847 Anlass zum Bürgerkrieg gab, war kein Einzelfall, sondern hatte zahlreiche Vorläufer. Prominente Beispiele sind das Burgrecht der Städte Zürich, Bern, Luzern, Solothurn und Freiburg von 1477, das im Anschluss an die Burgunderkriege das Zerwürfnis mit den Ländern provozierte und zum Stanser Verkommnis 1481 führte, oder das frühreformatorische Christliche Burgrecht Zürichs mit Konstanz und weiteren protestantischen Städten von 1527, dem die fünf Inneren Orte mit der sogenannten Christlichen Vereinigung von 1529 gemeinsam mit Habsburg-Österreich ihr eigenes religionspolitisches Kampfbündnis entgegenstellten. Keine gemeineidgenössische Instanz hielt die eidgenössischen Kleinstaaten davon ab, auch mit nichteidgenössischen, ausländischen Mächten Allianzen einzugehen, um so das eigene Gewicht in der Eidgenossenschaft beziehungsweise den Druck auf die anderen Orte zu erhöhen. Im Konglomerat der 13 Orte konnte sich kein dominantes Machtzentrum mit dem Monopol auf die Gestaltung der Aussenpolitik ausbilden, weil sich die Orte bis zum Ende des Ancien Régime auch in der äusseren Aussenpolitik grundsätzlich ihre Souveränität vorbehielten und die Aussenbeziehungen auf ihre partikularen Interessen und nur sekundär auf übergreifende Anliegen der gesamten Eidgenossenschaft ausrichteten. Besonders im Zeitalter der Konfessionalisierung waren solche Separatbündnisse mit auswärtigen Mächten verbreitet, wie etwa die Allianz der katholischen Orte (ohne Freiburg) mit Savoyen 1560 und 1577 sowie jene der katholischen Orte (ohne Solothurn) mit Spanien-Mailand 1587 zeigten, die aufseiten der protestantischen Städte wiederum engere Zusammenschlüsse provozierten, so zum Beispiel das Burgrecht von Bern und Zürich mit der von Savoyen bedrängten Stadt Genf 1584. Ganz selbstverständlich nahmen Bern und Zürich um 1700 ihr freies Bündnisrecht in Anspruch, als sie mit den Niederlanden engere Beziehungen knüpften, um ein Gegengewicht zur Übermacht Frankreichs in der Eidgenossenschaft zu bilden.

Die aussenpolitische Autonomie der einzelnen Orte war insgesamt beträchtlich, doch gab es auch hier Abstufungen und gegenseitige Rücksichtnahmen. Die vier Waldstätte Luzern, Uri, Schwyz und Unterwalden hatten schon 1332 in ihrem Bündnis den Abschluss weiterer Allianzen an die Zustimmung der anderen Partner geknüpft. Die zwischen

1481 und 1513 in den engeren Kreis der Eidgenossenschaft aufgenommenen Orte Freiburg, Solothurn, Basel, Schaffhausen und Appenzell durften neue Bündnisse gar nur mit der Einwilligung der Acht alten Orte eingehen. Die bündnispolitische Handlungsfreiheit von Basel, Schaffhausen und Appenzell war insofern noch stärker eingeschränkt, als sie bei Konflikten zwischen den übrigen Kantonen zur Neutralität und zur Vermittlung zwischen den zerstrittenen Eidgenossen verpflichtet waren. Die Stadt Basel hat denn auch in der ganzen frühen Neuzeit eine intensive eidgenössische Friedensdiplomatie betrieben und in zahlreichen Konfessions- und Machtstreitigkeiten zwischen den Kantonen vermittelt.

Schliesslich führten die Kantone auch mit unschöner Regelmässigkeit Krieg gegeneinander. Vom Alten Zürichkrieg in den 1430er- und 1440er-Jahren über die Kappeler Kriege der Reformationszeit (1529, 1531), die beiden Villmerger Kriege (1656, 1712) sowie den sogenannten Stecklikrieg beim Untergang der Helvetik 1802 bis zum Sonderbundskrieg 1847 erstreckt sich die lange Reihe blutiger Konfrontationen zwischen den Kantonen. All diese Kriege können nur bedingt als Bürgerkriege gelten, weil sich hier jeweils nicht Bürger desselben Staats bekämpften.

Es kann angesichts dieser Beobachtungen zur Mechanik und Funktionsweise des eidgenössischen Bündnissystems nicht verwundern, dass niemand im Spätmittelalter die Aussage gewagt hätte, dass dieses komplizierte Geflecht unterschiedlicher Allianzen von Städten und Ländern nicht nur die Jahrhunderte überdauern, sondern gar zur Keimzelle eines souveränen Staats werden würde. Der Weg vom losen alteidgenössischen Staatenverbund zum suprakantonalen schweizerischen Bundesstaat war denn auch sehr steinig. Der qualitative Sprung zum modernen Staat 1848 gelang erst nach einem halben Jahrhundert permanenter Staats- und Verfassungskrisen. Vor 1798 beziehungsweise vor 1848 fehlten der Eidgenossenschaft die wichtigsten Attribute eines modernen Staats: Sie besass kein einheitliches Staatsvolk mit gemeinsamem Bürgerrecht; es fehlten ihr die gemeinsamen staatlichen Institutionen wie eine zentrale Regierung, Verwaltung und Gerichtsbarkeit; sie führte keine einheitliche (Innen- und Aussen-)Politik, es fehlte ihr eine Verfassung, und es fehlten lange die staatlichen Hoheitszeichen wie ein gemeinsames Siegel, Wappen oder eine gemeinsame Kasse.

IM AUGE DES HURRIKANS: CHANCEN UND RISIKEN EINER GEOPOLITISCHEN LAGE

Die äussere Aussenpolitik der alten Schweiz erschliesst sich nur unter Berücksichtigung des geopolitischen Umfelds, wie es sich vom späten 15. Jahrhundert bis zum Ende des Ancien Régime präsentierte. Die Aussenbeziehungen der Orte zu den Mächten in der unmittelbaren und weiteren Nachbarschaft gestalteten sich in Abhängigkeit der Beziehungen dieser Mächte zueinander sowie der Anforderungen und Erwartungen der Mächte an die Orte. Auf diese Mächtekonstellationen und -dynamiken mussten die Orte ihre politischen Aussenbeziehungen ausrichten.

Zu Beginn der frühen Neuzeit waren die europäischen Staatenbeziehungen noch nicht in ein einziges, den ganzen Kontinent umfassendes Staatensystem eingebunden. Heinz Schilling unterscheidet für das Europa des 16. und 17. Jahrhunderts drei Mächtekreise, die noch relativ wenig miteinander verflochten waren und je eigene Schauplätze der Mächtekonkurrenz darstellten.[30]

In West- und Südeuropa lag der erste Mächtekreis, der zugleich der ausgedehnteste und unruhigste war, weil sich dort die Gegensätze zwischen den rivalisierenden Grossmächten formierten, die während Jahrhunderten zu zahlreichen Kriegen führten. Zum west- und südeuropäischen Mächtekreis gehörten Spanien und Portugal, die Herrschaften und Staaten auf der italienischen Halbinsel, die Eidgenossenschaft, Frankreich, England und die Niederlande. Spanien war bis in die Mitte des 17. Jahrhunderts in diesem Kreis die bestimmende Macht, weil die geostrategischen Interessen dieser weltumspannenden, zusammengesetzten Monarchie mit ihren territorialen Schwerpunkten auf der iberischen Halbinsel, in Süditalien (Neapel, Sizilien), im Herzogtum Mailand, in der Freigrafschaft Burgund und in den Niederlanden den gesamten süd- und westeuropäischen Raum umfassten. Die zusammengesetzte Struktur seines Reichs zwang den spanischen König zu einer grossräumigen militärischen Präsenz in Europa. Die spanischen Armeen wurden im 16. Jahrhundert zum bestausgerüsteten und -geschulten Heer des Jahrhunderts modernisiert und waren von der zweiten Hälfte des 16. Jahrhunderts bis in die Mitte des 17. Jahrhunderts auf dem Kontinent militärisch überlegen. Das Gold und Silber aus den spanischen Kolonien finanzierte diese militärische

Präsenz, die es Spanien ermöglichte, in diesem Mächtekreis politisch den Takt vorzugeben. Spaniens Hegemonialbestrebungen berührten direkt oder indirekt alle Staaten und Herrschaften in diesem Kreis und zwangen diese, ihr Verhältnis zu Spanien zu klären, sei es durch diplomatisches Arrangement und Allianzen, sei es durch eine antagonistische Politik des Widerstands gegen die spanische Vormacht. Frankreich war die prominenteste Macht, die sich der spanischen Hegemonie entgegenstellte und ihre Aussen- und Machtpolitik vom späten 15. bis in die Mitte des 18. Jahrhunderts auf den Konflikt mit den Habsburgern ausrichtete. In Mitteleuropa lag der zweite Mächtekreis, der mit der Herauslösung des Heiligen Römischen Reichs aus dem west- und südeuropäischen Mächtekreis entstand, zu dem es in der ersten Hälfte des 16. Jahrhunderts noch gehört hatte. Der dritte Mächtekreis schliesslich lag im Norden des Kontinents und umfasste die Königreiche in Skandinavien sowie an der Ost- und Südostküste der Ostsee. Mit der Intervention Schwedens in den Dreissigjährigen Krieg in den 1630er-Jahren griff der nordische Mächtekreis auf Deutschland aus und stiess dort mit den beiden anderen Mächtekreisen zusammen.

Die Zugehörigkeit des Corpus helveticum zum spanisch kontrollierten süd- und westeuropäischen Mächtekreis bestimmte massgeblich die Aussenpolitik und Diplomatie der Orte, zumal die Eidgenossenschaft im Westen an die Freigrafschaft Burgund und im Süden an das Herzogtum Mailand und somit an zwei für sie geostrategisch und handelspolitisch wichtige spanische Territorien grenzte. Mit der Einbettung in das spanische Interessenfeld wurde die Eidgenossenschaft zwangsläufig auch für Frankreich – den Hauptgegner Spaniens – strategisch relevant. Frankreich grenzte erst seit 1601 bei Genf unmittelbar an eidgenössisches Gebiet, doch der Konflikt zwischen Spanien-Habsburg und Frankreich um die Freigrafschaft Burgund (spätes 15., 17. Jahrhundert) sowie um das Herzogtum Mailand (spätes 15., 16. Jahrhundert) konfrontierte die Eidgenossenschaft schon früh mit dem habsburgisch-französischen Antagonismus. Ihre geopolitische Lage mitten in diesem Mächtekreis machte aus der Eidgenossenschaft eine Übergangs- und Pufferzone zwischen dem südalpinen und nordalpinen Europa und verlieh ihr eine Brückenstellung zwischen Italien, Frankreich und dem Reich. Diesen strategisch sensiblen Raum wollten die rivalisierenden Grossmächte Spanien und Frankreich möglichst eng an sich binden beziehungsweise ihn vom jeweiligen

Gegner abziehen. Es galt, sich Durchmarschrechte für die eigenen Truppen über die Alpen zu sichern, sich den Schweizer Söldnermarkt offenzuhalten und zu verhindern, dass der Rivale eine Vormachtstellung in der Eidgenossenschaft erlangte. Spanien-Mailand und Frankreich wurden damit die beiden entscheidenden Bezugspunkte für die diplomatischen Aussenbeziehungen der Eidgenossen, die wegen des Antagonismus zwischen diesen Grossmächten in eine prominente Rolle in der europäischen Mächtedynamik mit besonderen Risiken und Chancen hineinwuchsen.

Die Verteilung der Gewichte in den europäischen Mächtekonstellationen blieb nicht statisch, sondern veränderte sich langfristig und wirkte damit auf die Diplomatie und Allianzpolitik der eidgenössischen Kantone zurück. Im Verlauf des 17. Jahrhunderts wurde der Antagonismus Habsburg-Spanien versus Frankreich von einer differenzierteren Mächtekonstellation abgelöst. Mit dem Dreissigjährigen Krieg traten neue Gross- und Schwellenmächte auf den Plan, sodass die alte zweipolige Struktur durch ein stärker multipolares Mächtesystem abgelöst wurde. Im Osten und Norden spielten Polen und Schweden für eine gewisse Zeit eine Grossmachtrolle. Im Nordwesten stiegen England und die Niederlande auf. Die entscheidende Verschiebung im 17. Jahrhundert bewirkte aber der Aufstieg Frankreichs, das seit Ende des langen Kriegs starke expansive und hegemoniale Bestrebungen erkennen liess. Es erweiterte seinen Herrschaftsbereich in alle Richtungen: auf Kosten Spaniens nach Süden bis an den Pyrenäenkamm (1659), auf Kosten Savoyens, Spaniens und des Reichs nach Osten (1601: Pays de Bresse und Pays de Gex; 1668/1674: Freigrafschaft Burgund, sanktioniert im Frieden von Nimwegen 1678; 1648/1681: Elsass, sanktioniert im Westfälischen Frieden 1648 und im Frieden von Rijswijk 1697) sowie nach Norden (flämische Gebiete um Calais und Lille). Die Übermacht Frankreichs liess in der zweiten Hälfte des 17. Jahrhunderts erneut ein bipolares System entstehen mit Frankreich und den von diesem bedrohten Mächten als Antagonisten. Der Spanische Erbfolgekrieg (1701–1714) setzte den hegemonialen Bestrebungen Frankreichs ein Ende und läutete – nach dem Zeitalter der spanischen Vormacht im 16./17. Jahrhundert und der französischen Hegemonie in der zweiten Hälfte des 17. Jahrhunderts – das Zeitalter der britischen Vorherrschaft ein. Auf dem europäischen Kontinent verfolgte Grossbritannien eine Politik des Gleichgewichts der Mächte, die darauf abzielte, die Interessen Grossbritanniens,

Frankreichs, Österreichs, Russlands und seit den 1740er-Jahren auch Preussens auszugleichen. Die Eidgenossenschaft profitierte im 18. Jahrhundert von diesem Gleichgewicht der Mächte. Als passive Zone, die nicht unmittelbar an der Mächtedynamik teilhatte, war sie ein integrales Element dieses Gleichgewichtssystems, was ihre Integrität und Stabilität absicherte. Solange die Grossmächte sich gegenseitig in Schach hielten, konnte auch die alte Schweiz entspannter den zahlreichen Kriegen auf dem Kontinent zusehen. Bedrohlich wurde die Lage für die Eidgenossenschaft jeweils, wenn das Gleichgewicht zwischen Frankreich, dem Reich und Habsburg-Österreich massiv gestört war, wie dies am Ende des 18. Jahrhunderts der Fall sein sollte.

MULTILATERALE ALLIANZEN: DIE ORGANISATION VON SICHERHEIT IN EINEM KRIEGERISCHEN EUROPA

In diesem Kräftefeld zwischen den äusseren Mächtekonstellationen und einer verwickelten Spannungslage innerhalb der Eidgenossenschaft definierten die Orte in der zweiten Hälfte des 15. und im frühen 16. Jahrhundert ihre politischen Aussenbeziehungen. Ihre Allianzpolitik zeigte Ansätze zur Koordination und Formalisierung der Beziehungen zu jenen wichtigen Nachbarn, die mit ihren starken Interessengegensätzen die Kontrahenten künftiger Kriege zu werden drohten. Zugleich zeugten die Allianzen vom Bestreben der Orte, sich gegenüber dem Reich ein hohes Mass an politischer Handlungsautonomie zu sichern.

Frühe Schritte zur Klärung ihres Standorts im Konzert der grossen Herren machte die achtörtige Eidgenossenschaft im Vorfeld der Burgunderkriege zu Beginn der 1470er-Jahre. Mit dem Ziel, eine grosse Allianz gegen seinen Erzrivalen Karl den Kühnen von Burgund zu schmieden, gelang dem König von Frankreich 1474 gemeinsam mit Bern das diplomatische Kunststück, einen Ausgleich zwischen dem Haus Habsburg-Österreich und den Eidgenossen herbeizuführen (sogenannte Ewige Richtung). Die alten Kontrahenten verständigten sich auf die Beendigung ihrer feindseligen Haltung und sicherten sich gegenseitig ihren Besitzstand an Ländern und Herrschaften zu. Die Habsburger verzichteten auf ihren alten Besitz im nunmehr eidgenössischen Machtbereich und sicherten sich dafür die militärische Unterstützung der Orte gegen den Burgunderherzog. Nach dem Sieg der antiburgundischen Allianz 1477 wurde die Ewige Richtung in den sogenannten Erbeinungen von 1477 und 1511 fortgeschrieben. Diese Verträge garantierten den territorialen Status quo der Vertragspartner, die sich gegenseitig Nichtangriff und eine einvernehmliche Nachbarschaft zusicherten, ohne die Eidgenossen zu militärischer Hilfe für Österreich zu verpflichten. Ab 1512 wachten die Orte als Garantiemächte über die Neutralität der Freigrafschaft Burgund, auf die sich Ludwig XII. von Frankreich (1462–1515, König ab 1498) und Margarete von Österreich (1480–1530) verständigt hatten. Diese prominente Aufgabe zeigte zwar das machtpolitische Gewicht der Orte zum Zeitpunkt ihres Machthöhepunkts in den Mailänder Kriegen an, doch waren diese in der Folge nicht fähig, die Neutralität der Freigrafschaft tatsächlich zu schützen: Sie schauten ohnmächtig zu, als der französische König während des Dreissigjährigen Kriegs die bis dahin spanische Franche-Comté ein erstes Mal besetzte, und konnten aufgrund der starken Abhängigkeit wichtiger Teile der politischen Elite nicht einmal verhindern, dass Ludwig XIV. Schweizer Truppen in französischen Diensten einsetzte, um das Grenzland 1668 beziehungsweise definitiv 1674 zu annektieren.

Im frühen 16. Jahrhundert klärten die 13 Orte auch ihr Verhältnis zu Frankreich und damit zur zweiten Grossmacht im näheren Umfeld. Die Konfrontation der Orte mit Frankreich im Kampf um die Vorherrschaft über das Herzogtum Mailand und deren Niederlage bei Marignano 1515 stellten nicht etwa die Geburtsstunde der eidgenössischen Neutralität dar, wie dies die nationalpatriotische Deutung gerne sieht. Vielmehr schlossen die Orte unmittelbar nach dem Ereignis wichtige bilaterale Verträge mit dem König von Frankreich. Die Beziehungen zum grossen Nachbarn im Westen bildeten fortan das Rückgrat der eidgenössischen Aussenbeziehungen bis zur Französischen Revolution. 1516 vereinbarten die Orte mit Franz I. als König von Frankreich und Herzog von Mailand einen Ewigen, das heisst unbefristeten Frieden. Sie gaben ihre Ansprüche auf Mailand preis, behielten aber die Vogteien Locarno, Maggiatal, Lugano und Mendrisio (ab 1517) im gemeinsamen Besitz. Der Friede beinhaltete nicht nur einen Freundschafts- und Nichtangriffspakt, sondern räumte den Eidgenossen auch Zoll- und Handelsprivilegien im Mailändischen und in der Messestadt Lyon ein. 1521 bekräftigten die beiden Seiten den Frieden von 1516 mit dem Abschluss einer Soldallianz, die bis zur Revolution jeweils für die Lebensdauer des regierenden französischen Königs und für einige Zusatzjahre erneuert wurde (Allianzerneuerungen: 1549, 1564, 1582, 1602, 1663, 1715, 1777). Zwischen 1614 und 1715 sowie erneut ab 1777 waren alle 13 Orte und deren Zugewandte in die Allianz eingeschlossen. Zürich und Bern blieben der Allianz zwischen 1521 und 1614 beziehungsweise 1528 und 1584 aus aussen- und konfessionspolitischen Gründen fern. Zwischen 1715 und 1777 standen alle reformierten Orte ausserhalb der Allianz, weil Frankreich 1715 – entgegen seiner traditionell auf Ausgleich bedachten Diplomatie – die katholischen Kantone im Anschluss an deren Niederlage im Zweiten Villmerger Krieg gegen innere und äussere Feinde in Schutz genommen und der Allianz damit eine antiprotestantische Schlagseite gegeben hatte.

Die Verträge mit Habsburg und mit Frankreich kurz vor und nach 1500 zeigen, wie die Orte darum bemüht waren, in gutem Einvernehmen mit den wichtigsten Nachbarn zu leben und sich auf diese Weise allseitig Sicherheit in einem dynamischen Umfeld der Mächtekonkurrenz zu verschaffen. Die Einigungen mit Frankreich und dem Haus Habsburg schlossen die wichtigsten Kontrahenten der damaligen Zeit ein und sicherten damit den Bestand der innerlich labilen Eidgenossenschaft weiter ab. Aussenpolitische Verflechtung führte zu einem mehrseitigen Sicherheitssystem, das die Orte davor bewahrte, in die Kriege der beiden Mächte verwickelt zu werden. Der aussenpolitische Preis dafür war das sogenannte «Stillesitzen», das heisst der Verzicht auf eine eigenständige Rolle in der europäischen Mächtepolitik. Die Mächte erwarteten von den Orten zweierlei: dass diese sich aus deren Kriegen heraushielten und grundsätzlich gleiche Distanz auf alle Seiten hin wahrten und weiterhin privilegierte Beziehungen mit ihnen pflegten, die es insbesondere ermöglichten, weiterhin Söldner anzuwerben. Verflechtung und Abgrenzung lautete folglich die Losung. Die beiden wichtigsten Grossmächte im näheren Umfeld der Eidgenossenschaft hielten sich selber gegenseitig in Schach, auch wenn Frankreich mit der Allianz von 1521 einen gewissen Vorteil gegenüber dem Haus Habsburg behielt und die Orte insgesamt stärker an sich zu binden vermochte als die Habsburger. Für die Mächte, und allen voran für Frankreich, stellten die Allianzen mit den Orten ein Instrument der indirekten Kontrolle über den geostrategisch sensiblen Alpenraum dar, die auf diese Weise wesentlich billiger zu haben war als mit der unmittelbaren Beherrschung der Region, die nur um den Preis einer sehr kostspieligen Befestigung und permanenter kriegerischer Konflikte mit den Rivalen hätte aufrechterhalten werden können.

In der zweiten Hälfte des 16. Jahrhunderts wurde der französische Einfluss in der Eidgenossenschaft zeitweilig deutlich geschwächt. Das Königreich torkelte jahrzehntelang von einem Religionskrieg zum nächsten, und der König war nicht mehr in der Lage, seinen Zahlungsverpflichtungen gegenüber den Orten nachzukommen. Skrupellos führten nun Soldunternehmer in katholischen Orten Truppen auch der katholischen Liga und damit der katholischen Adelsopposition gegen den französischen König zu, die die Thronbesteigung des protestantischen Bourbonen Heinrich von Navarra gewaltsam verhindern wollte. Die Krise des französischen Königtums nutzte auch Spanien-Mailand aus und schloss 1587 eine Allianz mit allen katholischen Kantonen ausser Solothurn, das in seiner Ergebenheit gegenüber Frankreich unerschütterlich blieb. Das Bündnis der Inneren Orte und Freiburgs mit Spanien-Mailand enthielt neben militär-, sicherheits- und handelspolitischen Bestimmungen auch Hilfszusagen der katholischen Vormacht Spanien für einen allfälligen Glaubenskrieg der katholischen Kantone gegen die reformierten Orte. Der stramm gegenreformatorische Charakter dieser Allianz zeigte sich auch daran, dass die Frage des Beitritts des bikonfessionellen Kantons Appenzell zur Spanienallianz 1597 die Teilung des Kantons provozierte. Nach Beendigung der Religionskriege trat Frankreich Ende der 1590er-Jahre zwar wieder aktiver als konkurrierender Verbündeter in der Eidgenossenschaft in Erscheinung und konnte 1602 die Allianz mit allen Orten – noch ohne Zürich – erneuern. Gleichwohl blieb in den Inneren Orten der Einfluss Spanien-Mailands vom späten 16. Jahrhundert bis zum Spanischen Erbfolgekrieg, als ein französischer Prinz aus dem Hause Bourbon den spanischen Königsthron bestieg und damit der jahrhundertealte Antagonismus zwischen den beiden Mächten hüben und drüben der Pyrenäen beendet wurde, stark.

Siehe
Abb. 2:
Die Helvetia

Die Allianz der meisten katholischen Kantone mit Spanien-Mailand 1587 war ein grosser Erfolg der spanischen Diplomatie. Sie band die eidgenössischen Allianzpartner stärker in die spanische Macht- und Interessensphäre ein und wies ihnen eine wichtige Funktion bei der Sicherung der militärischen Präsenz Spaniens in seinen über Süd- und Nordwesteuropa verstreuten Territorien zu. Sie schützte die Nordflanke des Herzogtums Mailand, sicherte Spanien den Zugang zu Söldnern aus den Allianzkantonen und gestattete den Durchmarsch spanischer Truppen durch die Eidgenossenschaft auf dem sogenannten «camino de Suizos». Diese Verbindung zwischen Mailand und den habsburgischen Besitzungen am Hochrhein über das Tessin, den Gotthard, durch die Innerschweiz, das Freiamt und die Grafschaft Baden stellte einen Korridor für die Verschiebung spanischer Truppen dar, der ganz von den katholischen Kantonen kontrolliert wurde und es Spanien ermöglichte, den kürzesten Übergang über die Alpen für die Sicherstellung seiner militärischen Präsenz im Norden und im Süden zu nutzen. Auch Spanien hatte den Orten etwas zu bieten. Im Unterschied zu Frankreich war es in den 1580er-Jahren – einstweilen noch – zahlungsfähig und bot einen Ersatz für die ausbleibenden französischen Pensionen. Es stellte den Allianzpartnern günstige Salz- und Getreidelieferungen und vorteilhafte Bedingungen für den Viehhandel mit der Lombardei in Aussicht. Besonders aber versprach es den katholischen Kantonen auf dem Höhepunkt des innereidgenössischen Konfessionskonflikts militärische Hilfe gegen die grossen reformierten Städte Bern und Zürich. Diese stellten in den Augen der kleineren katholischen Orte eine latente Bedrohung dar, weil sie nie das Ziel aus den Augen verloren, die Niederlage im Zweiten Kappeler Krieg wettzumachen und den für sie ungünstigen Zweiten Landfrieden von 1531 zu beseitigen, der die Protestanten in den Gemeinen Herrschaften gegenüber den Katholiken benachteiligte. Die Allianz mit Spanien ergänzte diesbezüglich das Bündnis der katholischen Orte mit Savoyen aus dem Jahr 1577, das die katholischen Kantone (ohne Freiburg) auch geschlossen hatten, um von savoyischer Seite her Genf und die Waadt unter Druck zu setzen und auf diese Weise das mächtige Bern in Schach zu halten.

Allerdings erfüllte die Allianz die grossen Hoffnungen Spanien-Mailands insgesamt nicht. Als Spanien 1594–1596 ein erstes Mal Söldner aus der katholischen Schweiz in Piemont, Savoyen und Flandern einsetzen wollte, weigerten sich diese auf Befehl ihrer Obrigkeiten, gegen Frankreich ins Feld zu ziehen, weil ein solcher Einsatz gegen die Allianz mit Frankreich verstiess. Die Orte schützten ihre Verpflichtungen gegenüber Frankreich vor und liessen Spanien ins Leere laufen, das darob umso verärgerter war, als es viel Geld in diese Allianz investierte. Es unterhielt in Luzern eine ständige Gesandtschaft bei den katholischen Orten. Neben den jährlichen Pensionen an die Orte und deren politische Eliten, neben den Stipendien für eidgenössische Schüler und Studenten in Mailand und Pavia, neben den Auslagen für Sonderkonferenzen, den Kosten für Truppenwerbungen und dem hohen Sold der Schweizer Truppen mussten die Spanier immer auch die Spesen für die Gesandtschaften der Orte übernehmen, wenn in Mailand Allianzfragen diskutiert wurden. Nichts war von den Eidgenossen umsonst zu haben.

Als Spanien-Mailand realisierte, dass ihm die Allianz keinen angemessenen Gegenwert für seine hohen Auslagen einbrachte, liess auch sein Eifer bei der Bezahlung der Pensionen nach. 1597 und 1601 blieben diese erstmals aus, was sich in den Folgejahren öfters wiederholte, sodass sich die katholischen Orte immer lauter über die spanischen Ausstände beklagten. Diese Unzufriedenheit kam nun wiederum Frankreich zugute, das 1602 die Gunst der Stunde für eine Erneuerung seiner Allianz mit den Zwölf Orten (ohne Zürich) nutzte. 1626 lief die Allianz der katholischen Orte mit Spanien-Mailand aus. Wohl wurde sie 1634 und 1705 ein letztes Mal erneuert, doch hatte sie insgesamt die spanischen Erwartungen nicht erfüllt. Obwohl seit 1634 auch die spanische Freigrafschaft Burgund dem Schutz- und Schirmbündnis mit den katholischen Eidgenossen unterstellt war, vermochte Spanien-Mailand keinen Nutzen daraus zu ziehen, als Frankreich sich die Franche-Comté ein erstes Mal im Dreissigjährigen Krieg und definitiv 1674 einverleibte. Gegen die Ostexpansion des aggressiven ludovizianischen Frankreichs nützte Spanien die Allianz mit den katholischen Orten herzlich wenig, zumal diese ihre Aussenbeziehungen in der zweiten Hälfte des 17. Jahrhunderts auf die Interessen des übermächtigen Frankreich ausrichten mussten, das nun erstmals eine lange gemeinsame Grenze mit der Eidgenossenschaft teilte, die nun von Genf bis Basel reichte.

Frankreich gehörte zu den Siegern des Dreissigjährigen Kriegs und stieg in der zweiten Hälfte des 17. Jahrhunderts zur europäischen Vormacht auf. Als Ludwig XIV. seine expansionistische Machtpolitik verstärkte, wurde die Nähe zu Frankreich für die Eidgenossen zunehmend bedrohlich. In den 1670er-Jahren griff Frankreich die Niederlande an und besetzte die Freigrafschaft Burgund. Der Argwohn der Eidgenossen wuchs, als Ludwig XIV. 1679 bis 1681 unmittelbar vor den Toren der Stadt Basel die Festung Hüningen errichten liess und 1681 die elsässische Reichsstadt Strassburg – eine alte Verbündete von Bern und Zürich – eroberte. Für die protestantischen Kantone wurde die Allianz mit Frankreich endgültig zur Belastung, als Ludwig XIV. 1685 das Toleranzedikt von Nantes widerrief. Zehntausende von Hugenotten flohen aus Frankreich und fanden teilweise Zuflucht in den protestantischen Kantonen der Eidgenossenschaft. Die reformierten Kantone begegneten der Übermacht Frankreichs, indem sie ihre Aussenbeziehungen breiter abstützten und in den Niederlanden einen Allianzpartner fanden, der Mitglied der Grossen Allianz der antifranzösischen Mächte war und den reformierten Orten damit mehr Unabhängigkeit gegenüber Frankreich verschaffte. In den 1690er-Jahren gewährten mehrere Orte und Zugewandte den Niederlanden Werberechte in der Eidgenossenschaft. In den Drei Bünden, in Zürich und Bern, in Schaffhausen, Neuenburg und Genf konnten die Niederlande Soldtruppen rekrutieren, sodass schon im Jahr 1700 11 200 eidgenössische Söldner aufseiten der Niederlande im Spanischen Erbfolgekrieg gegen Frankreich eingesetzt wurden. In der verlustreichen Schlacht von Malplaquet 1709, während des Spanischen Erbfolgekriegs, bekämpften sich Schweizer Einheiten in französischen sowie in niederländischen Diensten und offenbarten dadurch, welchen Preis die Allianzpolitiken einer konfessionell und aussenpolitisch uneinigen Eidgenossenschaft forderten. 1712 schlossen Bern und 1713 die Drei Bünde mit den Niederlanden eine formelle Allianz ab. Die Eidgenossen lieferten Söldner, während die Niederlande für den Fall eines Angriffs auf ihre Verbündeten finanzielle Unterstützung zusagten. 1748 traten alle reformierten Orte (ohne Basel, aber mit Glarus, Appenzell Ausserrhoden, St. Gallen und Neuenburg) in eine Kapitulation mit den Niederlanden über ein Regiment der Schweizergarde und vier Linienregimenter ein. Jetzt dienten insgesamt mehr als 20 000 Mann für die nördlichen Niederlande.

Die kritische Distanzierung der reformierten Kantone von Frankreich erreichte einen Höhepunkt 1715, als nur noch die katholischen Kantone die Allianz mit Frankreich erneuerten. Die reformierten Kantone – allen voran die grossen Städte Bern und Zürich – näherten sich dem System der «Grossen Allianz» der europäischen Mächte gegen das übermächtige Frankreich an. Die Verbindung mit den Niederlanden demonstrierte die neue aussenpolitische Handlungsfreiheit der reformierten Orte. Diese Verbindung bediente einerseits aussen- und konfessionspolitische Interessen. Sie war aber auch finanziell interessant, weil die prosperierende Wirtschaftsmacht Holland im Unterschied zu Frankreich oder Spanien zwar den Obrigkeiten keine Pensionen für Werberechte bezahlte, dafür aber die Soldunternehmer und Soldaten pünktlich entschädigte. Die Erneuerung der Allianz mit allen Orten scheiterte 1715 aber auch aus Gründen der inneren Aussenpolitik. Nach ihrer Niederlage im Zweiten Villmerger Krieg 1712 machten die katholischen Orte die Erneuerung der französischen Allianz mit allen Kantonen davon abhängig, dass Bern und Zürich die Inneren Orte wieder an der Regierung über die strategisch wichtigen gemeinen Herrschaften Baden, Freiamt und Rapperswil beteiligten, von der diese als Folge ihrer Niederlage verdrängt worden waren. Erst 1777 kam es ein letztes Mal vor der Revolution zu einer gesamthaften Erneuerung der Allianz aller 13 Orte und ihrer Zugewandten mit der Krone Frankreich. Die Inneren Orte hatten sich mittlerweile mit dem Verlust dieser Gemeinen Herrschaften abgefunden. Zudem waren nun auch die reformierten Kantone wieder an einer stärkeren Anlehnung an Frankreich interessiert, nachdem die erste polnische Teilung von 1772 in der Eidgenossenschaft Befürchtungen hatte aufkommen lassen, das Land könnte dasselbe Schicksal wie Polen erleiden. Die Erneuerung der Allianz mit Frankreich 1777 sollte ein Gegengewicht zu Österreichs Absichten auf die Eidgenossenschaft bilden.

Im 18. Jahrhundert stand die Allianzpolitik der Orte unter dem Vorzeichen des Mächtegleichgewichts auf dem Kontinent. Der Übermacht Frankreichs setzten die reformierten Kantone die Verbindung zu den Niederlanden entgegen, während die katholischen Kantone einseitig von Frankreich abhängig blieben. Als in den 1770er-Jahren Österreich zur potenziellen Gefahr zu werden drohte, rückten die Orte wieder näher an Frankreich heran. Beide Bewegungen zeigen, dass die Lage für die Orte jeweils dann bedrohlich wurde und sie Schutz bei den Mächtigen suchten, wenn das Gleichgewicht der Mächte gestört war. Wie begründet diese Angst war, zeigte sich am Ende des Jahrhunderts. 1798 offenbarte sich – nunmehr unter ganz neuen Voraussetzungen – die Wehrlosigkeit der eidgenössischen Kleinstaaten gegenüber einer aggressiven Hegemonialmacht. Keine Macht stellte sich 1798 der Republik Frankreich mehr in den Weg, als diese ihren Sieg im Ersten Koalitionskrieg und ihre Vorherrschaft auf dem Kontinent dazu nutzte, die Eidgenossenschaft zu revolutionieren und sie in ihr System von Satellitenrepubliken einzubinden.

Welche Schlussfolgerungen lassen sich aus der Allianzpolitik der Orte bis zum Ende der alten Eidgenossenschaft ziehen? In ihren grossen Linien spiegeln die politischen Aussenbeziehungen der Orte die wechselnden Mächtekonstellationen in Europa wider. Die Allianz der katholischen Orte mit Spanien-Mailand kam auf dem Höhepunkt der spanischen Vorherrschaft in Europa zustande, nachdem die frühe Allianz mit Frankreich von 1521 in den Wirren der französischen Religionskriege stark beschädigt worden war. Im 17. Jahrhundert richteten sich die Orte insgesamt wieder stärker auf die aufsteigende Macht Frankreich aus. Als diese zur Übermacht auf dem Kontinent wurde, stellten ihr die reformierten Orte seit den 1690er-Jahren die Verbindung zu den Niederlanden entgegen. Im 18. Jahrhundert schliesslich erwies sich das Gleichgewicht innerhalb der Pentarchie der Mächte Grossbritannien, Frankreich, Österreich, Russland und Preussen als wichtige Voraussetzung für die aussenpolitische Absicherung eidgenössischer Eigenständigkeit, bis dieses System in den Revolutionskriegen Schiffbruch erlitt und die Republik Frankreich beziehungsweise das napoleonische Kaiserreich von 1797 bis 1813/15 die Lage auf dem Kontinent weitgehend beherrschte.

Die eidgenössischen Orte unterhielten in der frühen Neuzeit mit allen wichtigen, antagonistischen Mächten langfristige Vereinbarungen und verschafften sich auf diese Weise Sicherheit. Dieses System beruhte auf Mehrseitigkeit und bediente die gegenseitigen Interessen der Allianzpartner. Die Orte gewannen dank diesen Allianzen aber nicht nur Sicherheit, sie sparten damit auch sehr viel Geld, das sonst der Aufbau einer zeitgemässen militärischen Verteidigungsorganisation mit stehendem Heer und die Befestigung der wichtigsten Städte und Plätze verschlungen hätten. Diese Ausgaben wären nur mit der Erhebung direkter Steuern von den Bürgern, Landleuten und Untertanen zu bestreiten gewesen, was wiederum die inneren Herrschafts- und Machtverhältnisse aus dem Lot gebracht hätte.

Die mehrseitigen Allianzen der Orte kompensierten deren aussenpolitische und militärische Schwäche. Diese gründete strukturell und institutionell in den vielfältigen Interessengegensätzen, die das Corpus helveticum durchzogen: die Unterschiede zwischen Städten und Ländern, zwischen katholischen und reformierten Kantonen, zwischen grossen, wirtschaftlich starken und kleinen ärmeren Orten. Die Interessengegensätze in der inneren Aussenpolitik machten eine eigenständige, einheitliche äussere Aussenpolitik unmöglich.

Diese inneren und äusseren Blockaden trugen wesentlich zum Überleben der alten Schweiz in einem Europa der kriegerischen Grossmächte bei. Wäre der Verbund von Kleinstaaten am strategisch kritischen Alpenübergang innerlich wesentlich homogener und damit zu einer kohärenteren, eigenständigeren Aussenpolitik in der Lage gewesen, dann hätte er sich mit hoher Wahrscheinlichkeit auf die Seite der einen oder anderen europäischen Macht geschlagen und wäre damit unweigerlich in die grossen Kriege verwickelt worden, die sich regelmässig unweit seiner Süd- und Nordgrenze abspielten. Die inneren Gegensätze zwangen die Orte deshalb zum «Stillesitzen», zu aussen- und machtpolitischer Passivität. Diese Strategie der Abgrenzung ging Hand in Hand mit einer intensiven diplomatisch-aussenpolitischen Verflechtung und mit einer Politik der mehrseitigen allianzmässigen Absicherung, die darauf bedacht sein musste, nicht nur die gleiche Distanz zu den rivalisierenden Grossmächten zu wahren, sondern auch die vitalen Interessen dieser Grossmächte am eidgenössischen Raum zu bedienen.

ALLIANZ – PROTEKTORAT – BESETZUNG. DIE BESONDERE BEZIEHUNG ZU FRANKREICH

Die jahrhundertelangen äusseren Beziehungen der Orte mit Frankreich verdienen eine besondere Betrachtung. Zu keiner anderen Macht haben die eidgenössischen Kleinstaaten langfristig so enge Beziehungen unterhalten. Frankreich war der grösste Abnehmer von Söldnerkontingenten, Käse und gewerblichen Exportprodukten aus der Schweiz. Das eminente Interesse Frankreichs an der alten Schweiz äusserte sich in der ständigen diplomatischen Vertretung des Königs durch einen Ambassador. Keiner anderen Macht – selbst den Eidgenossen nicht – ist es gelungen, alle 13 Orte für längere Zeit in eine gemeinsame Allianz einzubinden. Weil dieses Bündnis reformierte und katholische Orte umfasste, wirkte es – im Unterschied zu den Allianzen der katholischen Orte mit Spanien – ausgleichend auf die Spannungslage innerhalb der Eidgenossenschaft. Wie die Orte ihr Verhältnis zum grossen Nachbarn gestalteten, verrät viel über die Tücken und Widersprüche ihrer (inneren und äusseren) Aussenpolitik im Ancien Régime.

Nach dem Dreissigjährigen Krieg rückte die neue kontinentale Grossmacht Frankreich der Eidgenossenschaft geografisch und politisch bedrohlich nahe. Frankreich gehörte zu den Gewinnern des Kriegs und verstärkte unter König Ludwig XIV. seine aggressiv-expansionistische Politik mit dem Ziel, seine Grenzen nach Norden, Osten und Süden zu erweitern und die Umklammerung durch die spanischen und österreichischen Habsburger aufzubrechen. Das wachsende Misstrauen der Orte gegenüber Frankreich manifestierte sich in den Schwierigkeiten bei der Erneuerung der Allianz in der Mitte des 17. Jahrhunderts. 1651 war das letztmals unter König Heinrich IV. 1602 verlängerte Bündnis abgelaufen, doch hatten starke Differenzen zwischen den Allianzpartnern eine sofortige Verlängerung verhindert. Ludwig XIV. hatte schon 1648 mit Jean de la Barde (1602–1692) einen seiner besten Diplomaten mit dem Auftrag nach Solothurn entsandt, die Orte trotz ihrer grossen Unzufriedenheit mit der Krone wieder ins Boot zu holen. Die ausstehenden französischen Pensionen, Sold- und Zinszahlungen hatten sich zu enormen Schuldenbergen angehäuft, der König hatte die Schweizer Regimenter vertragswidrig in Offensivkriegen eingesetzt und sich am Ende des Dreissigjährigen Kriegs nicht gescheut, als Sparmassnahme die Schweizer Truppenbestände drastisch zu reduzieren und die entlassenen Verbände auf höchst unehrenhafte Art heimzuschicken. Nun forderte er zusätzlich, dass auch das neu gewonnene Elsass unter die Allianz fallen und mithilfe eidgenössischer Truppen in französischen Diensten verteidigt werden sollte. Botschafter de la Barde war ein guter Kenner der politischen Konstellationen in den Orten und agierte mit einer Salami-Taktik: Mit finanziellen Zuwendungen gewann er zuerst einen katholischen Kanton nach dem anderen und erhöhte anschliessend den Druck auf die Handelsstädte Zürich und Schaffhausen, indem er die Waren ihrer Kaufleute in Lyon blockieren liess. De la Bardes diplomatisches Kabinettstück in den 1650er-Jahren ist umso höher einzuschätzen, als die Allianzverhandlungen von zwei dramatischen Ereignissen in der Eidgenossenschaft gestört wurden: 1653 brach mit dem sogenannten Bauernkrieg die massivste Untertanenrevolte in der Schweizer Geschichte aus, und 1656 eskalierte der Konfessions- und Machtkonflikt zwischen Zürich und Bern und den Inneren Orten zum Ersten Villmerger Krieg.

1663 konnte die Allianz mit allen Orten und Zugewandten in Paris feierlich beschworen werden. König Ludwig XIV. nutzte den Staatsakt für eine eindrückliche Demonstration der Überlegenheit Frankreichs gegenüber den Orten der Eidgenossenschaft. Die Gesandten aus den Orten – alles Bürgermeister, Schultheissen oder Landammänner und die höchsten Würdenträger der Eidgenossenschaft – wurden in Paris recht eigentlich vorgeführt und zeremoniell gedemütigt.

<small>Siehe Abb. 3: Der «Allianzteppich»</small>

Die zeremonielle Demütigung bei der Allianzerneuerung offenbarte, wie schwer es den bürgerlichen und grossbäuerlichen Eliten aus den eidgenössischen Kleinstaaten fiel, sich auf der diplomatischen Bühne der europäischen Fürstengesellschaft und der grossen Höfe zu behaupten. Die Pariser Zeremonie bestätigte die allgemeine zeitgenössische Überzeugung, dass Republiken in einem Europa der Monarchien und adeliger Ehrvorstellungen eine abnorme Erscheinung darstellten und sich bei der symbolischen Repräsentation ihrer Souveränität weit hinten anstellen mussten. In der Diplomatie der nach ständischen sozialen Normen funktionierenden Fürstengesellschaft der frühen Neuzeit konnten Repräsentanten von Republiken ihre souveränitäts- und völkerrechtlich begründeten Ansprüche auf Gleichbehandlung nur schwer durchsetzen, weil die mangelnde ständische Qualität ihrer Repräsentanten sie ausserstand setzte, auf gleicher Augenhöhe mit den hochadeligen Gesandten der europäischen Monarchien zu verkehren.

Die Abhängigkeit der Orte von Frankreich zeigte sich auch im Zusammenhang mit der Exemtion der Orte vom Reich 1648, die gerne als Durchbruch zur völkerrechtlich garantierten Souveränität der Eidgenossenschaft betrachtet wird. Es war der französische Gesandte auf dem Westfälischen Friedenskongress, der dem eidgenössischen Gesandten Johann Rudolf Wettstein einflüsterte, die Herauslösung der Orte aus dem Reich mit dem neuartigen Argument der Souveränität zu begründen, statt sich auf die alten Privilegien von Kaiser und Reich zu beziehen. Wie sehr diese diplomatische Strategie die Interessen Frankreichs bediente, erwies sich deutlich in der Regierungszeit Ludwigs XIV., unter dem das Verhältnis zwischen der Eidgenossenschaft und Frankreich weniger dem zwischen zwei souveränen Völkerrechtssubjekten als vielmehr einem eigentlichen Protektorat glich. Die französische Diplomatie nutzte die Abhängigkeit der Orte von Frankreich und vermochte starken Druck auf diese auszuüben, wenn es galt, die Interessen der Krone durchzusetzen und die kleinen Republiken an der französischen Ostgrenze gefügig zu machen. Die französischen Minister und der in Solothurn residierende Ambassador wussten sehr genau, dass sie ihre eidgenössischen Allianzpartner am besten bei den materiellen und symbolischen Interessen ihrer Machteliten packen konnten. Die französische Diplomatie liess es hierbei nicht an Subtilität und Raffinesse fehlen.

Besonders verwundbar waren die massgeblichen politischen Kreise in der Eidgenossenschaft in ihren Interessen als Militärunternehmer in französischen Diensten. Der König konnte Druck ausüben, indem er schweizerische Soldkompanien entliess oder diese zu sogenannten Halbkompanien zurückstufte, was für die eidgenössischen Militärunternehmer mit empfindlichen Einnahme- und Prestigeverlusten verbunden war. Eine ernsthafte Bedrohung stellte auch die Schaffung sogenannter Freikompanien dar, mit der Ludwig XIV. ein alternatives, für ihn wesentlich interessanteres Geschäftsmodell für den Solddienst nutzte. Was hatte es damit auf sich? Die Allianzverträge und Kapitulationen mit den Eidgenossen kamen Ludwig XIV. bei seiner aggressiven Expansionspolitik und seinen zahlreichen Kriegen gegen das Reich, die Niederlande und Habsburg immer mehr in die Quere. Die Verträge mit den Orten untersagten den Einsatz von Schweizer Soldtruppen in Angriffskriegen und auferlegten Frankreich noch weitere Einschränkungen seiner Handlungsfreiheit. Immer weniger wollte der König aber einsehen, weshalb er viel Geld in eine Allianz und in Truppen investierte, die ihm für seine Expansionspolitik nichts nützten. Eine Lösung wurde in der Aushebung sogenannter Freikompanien gefunden, die nicht unter die Bestimmungen der offiziellen Kapitulationen mit den Orten fielen und folglich nach Belieben eingesetzt werden konnten. Obendrein erhielten diese einen tieferen Sold und waren damit erst noch billiger als die sogenannten kapitulierten Truppen. Der Aufschrei der Tagsatzung, der Obrigkeiten und der Militärunternehmer in der Eidgenossenschaft war ob dieses raffinierten Schachzugs des Königs enorm. Die Tagsatzung drohte Offizieren hohe Strafen für den Fall an, dass sie Freikompanien für Frankreich aufstellen würden, doch dauerte es nicht lange, bis erste Angehörige regierender Familien gewonnen waren, um Freikompanien auszuheben und für Frankreich ins Feld zu führen.

Die französische Diplomatie wusste um die Rivalitäten zwischen den regierenden Geschlechtern und um die Konkurrenz zwischen den Orten, die eine konsequente Oppositionspolitik der Orte gegen Frankreich von vornherein unmöglich machten. Sie zielte darauf ab, die Loyalität der Soldoffiziere gegenüber ihren Obrigkeiten zu lockern und dem König eine möglichst uneingeschränkte Verfügungsgewalt über die eidgenössischen Soldtruppen einzuräumen. Ludwig und seinen Ministern standen hierfür unterschiedliche Wege offen. Sie konnten den Besitz von Soldkompanien neuen, in die eidgenössische Elite aufsteigenden Familien anbieten und so gewohnheitsrechtliche Ansprüche etablierter Geschlechter missachten und neue Loyalitäten schaffen. Leicht fanden sich in den Reihen der Machteliten Politiker, die sich mit dem Hof auf Kompromisse und Unterhandlungen einliessen und als Gegenleistung für sich oder ihre Freunde und Verwandten eine Kompanie oder Halbkompanie ergatterten – oder zumindest ein entsprechendes Versprechen auf die Zukunft. Dem Zürcher Bürgermeister Johann Heinrich Waser, der die Gesandtschaft zur Erneuerung der Allianz in Paris 1663 anführte, hatte Ambassador de la Barde schon Jahre davor ein Regiment als Entschädigung für dessen Einsatz für die Erneuerung der Allianz gegen die starke Opposition in den Zürcher Räten in Aussicht gestellt. Waser wurde für seine Haltung aber schlecht entlohnt und noch Jahre später vom französischen Botschafter mit Versprechungen zugunsten seines Sohns hingehalten, die tatsächlich nie eingelöst werden sollten.

Der König konnte die eidgenössischen Eliten seine Macht auch spüren lassen, indem er Kompanien beziehungsweise Hauptmannsstellen Familien aus einem anderen Kanton übertrug. Die Urner Familie Stricker besass als wichtige Parteigängerin Frankreichs in Uri von 1614 bis 1667 Kompanien in französischen Diensten. Nach dem Tod eines ihrer Hauptleute wurde die Urner Kompanie 1667 zuerst dem Solothurner Patrizier Johann Joseph Sury und 1668 gemeinsam dem Landhofmeister des Abts von St. Gallen Fidel Von Thurn und dem Urner Landammann Karl Franz Schmid übertragen. Uri und die Acht Orte protestierten wohl und erinnerten den König – wenn auch vergeblich – daran, dass eine vakante Kompanie einem Hauptmann aus demselben Ort übertragen werden sollte.

Am weitesten trieb der König seine Personalpolitik, wenn er Kompanien und Hauptmannsstellen den regierenden Geschlechtern ganz entzog und sie Männern übergab, die nicht aus der traditionellen eidgenössischen Elite stammten.

Er schuf sich auf diese Weise Kreaturen, die das Vertrauen ihres hohen Patrons und Förderers mit treuer Ergebenheit honorierten. Und er gwann damit Kommandanten, die ihm mehr als den Anweisungen der eidgenössischen Obrigkeiten folgten und ihre Einheiten auch in Angriffskriege ausserhalb Frankreichs führten – selbst gegen Staaten, die wie die Niederlande mit eidgenössischen Orten verbündet waren. Nicht zufällig sah sich der König auf der Suche nach solchen Gehilfen ausserhalb der 13 Orte bei den sogenannten Zugewandten in Graubünden, im Wallis oder in Genf um.

Eine atemberaubende Karriere in französischen Diensten durchlief Johann Peter Stuppa [Stoppa] (1621–1701), der aus Chiavenna stammte und somit ein Untertan der Drei Bünde war. Sehr jung trat er in französische Dienste ein und stieg dort die militärische Karriereleiter empor: 1648 Leutnant, 1654 Oberstleutnant, 1672 Oberst und Brigadier. 1685 übertrug ihm Ludwig XIV. das Schweizer Garderegiment und damit das Kommando der prestigeträchtigsten Einheit in französischen Diensten. Zwischen 1674 und 1688 nahm Stuppa vertretungsweise für einen französischen Prinzen von Geblüt das Amt des Generalobersten aller Schweizer und Bündner Truppen in französischen Diensten wahr und wurde damit die entscheidende Figur für die Vergabe von Offizierschargen in den Schweizer Regimentern. Um Stuppa kamen auch die Angehörigen der eidgenössischen Machteliten nicht mehr herum – zu ihrem grossen Ärger, denn sie betrachteten den Bündner als Parvenu und Eindringling in ihr Reservat. Ihre Verachtung konnte Stuppa in Paris etwa damit kontern, dass bei der Verkleinerung des Garderegiments die Kompanien bestimmter Familien dran glauben mussten und andere verschont wurden.

Im bernischen Patriziat sorgte 1701 die Affäre um Manuel und Villars-Chandieu für rote Köpfe. Nach dem Tod von Oberst Albert Manuel, des Kommandanten des bernischen Linienregiments in Frankreich, verlieh Ludwig XIV. das Regiment gegen alle Erwartungen nicht Johann Rudolf May, einem weiteren Patrizier, sondern Charles de Villars-Chandieu (1658–1728). Villars-Chandieu war ein Waadtländer Adeliger hugenottischer Abstammung, dessen Familie erst 1652 das Bürgerrecht von Lausanne erhalten hatte. Villars-Chandieu besass zwar kleinere Seigneurien in der Waadt, letztlich aber war er ein Untertan der Gnädigen Herren von Bern. Mit Villars-Chandieus Ernennung rächte sich der französische

König am bernischen Patriziat, in dessen Kreisen seit den 1680er-Jahren die antifranzösische Partei erstarkt war. Sie hatte 1689 im Rat ein Gesetz durchgebracht, das es Söhnen und Schwiegersöhnen von Mitgliedern des Kleinen Rats untersagte, Kompanien in französischen Diensten zu übernehmen. Villars-Chandieu behielt das bernische Regiment bis zu seinem Tod 1728 im Besitz, worauf der König seine Strafmassnahme einstellte und die Einheit Beat Ludwig May (1671–1739) und damit wieder einem Vertreter des Patriziats übergab.

Der französischen Politik gab die starke materielle und symbolische Abhängigkeit der eidgenössischen Machteliten von französischen Ressourcen manches Instrument an die Hand, um Druck aufzubauen und Loyalität zu erzwingen. Hier sei an die Affäre um den Freiburger Patrizier Jean-Frédéric Roch de Diesbach (1677–1751) erinnert, der 1710/11 seine Werbungen für ein Regiment zugunsten der antifranzösischen Allianz im Spanischen Erbfolgekrieg rasch einstellen musste, als Frankreich die Salzlieferungen aus Burgund blockierte und den Freiburger Rat damit zwang, die Illoyalität eines Mitglieds der ansonsten frankreichtreuen Familie de Diesbach zu sanktionieren.

Der Macht Frankreichs hatten die kleinen eidgenössischen Republiken wenig entgegenzusetzen. Tatenlos mussten sie 1668 den Einfall Frankreichs in die spanische Freigrafschaft Burgund hinnehmen, der sie in eine brenzlige politische Situation manövrierte. Ludwig XIV. hatte bei der Besetzung der Freigrafschaft Schweizer Verbände eingesetzt. Damit verstiessen diese Truppen sowohl gegen die Erbeinung mit Habsburg-Österreich von 1511 als auch gegen die Allianz mit Spanien. Die Tagsatzung protestierte scharf gegen diesen vertragswidrigen Einsatz eidgenössischer Kompanien und untersagte den involvierten Hauptleuten bei hoher Strafe, sich am Einmarsch zu beteiligen. Doch konnten diese in ihrer Lage kaum anders, als diesen Befehl zu ignorieren. Der französische Gesandte Mouslier verteidigte die Hauptleute und meinte gegenüber der Tagsatzung, die Schweizer Einheiten müssten dort dienen, wo es der König verlange. Solche Begebenheiten offenbarten die vertrackten Doublebind-Situationen, in die die Orte wegen ihrer multiplen Allianzen mit rivalisierenden Grossmächten geraten konnten. Der Aufstieg Frankreichs in der zweiten Hälfte des 17. Jahrhunderts manövrierte die Orte in Loyalitätskonflikte und zwang sie zu einem gefährlichen diplomatischen Lavieren zwischen den letztlich nicht kompatiblen Ansprüchen der Grossmächte. Auf dem ersten Höhepunkt der französischen Vormacht in den 1660er-Jahren konnte sich der französische Gesandte Mouslier den Eidgenossen gegenüber sogar zur Forderung versteigen, die Orte sollten ihrer Allianz mit Frankreich den Vorrang vor allen anderen Bündnissen mit ausländischen Mächten einräumen.

Die Erfahrungen der Kantone mit der aggressiven Aussenpolitik Frankreichs unter Ludwig XIV. verdeutlichen, wie bedrohlich die geopolitische Lage für die Eidgenossenschaft jeweils wurde, wenn das Gleichgewicht zwischen den Grossmächten auf dem Kontinent gestört war. Dies war im Verlauf des 18. Jahrhunderts mehrmals der Fall.

Am Anfang des Jahrhunderts konnte Frankreichs Übermacht durch die antifranzösische Allianz zwischen Grossbritannien, den Niederlanden, dem Reich und Österreich militärisch zurückgebunden werden (Frieden von Rijswijk 1697; Frieden von Utrecht, Rastatt und Baden 1713–1715). Die reformierten Kantone begannen damals, den Niederlanden Soldtruppen zur Stärkung der antifranzösischen Allianz zur Verfügung zu stellen. In der Jahrhundertmitte konfrontierte das sogenannte «renversement des alliances» die Orte mit einer völlig neuen Mächtekonstellation. 1756 verbündeten sich die alten Erzfeinde Frankreich und Habsburg-Österreich, sodass sich die Eidgenossenschaft ganz unerwartet zwischen den beiden frisch verbündeten Grossmächten in die Zange genommen sah.

Der polnische Adelige Jan Potocki (1761–1815) zur
Schutzbedürftigkeit kleiner Staaten (1788)
«Un peuple libre est toujours vague dans ses projets, faible dans leur exécution. Il a besoin d'alliés puissants, même de protecteurs. Les Suisses, les Genevois s'honorent de la protection de la France. L'Amérique lui doit sa liberté. Les rapports actuels de l'Angleterre avec la Hollande tiennent plus de la protection que de l'Alliance. Tels sont ceux qui existent entre nous [la Pologne] et la Russie. Nous ne devons point en rougir. Nous sommes faibles, je l'ai dit.»[31]

Nach der ersten Teilung des Königreichs Polen unter Preussen, Russland und Österreich 1772 kamen in der Eidgenossenschaft starke Befürchtungen auf, das Land könnte ebenfalls den Expansionsgelüsten seiner Nachbarn, insbesondere Österreichs, zum Opfer fallen. Die militärischen Erfolge Preussens unter König Friedrich II. (1712–1786, König ab 1740), die in den reformierten Kantonen grosse Bewunderung erfuhren, sowie die Erneuerung der Allianz mit Frankreich – nunmehr wieder durch alle Orte – im Jahr 1777 bildeten hier ein Gegengewicht zu Österreich.

Am Ende des 18. Jahrhunderts präsentierte sich die geopolitische Lage unter ganz neuen Voraussetzungen. Die Eidgenossenschaft bekam die drastischen Folgen einer völlig aus dem Gleichgewicht geratenen Machtlage auf dem Kontinent zu spüren. Die junge Republik Frankreich ging 1797 unerwartet als Siegerin aus dem Ersten Koalitionskrieg gegen die gegenrevolutionären europäischen Monarchien Preussen, Spanien und Österreich hervor. Frankreich hatte als Hegemonialmacht auf dem Kontinent freie Hand, die politische Landkarte nach seinen Interessen neu zu zeichnen. Nachdem es mit Österreich im Herbst 1797 Frieden geschlossen hatte und keine Interventionen seitens der besiegten Koalitionsmächte mehr zu befürchten hatte, nutzte das französische Direktorium die Gelegenheit, um die alten Regimes in der Eidgenossenschaft zu beseitigen. Unter dem Druck des angekündigten Einmarsches der französischen Armee brachen in den ersten Monaten des Jahres 1798 im ganzen Land revolutionäre Bewegungen aus, denen Frankreich im April mit der Ausrufung der Helvetischen Republik ein Ende setzte. Der neue Staat wurde in das System französischer Satellitenrepubliken eingefügt. Die französische Republik führte damit die aggressive Aussenpolitik der Bourbonenkönige in letzter Konsequenz zu Ende. Als aus dem Protektor ein Aggressor wurde, erfuhren die auf sich allein gestellten eidgenössischen Kleinstaaten ihre ganze Ohnmacht. Frankreich wurde durch keine konkurrierende Grossmacht mehr in Schach gehalten und konnte das Land mit seinen geopolitisch wichtigen Alpenübergängen und mit den prall gefüllten Staatsschätzen einiger Städte unter seine alleinige Kontrolle bringen. Die Orte hingegen erfuhren schmerzhaft die Wertlosigkeit einer Neutralität, die nur einseitig proklamiert war und nicht auch im Interesse anderer Mächte lag. Diese Situation stellte sich später beim Zusammenbruch der napoleonischen Herrschaft noch zweimal ein: Im Dezember 1813 schlugen die antinapoleonischen Mächte die Neutralitätserklärungen der Tagsatzung in den Wind und griffen Frankreich mit starken Truppendurchmärschen über eidgenössisches Gebiet an. Im Mai/

Juni 1815 – kurz nachdem die Wiener Kongressmächte die Neutralität der Schweiz anerkannt hatten – eskalierte wegen der überraschenden Rückkehr Napoleons aus dem Exil auf Elba die internationale Lage, sodass auch die Tagsatzung unter dem massiven Druck der alliierten Mächte in die antinapoleonische Allianz eintrat; nicht nur bewilligte sie den alliierten Truppen den Durchmarsch über schweizerisches Gebiet, sondern sie trat auch selber aktiv in den Krieg gegen Frankreich ein. In ihrer formellen Anerkennung und Garantie der schweizerischen Neutralität vom 20. November 1815 lieferten die Grossmächte die Erklärung hinterher, der militärische Durchmarsch sei von den Kantonen freiwillig zugestanden worden und stelle im Übrigen die Neutralität und Unverletzbarkeit des schweizerischen Staatsgebiets keinesfalls infrage.

Der historischen Gerechtigkeit halber gebührt es sich aber, daran zu erinnern, dass es wiederum der Intervention Frankreichs, genauer des Ersten Konsuls Bonaparte zu verdanken war, dass 1802/03 das zentralistische Experiment der Helvetischen Republik beendet wurde und die Schweizerische Eidgenossenschaft – erstmals unter diesem offiziellen Namen – nicht nur als Föderation souveräner Kantone wiederhergestellt, sondern auch erstmals nach fast 300 Jahren um neue Kantone erweitert wurde. St. Gallen, Graubünden, Aargau, Thurgau, das Tessin und die Waadt – allesamt frühere Zugewandte Orte oder Untertanengebiete der 13 alten Orte – wurden nun als souveräne Kantonalstaaten gleichberechtigte Glieder der Schweiz. Sie verdankten dies allein der Tatsache, dass Bonaparte 1803 wohl den helvetischen Einheitsstaat begrub und die Föderation erneuerte, die alten Untertänigkeitsverhältnisse aber nicht mehr zuliess.

DIE ALTE EIDGENOSSENSCHAFT: TUMMELFELD UND SCHWIERIGES PFLASTER AUSLÄNDISCHER DIPLOMATIE

Im symbiotischen Verflechtungszusammenhang zwischen den innereidgenössischen Macht- und Herrschaftsverhältnissen und den Aussenbeziehungen der Orte bildeten die eidgenössischen Machteliten den einen, die Allianzmächte beziehungsweise deren Gesandte den anderen Pol. Gesandte repräsentierten ihre zumeist monarchischen Dienstherren in der Eidgenossenschaft und fungierten als Schaltstellen für die diplomatische Kommunikation zwischen den eidgenössischen Obrigkeiten und den jeweiligen Höfen beziehungsweise Regierungsstellen in Paris, Madrid, Wien, Mailand, Rom, London oder Den Haag.

Während der Burgunderkriege und der Mailänder Kriege im letzten Viertel des 15. Jahrhunderts wurde die Eidgenossenschaft aufgrund ihrer geopolitischen Lage und wegen des starken Interesses der Mächte an Söldnern und an privilegierten Beziehungen zu diesem Raum zum Tummelfeld der Diplomatie der europäischen Grossmächte. Seit dem 16. Jahrhundert waren neben Frankreich und dem Heiligen Stuhl auch der Kaiser beziehungsweise Österreich und Spanien ständig oder nur mit kurzen Unterbrechungen diplomatisch in der Eidgenossenschaft vertreten. Diese starke diplomatische Präsenz der Mächte hatte mit deren Nachbarschaft zur Eidgenossenschaft, mit deren Bündnissen mit den Orten sowie deren vordringlichem Interesse zu tun, diesen Raum nicht kampflos der Diplomatie des Gegners zu überlassen.

Mit der Entsendung eines ständig in der Eidgenossenschaft residierenden Nuntius beziehungsweise Ambassadors unterstrichen sowohl der Heilige Stuhl als auch Frankreich ihr eminentes Interesse an guten Beziehungen zu den eidgenössischen Orten und die Bedeutung, die sie diesen in ihrer Politik zuschrieben. Päpstliche Gesandte hielten sich seit dem frühen 16. Jahrhundert in der Eidgenossenschaft auf, wo sie zunächst vor allem mit politischen Aufgaben wie dem Abschluss von Militärkapitulationen und der Rekrutierung von Söldnern für den Papst betraut waren. Seit der zweiten Hälfte des 16. Jahrhunderts wurde die diplomatische Unterstützung der Gegenreformation und der katholischen Reform in der konfessionspolitischen Kampfzone der alten Schweiz immer wichtiger. 1586 errichtete der Nuntius seine Residenz auf Wunsch der Inneren Orte in Luzern, wo sie bis zu ihrer Verlegung nach Bern 1873 blieb. Damit war die Nuntiatur die zweitälteste ständige Gesandtschaft bei den eidgenössischen Orten.

Noch älter war jene des Königs von Frankreich, dessen Ambassadoren sich von Beginn an als ständige Vertreter niederliessen. Seit 1530 residierten sie in Solothurn. Die diplomatische Bedeutung der französischen Gesandtschaft bei den Orten zeigt sich an der Aufzählung der elf Städte, in denen Frankreich nach 1648 diplomatische Vertretungen im

Rang einer Ambassade unterhielt. Das Kleinstädtchen Solothurn figurierte als Sitz eines Ambassadors in einer Reihe mit Rom, Venedig, Madrid, Lissabon, Turin, Wien, London, Stockholm, Den Haag, Neapel und Konstantinopel. In Dänemark, Preussen und anderen deutschen Territorien, in italienischen Fürstentümern, am Reichstag in Regensburg, in den österreichischen Niederlanden, in Russland sowie seit 1783 in den Vereinigten Staaten von Amerika war die Krone Frankreich hingegen nur durch Gesandte («envoyés») oder Residenten vertreten. Französische Residenten hielten sich ab 1525 mit Unterbrechungen auch in den Drei Bünden, 1679 bis 1798 in Genf und schliesslich 1744 bis 1798 sowie 1803 bis 1810 im Wallis auf, was zeigt, dass Frankreich diese Staatswesen im schweizerischen Raum nicht als Anhängsel der eidgenössischen Kantone, sondern als eigenständige Völkerrechtssubjekte betrachtete, wo es spezifische Interessen wahrzunehmen hatte.

Neben der päpstlichen und französischen Gesandtschaft war bis Ende des 17. Jahrhunderts auch die ständige spanische Mission von Bedeutung. England hatte schon in der ersten Hälfte des 17. Jahrhunderts mehrmals für eine gewisse Zeit Diplomaten entsandt und hielt seit den 1690er-Jahren bis in die Revolutionszeit in den 1790er-Jahren den Posten in der Eidgenossenschaft ständig besetzt. Als neue Weltmacht war Grossbritannien im 18. Jahrhundert auf dem europäischen Kontinent um ein Gleichgewicht der Mächte besorgt und betrachtete die Eidgenossenschaft als wichtiges diplomatisches Terrain mitten auf dem Kontinent, wo es galt, den französischen Einfluss auf die Orte einzudämmen. Bern und Grossbritannien waren sich einig, dass nach dem absehbaren Aussterben der Dynastie der Orléans-Longueville die Erbfolge eines französischen Prinzen im Fürstentum Neuenburg unbedingt verhindert werden musste. Sie verbuchten es denn auch als grossen diplomatischen Erfolg, dass die Neuenburger Stände 1707 das Fürstentum dem König von Preussen übertrugen und so mitten im Spanischen Erbfolgekrieg der Ausdehnung des französischen Einflusses diesseits des Jurakamms einen Riegel schoben.

Gleichzeitig mit England und mit derselben politischen Stossrichtung verstärkten im späten 17. Jahrhundert auch die Niederlande ihre diplomatische Präsenz in der Eidgenossenschaft. Ihr Gesandter sollte die antifranzösische Stimmung in den reformierten Städten ausnutzen, um mit diesen Werberechte für Söldner in der reformierten Schweiz auszuhandeln und mit dem Hinweis auf die gemeinsamen Interessen der niederländischen und eidgenössischen Republik die französische Partei in den Orten zu schwächen. Der niederländische Gesandte Petrus Valkenier (1641–1712) operierte von Zürich aus, das als Vorort eine führende Stellung in der eidgenössischen Politik einnahm.

Die unterschiedlichen Residenzen der ausländischen Gesandten zeigen, dass die alte Schweiz keine Hauptstadt besass, die allgemein als diplomatisches und politisches Machtzentrum galt. Die Nuntiatur war zuerst in Altdorf angesiedelt und wurde 1586 nach Luzern verlegt, wo auch der spanische Gesandte residierte. Der katholische Vorort Luzern unterstrich damit seine Bedeutung als Mittelpunkt der katholischen Diplomatie in der Eidgenossenschaft. Der britische Gesandte Abraham Stanyan (1669–1732) hingegen liess sich 1705–1709 und 1710 in Bern nieder, weil er von hier aus dem französischen Ambassador im nahen Solothurn dazwischenfunken und besonders auf den Verlauf der umstrittenen Erbfolge im Fürstentum Neuenburg einwirken konnte.

Der englische Diplomat Abraham Stanyan erklärt, weshalb es wichtig sei, die Schweiz zu kennen (1714)
«I have often wondered, that a country situated almost in the middle of Europe, as Switzerland is, should be so little known, that not only the generality of people have scarce any idea of it, but that even some men bred up to foreign affairs, hardly know the names of the several Cantons, or of what religion they are.

I cannot impute this general ignorance of the country, to the contempt many people have for it, but must rather attribute their contempt to their ignorance of it; since those acquainted with the Switzers, know that they have no small influence on the affairs of Europe, as well as by their situation between the Empire, France and Italy, as by their warlike genius; and it is certain, that the French, who know them best, court them most.

It seems therefore most reasonable to ascribe the little knowledge strangers have of this country, chiefly to the want of good writers, who were thoroughly acquainted with the history and governments of this people.»[32]

Neben Aufenthaltsort und Dauer der Präsenz sagte auch der Rang der ausländischen Diplomaten etwas über das Interesse einer ausländischen Macht an zwischenstaatlichen Beziehungen zur Eidgenossenschaft aus. Seit dem späten 16. Jahrhundert war der Titel des Nuntius dem Repräsentanten des Papstes vorbehalten. Den höchsten Rang eines weltlichen Diplomaten bekleidete der Ambassador («ambassadeur»). Nach dem Westfälischen Friedenskongress traten mit dem Gesandten («envoyé») und dem Residenten («résident») zwei neue Kategorien in Erscheinung. Auch sie repräsentierten ihren Dienstherrn und waren mit Kreditivschreiben versehen, doch waren sie ständisch-sozial weniger hochrangig als die Ambassadoren, die in der Regel aus dem Hochadel stammten. Das Zeremoniell beim Empfang und bei der Akkreditierung gestaltete sich für Gesandte und Residenten einfacher als bei Diplomaten im höchsten Rang.

Der offizielle Charakter und die ständische Qualität eines Diplomaten verrieten auch, welches Gewicht die fremde Macht den Verhandlungen mit den Orten beimass. So registrierten die Orte sehr wohl, dass der König von Frankreich 1602 und 1656 Herzöge mit den Verhandlungen um die Erneuerung der Allianz betraute und dass er unmittelbar nach der feierlichen Beschwörung der Allianz 1663 mit François Mouslier einen Mann von niedrigerem Stand entsandte, dessen undiplomatische Art die eidgenössischen Politiker wiederholt vor den Kopf stiess.

Der Diplomat war ein Repräsentant in zweifacher Hinsicht. Er vertrat nicht nur seinen Dienstherrn und dessen Interessen bei einer fremden Macht, sondern verkörperte diesen stellvertretend und forderte bei seinen Auftritten und Begegnungen mit den Behörden des Gastlandes jene Ansprachen, Titulaturen und Ehrbezeugungen ein, die dem Rang seines Herrn entsprachen. Deshalb konnten nur Angehörige des (Hoch-)Adels als Botschafter die Monarchen und Fürsten im Ausland repräsentieren, was die Diplomatie im Zeitalter der Monarchien bis ins frühe 20. Jahrhundert zu einer stark von Adeligen beherrschten Domäne machte.

Zu den Aufgaben eines Diplomaten gehörte es allgemein, den Einfluss seines Dienstherrn in der Eidgenossenschaft bestmöglich zu stärken und die Kreise der rivalisierenden Mächte zu stören. Beides hing eng miteinander zusammen; einen Misserfolg des spanischen Gesandten konnte der französische Ambassador immer auch als Erfolg für sich verbuchen sowie natürlich auch umgekehrt. Hauptsächlich waren Diplomaten damit beschäftigt, die Informations- und Nachrichtenlage in den einzelnen Orten zu erkunden und ihren Monarchen und Ministerien Bericht zu erstatten. Dabei interessierten die Gänge und Kontakte anderer Diplomaten, insbesondere jener der rivalisierenden Mächte, sowie die Pläne der politischen Parteiungen in den Räten der Orte. Dies erforderte die intensive Pflege eines Netzes von verlässlichen Informanten bis in die oberste Etage der Machtelite der Orte. Der Engländer Abraham Stanyan verschaffte sich durch die Heirat mit der Berner Patrizierin Anna Katharina Bondeli einen Zugang zur Berner Gesellschaft. Gefälligkeiten, Geschenke und Einladungen zu üppigen Gastmählern im intimen Kreis in der Residenz oder in grossen Gesellschaften in Gasthäusern gehörten ebenfalls zum Repertoire diplomatischer Beziehungspflege. Der Mailänder Alfonso Casati (1565–1621), der spanisch-mailändische Gesandte in der Eidgenossenschaft von 1594 bis 1621, verköstigte 1614 58 Abgeordnete aus den katholischen Orten mitsamt ihren Begleitpersonen im Luzerner Gasthaus Adler mit «Bergen von Hühnchen, Tauben, Kalb, Rind- und Schafffleisch». Ebenso wichtig war die weniger spektakuläre, kontinuierliche Pflege von Kontakten. Casatis Gästeliste verrät, dass der Gesandte zwischen Mitte April und Ende August 1615 193 Gäste bei Banketten, 458 Personen in der Gesindestube der Gesandtschaft und 497 Gäste am eigenen Tisch bewirtet hat. Auch Goldketten, Wappenscheiben und Glasfenster, die Casati an Einzelpersonen, Familien, Gemeinden und für Kirchenausstattungen verschenkte, erhielten die Freundschaft. Casati wurde auch öfters als Taufpate ausgewählt oder zu Hochzeiten eingeladen, wo er jeweils mit Geschenken aufwarten musste, die dem Ansehen eines Ambassadors des Königs von Spanien angemessen waren.[33] Ins Gewicht fielen weiter die Kosten für Boten, Kuriere und für die zahlreichen Reisen im Land, waren doch Briefe und persönliche Besuche bei politischen Exponenten die wichtigsten Informationskanäle im Alltag eines Diplomaten. Die hohen Auslagen zehrten über die Jahre hinweg Casatis Privatvermögen auf, denn der König stattete seinen Gesandten bei den Orten nur ungenügend aus. Die Belehnung mit einem Landgut bei Novara und die Verleihung des erblichen Grafentitels sollten Casati kurz vor dessen Tod entschädigen. Casati begründete eine eigentliche Gesandtendynastie bei den katholischen Orten, wirkten doch seine Nachkommen mit kurzen Unterbrechungen bis 1704 bei diesen als spanische Gesandte. Neben den vielfach diskreten Formen politisch-diplomatischer Einflussnahme nutzten Diplomaten seit dem 17. Jahrhundert auch intensiv publizistische und propagandistische Mittel, um selber oder über Mittelsmänner die politischen Richtungsstreitigkeiten in der Eidgenossenschaft zu ihrem Vorteil zu beeinflussen. So wurden Frankreichs Aufstieg zur kontinentalen Grossmacht unter Ludwig XIV. und dessen «Freundschaft» mit den Eidgenossen in kontroversen Flugschriftenkampagnen von den Anhängern Frankreichs wohlwollend als segensreiche Protektion eidgenössischer Freiheit und Einheit begrüsst, von der antifranzösischen Partei hingegen als imminente Gefahr für die Eigenständigkeit der Orte dargestellt.

In ihrer Tätigkeit wurden die ständigen Diplomaten von einem Stab von Mitarbeitern unterstützt. Die Gesandtschaft beschäftigte Sekretäre, die in Abwesenheit des Botschafters als Geschäftsträger («chargé d'affaires») der Ambassade amteten. Eine wichtige Funktion übten die Dolmetscher aus, die teilweise aus den regierenden Kreisen des Residenzorts rekrutiert wurden. Die Urner Vonmentlen beziehungsweise Crivelli versahen dieses Amt im Dienst des spanischen Gesandten im 16./17. Jahrhundert beziehungsweise 18. Jahrhundert. In der Ambassadorenstadt Solothurn waren Angehörige der patrizischen Solothurner Familien Vallier (Wallier), Vigier, Sury, von Stäffis, Besenval oder von Roll als Dolmetscher tätig. Dank der unmittelbaren Nähe zum Gesandten waren sie gut über die laufenden Geschäfte der Ambassade im Bild. Umgekehrt dienten die Dolmetscher dem Ambassador als Vertrauensleute und Informanten, die mit den führenden Kreisen in der Stadt, in den Räten und darüber hinaus in der katholischen Eidgenossenschaft bestens vernetzt waren. Eine weitere wichtige Figur im Gefolge des französischen Ambassadors war der Schatzmeister, der «Trésorier général des Ligues Suisses et des Grisons», der für die Verwaltung und Auszahlung der Pensionen an die Orte zuständig war. Zählt man die Schreiber, Kuriere, Informanten und Geheimagenten dazu, so wird der Personalbestand der französischen Ambassade für das 18. Jahrhundert auf mindestens 100 Personen geschätzt.

Grundsätzlich galt die alte Eidgenossenschaft für auswärtige Diplomaten als schwieriges Pflaster. Vielen Gesandten erschien die Mission bei den Orten schwierig und undankbar. Ihre Briefe, Berichte und Denkschriften sowie die Instruktionen der Dienstherren sprechen hier eine deutliche Sprache. Da die vertraulichen oder geheimen Dokumente der Gesandten nicht für die Öffentlichkeit bestimmt waren, sondern den Dienstherrn präzise informieren sollten, vermitteln sie wertvolle Aufschlüsse darüber, wie gut informierte Aussenstehende die Verhältnisse in der alten Eidgenossenschaft beurteilten.

Weil die Eidgenossenschaft kein einheitlicher Staat mit klarem Machtzentrum und zudem in sich höchst komplex verfasst war, hatten es die Diplomaten nicht wie sonst in Europa üblich mit einem einzigen König oder Fürsten als Gegenüber zu tun, sondern mit 13 verschiedenen Regierungen. Zählte man die Zugewandten Orte dazu, wurde die Angelegenheit noch komplizierter. Die Obrigkeiten all dieser Kleinstaaten mussten einzeln betreut, besucht, hofiert und umworben werden. Dabei kriegten es die Gesandten mit ganz unterschiedlichen Regierungssystemen zu tun: in den Städten mit vielköpfigen Ratsgremien und in den Ländern, wo die höchste Gewalt bei den Landsgemeinden lag, sogar mit Grossversammlungen mit Hunderten von Männern, die gerne in Tumulte auszuarten drohten und eine geordnete Debatte erschwerten.

Wollte sich ein ausländischer Gesandter das diplomatische Geschäft etwas leichter machen und die wichtigsten eidgenössischen Politiker an einem einzigen Ort treffen, so besuchte er die Tagsatzung. Seit dem 15. Jahrhundert war diese gemeineidgenössische Konferenz der regelmässige Treffpunkt der wichtigsten Politiker aller Orte. Sehr früh fanden sich deshalb auch ausländische Diplomaten bei Tagsatzungen ein, um der versammelten politischen Elite aus der Eidgenossenschaft ihre Anliegen vorzutragen. Die Tagsatzung war das zentrale Forum für die Pflege der politisch-diplomatischen Aussenbeziehungen der Orte, und zwar sowohl für deren innere wie äussere Aussenpolitik. Die Gesandten der Orte kamen mit Instruktionen ihrer Regierungen zur Tagsatzung, von denen sie ohne Rücksprache mit ihren Regierungen nicht abweichen durften. Jeden Entscheid der Tagsatzung mussten die Gesandten heimbringen beziehungsweise – wie der lateinische Ausdruck lautete – «ad referendum» nehmen. Entsprechend langwierig gestalteten sich die politischen Entscheidungsverfahren. Der Wechsel der Tagherren verzögerte die Geschäfte zusätzlich. Hinzu kam, dass die aussenpolitische Orientierung der einzelnen Orte keineswegs einheitlich war: Die politischen und kommerziellen Interessen der Innerschweizer lagen seit je im Süden ennet dem Gotthard, Bern und Freiburg schauten nach Westen und rieben sich am Haus Savoyen, die Basler, Schaffhauser und Zürcher waren zum Reich hin orientiert. Als wären die Verhältnisse nicht schon kompliziert genug, spaltete die Glaubensfrage seit den 1520er-Jahren die Orte in zwei konfessionelle Lager. Allgemein kritisierten die Gesandten den hohen Kostenaufwand ihrer Mission. Die Pflege diplomatischer Beziehungen zu den Eidgenossen war ein teures Geschäft. Die Käuflichkeit der Eidgenossen war sprichwörtlich. Doch boten selbst pünktliche Zahlungen keine Garantie, dass man von den Orten erhielt, was man von ihnen erwartete. Es wurde bereits dargelegt, wie Spanien-Mailand in den 1590er-Jahren die Erfahrung machen musste, dass die katholischen Orte ihren Söldnern in spanischen Diensten untersagten, in einen Krieg Spaniens gegen Frankreich zu ziehen, weil die Eidgenossen es sich nicht mit ihrem anderen wichtigen Allianzpartner verderben wollten.

Siehe Abb. 4: Die Tagsatzung zu Baden

Wohl war die Tagsatzung eine schwerfällige Einrichtung mit komplizierten, langwierigen Entscheidungsverfahren. Doch lag ihre eigentliche Bedeutung letztlich vor allem darin, eine wichtige Kommunikationsplattform und Informationsbörse für die Bürgermeister, Schultheissen, Landammänner und die wenigen weiteren Tagsatzungsgesandten aus den Orten zu sein. Naheliegenderweise stand der Besuch der Tagsatzung auch oben auf der Agenda ausländischer Diplomaten in der Eidgenossenschaft. Die oftmals mehrwöchigen Tagsatzungstreffen in der Bäderstadt Baden boten den Gesandten aus den Orten wie den fremden Diplomaten bei Banketten, Besuchen und Gegenbesuchen in den Gasthäusern der Tagsatzungsgesandten, bei gemeinsamen Besuchen von Gottesdiensten, Theater- und Konzertveranstaltungen sowie der Bäder vielfältige Gelegenheiten zu informeller Geselligkeit und für Unterredungen auch ausserhalb der Sitzungen.

VERFLECHTUNG ALS FAKTOR DER MACHT- UND HERRSCHAFTSVERHÄLTNISSE IN DEN ORTEN

Die Allianzen der eidgenössischen Orte mit den dominierenden Grossmächten des süd- und westeuropäischen Mächtekreises prägten auf vielfältige Weise die politischen Verhältnisse in der Eidgenossenschaft. Sie setzten einen vielfältigen Ressourcenaustausch mit den alliierten Mächten in Gang, deren Interesse an privilegierten Beziehungen zur Eidgenossenschaft den Kantonen militärische und politische Sicherheit in Form von Nichtangriffsgarantien und finanziellen und/oder militärischen Hilfszusagen im Kriegsfall verschaffte. Dank den Allianzen erhielten die Viehbauern und Käsehersteller das dringend benötigte Salz, konnten die Verleger und Fabrikanten die Erzeugnisse der gewerblichen Produktion zu günstigen Bedingungen nach Frankreich ausführen und gelangten die Soldaten in Schweizer Regimentern in französischen Städten günstiger an Wein als einheimische Händler, was sie zu attraktiven Geschäftspartnern für Wirte machte. Der Kriegsdienst im Sold der Mächte war nicht nur ein entscheidender Faktor im Lebenslauf Tausender von Männern, sondern strukturierte auch den Lebenszyklus der betroffenen Familien und Haushalte und damit das Bevölkerungsgeschehen in den Kantonen. Schliesslich prägten die Aussenbeziehungen in entscheidendem Mass die Macht- und Herrschaftsstrukturen in den Orten, deren politische Eliten bisweilen in eminenter Weise von den Aussenbeziehungen und deren finanziellem, sozialem und symbolischem Nutzen profitierten. Man wird durchaus behaupten können, dass die Macht- und Herrschaftsverhältnisse in den eidgenössischen Republiken der frühen Neuzeit ohne Berücksichtigung der aussenpolitischen Verflechtungen der Kantone nicht zu verstehen sind.

Der starke Einfluss der Aussenbeziehungen auf die Gestaltung der politischen Verhältnisse im Innern der Orte hängt mit der besonderen Verfassung und politischen Ökonomie der Städte und Länder zusammen. In diesen Klein- und Kleinstaaten fielen Aussenpolitik und Diplomatie in die Zuständigkeit eines engeren Machtzirkels. In den Städten besorgte der Kleine Rat die laufenden aussenpolitischen Geschäfte. Bisweilen bildete sich innerhalb des Kleinen Rats noch ein engeres Gremium in Gestalt eines Geheimen Rats aus, der die Vertraulichkeit und Diskretion garantieren sollte, welche die Behandlung aussen- und sicherheitspolitischer Fragen besonders in Kriegs- und Krisenzeiten erforderte. Grundlegende strategische Entscheidungen wie der Abschluss von Bündnissen mit fremden Mächten, Kriegserklärungen und Friedensschlüsse wurden dem Grossen Rat vorgelegt. Als 1777 der Zürcher Rat in die Allianz mit Frankreich einwilligte, ohne die städtischen Zünfte befragt zu haben, erregte dies den Protest der breiten Bürgerschaft. Aussenpolitik wurde für die eidgenössischen Obrigkeiten immer dann zum heiklen Geschäft, wenn die Vereinbarungen mit auswärtigen Mächten militärische oder steuerliche Belastungen für die breite Bevölkerung nach sich ziehen konnten, wie die heftigen Protestbewegungen von Bürgern und Untertanen zur Zeit eidgenössischer Grossmachtpolitik im 15. und frühen 16. Jahrhundert gezeigt hatten. In den Länderorten, deren politische Verfassung auf der Landsgemeinde und den Trägern der führenden Landesämter (sogenannte Häupter) und weniger auf den Räten basierte, traten besonders die Häupter als Akteure der Aussenpolitik in Erscheinung. Doch auch hier war in wichtigen aussenpolitischen Fragen wie dem Abschluss von Allianzen eine breitere Zustimmung – in diesem Fall jene der Landsgemeinde – erforderlich.

Im Vorfeld wichtiger Entscheidungen und im Nachgang zu diesen lag die Gestaltung der inneren und äusseren Aussenpolitik ganz in der Hand weniger Männer in der Machtelite der Orte. Diese brachten nicht nur den entsprechenden politischen Einfluss mit sich, sondern auch die erforderlichen soziokulturellen Voraussetzungen. Sie waren abkömmlich und konnten es sich leisten, regelmässig längere Zeit in diplomatischer Mission unterwegs zu sein, um Tagsatzungen und eidgenössische Konferenzen zu besuchen oder Gesandte auswärtiger Mächte zu treffen. Sie mussten sprachlich gebildet und in ihren kulturellen Umgangsformen so weit erfahren sein, dass sie sich auf dem diplomatischen Parkett sicher bewegen und ihren Kanton angemessen vertreten konnten. Sie waren mit den Regeln des diplomatischen Zeremoniells vertraut, kannten die diplomatischen Gepflogenheiten, die stark von adelig-aristokratischen Verhaltensmustern geprägt waren, und brachten die nötige kommunikative Gewandtheit für Verhandlungen mit. Für diese eidgenössischen Spitzenpolitiker und -diplomaten war es durchaus hilfreich, wenn sie in jüngeren Jahren einige Zeit als Pagen oder als höhere Soldoffiziere an einem europäischen Hof verbracht hatten und so mit dem höfisch-adeligen Milieu vertraut geworden waren. Für erfolgreiche diplomatische Missionen sollten sie aber auch über die entscheidenden sozialen Beziehungen verfügen, die ihnen rechtzeitig einschlägige Informationen zutrugen und über die Absichten ihrer Kontrahenten ins Bild setzten. Unter diesen eidgenössischen Spitzenpolitikern rekrutierten auch die ausländischen Mächte gerne ihre Agenten und Informanten, die – wie etwa der in österreichisch-kaiserlichen Diensten stehende Urner Statthalter und Landammann Sebastian Peregrin Zwyer von Evibach (1597–1661) oder der für die französisch-protestantische Allianz im Dreissigjährigen Krieg tätige Berner Johann Ludwig von Erlach (1595–1650) – in einer charakteristischen Doppelrolle sowohl die Interessen einer fremden Macht in der Eidgenossenschaft als auch jene ihres Orts bei der betreffenden auswärtigen Macht vertraten.

In einzelnen Fällen lässt sich dank einer guten Überlieferungslage ermessen, welchen Aufwand politische Exponenten in den Orten für die Aussenpolitik und Diplomatie betrieben haben. Die Stadt Bern besass in der ersten Hälfte des 17. Jahrhunderts mit Franz Ludwig von Erlach (1575–1651) einen besonders gewieften und umtriebigen Aussenpolitiker. Als Angehöriger eines der mächtigsten patrizischen Geschlechter Berns erklomm er rasch die Stufen einer klassischen Ämterkarriere, gelangte schon mit 21 Jahren in den Grossen Rat, wurde acht Jahre später obrigkeitlicher Amtmann in Burgdorf und bald danach mit 36 Jahren in den Kleinen beziehungsweise Täglichen Rat gewählt. 1629 krönte er seine Laufbahn mit der Wahl zum Schultheissen. Als Kleinrat und Schultheiss unternahm Franz Ludwig zahlreiche Gesandtschaften an die Tagsatzung und an auswärtige Höfe. Zwischen 1612 und 1648 sollen es insgesamt 139 gewesen sein, sodass er jedes Jahr im Schnitt etwa viermal unterwegs gewesen sein muss. Je nach Auftrag dauerten diese Missionen unterschiedlich lange. Die Konferenzen mit den protestantischen Kantonen dauerten meistens nur zwei Tage, was mit dem Ritt nach Aarau oder Zürich und wieder zurück nach Bern eine Abwesenheit von rund sechs Tagen bedeutete. Deutlich mehr Zeit beanspruchte der Besuch der gemeineidgenössischen Tagsatzungen in Baden, die jeweils zwei bis drei Wochen dauerten, oder der Jahrrechnungen für die gemeinen Herrschaften im Tessin, die schon ohne die Reise über den Gotthard nach Locarno, Lugano und Mendrisio bis zu acht Wochen in Anspruch nahmen. Somit dürfte von Erlach in Jahren mit häufigen Gesandtschaften ohne Weiteres zwei bis drei Monate unterwegs gewesen sein.

Franz Ludwig von Erlachs gut dokumentierte Karriere zeigt deutlich, wie die innere und äussere Aussenpolitik der Orte faktisch von jenen Kreisen bestimmt wurde, die selber ein starkes Interesse an diesen Aussenbeziehungen hatten und ihren eigenen Nutzen daraus zogen. Die eidgenössischen

Abbildungen

Bildteil Abb. 1

Bildteil

Abb. 1　Das Deckengemälde (1782) eines unbekannten Malers in der von Hans Ulrich Grubenmann (1709–1783) errichteten Trogner Pfarrkirche (AR) setzt ein Bildprogramm um, das Angehörige der Familie Zellweger in Auftrag gaben. Das Gemälde stellt die vier Erdteile dar: Amerika mit Menschen von schwarzer, roter und weisser Hautfarbe, Asien mit Turbanträgern und Chinesen, Afrika mit perlenbehängten Figuren, die an den mythologischen Reichtum der Königin von Saba erinnern, und Europa mit dem knienden Kaiser Joseph II. (1741–1790, Kaiser ab 1765) sowie weiteren Männern und Frauen, darunter mit weisser Haube die Stifterin des Deckengemäldes Ursula Wolf-Zellweger (1735–1820). Als Zeichen christlicher Ehrerbietung vor Gott haben der Kaiser und der neben ihm kniende Mann (möglicherweise Ursulas Gatte Johann Conrad Wolf) die Reichsinsignien beziehungsweise ihren Hut auf einem Kissen abgelegt. Die Stifterin weist mit ihrer linken Hand auf den auf Wolken sitzenden Christus, der sich mit dem Spruch des Propheten Jesaja (Jes 45, 22) an die Menschheit richtet: «Wendet euch zu Mir alle Ende der Erde so wird euch geholfen werden, dann Ich bin Gott und sonst keiner.» Die im globalen Handel mit Rohstoffen, Textilien und Kolonialwaren reich gewordene Familie Zellweger bezeugte damit vor der Trogner Pfarrgemeinde nicht nur ihre Weltläufigkeit, sondern auch das politische und kulturelle Selbstbewusstsein der politischen Elite Ausserrhodens.

Abb. 2 Anonym, «Wunder Schweizerland, werthster Freyheit höchster Zier» (Ölgemälde um 1612): Die mit einem eidgenössischen Wappenkranz im Haar geschmückte Dame – die früheste Darstellung einer Helvetia als Landesallegorie – wird von den fremden Mächten umworben. Von links nach rechts umgeben sie der Markgraf von Baden-Durlach, der Erzherzog von Österreich, der Herzog von Savoyen, der König von Spanien, der König von Frankreich und der Doge von Venedig. Als «Wunder Schweizerland, werthester Freyheit höchste Zier» tritt die eidgenössische Jungfrau in «alter Keüschheitstracht» unter die sie umwerbenden Mächte.

Bildteil Abb. 2

Abb. 3   Sogenannter Allianzteppich, nach 1705: Die Darstellung der Schwurzeremonie vom 18. November 1663 in der Kathedrale Notre-Dame von Paris gehört zu einer Serie von 17 Teppichen, die unter dem Titel «Histoire du Roy» herausragende militärische, diplomatische und politische Taten Ludwigs XIV. darstellen. Unter der Leitung des Hofmalers Charles Le Brun entstanden die Teppiche noch zu Lebzeiten des Königs in der königlichen Gobelinmanufaktur. Der Blick des Betrachters wird auf eine Personengruppe in der Mitte des Teppichs gelenkt. Als Einziger trägt König Ludwig XIV. von Frankreich seinen Hut. Seine herausragende Stellung wird dadurch unterstrichen, dass er unmittelbar vor dem Altarkreuz steht und genau die Mitte des Bilds besetzt. Ludwig wird von seinem grossen Hofstaat und geistlichen Würdenträgern begleitet. Die französischen Höflinge sind an ihren Perücken, rasierten Gesichtern und reichen Gewändern à la mode erkennbar. Dem König gegenüber stehen Johann Heinrich Waser (1600–1669), Bürgermeister der Stadt Zürich und Leiter der eidgenössischen Gesandtschaft, sowie der Berner Schultheiss Anton von Graffenried (1597–1674). Die übrigen Gesandten der Kantone gehen hinter von Graffenried als Statistengruppe in der Menge der Höflinge unter. Im Gegensatz zu den Höflingen mit ihren prachtvollen Perücken tragen die bärtigen Eidgenossen ihr Naturhaar beziehungsweise ihre Glatze, die zu sehen ist, weil die Herren Eidgenossen ihre Hüte als Zeichen der Ehrerbietung vor dem König ziehen mussten. Im Vorfeld der Zeremonie hatte diese Frage zu diplomatischen Verstimmungen zwischen Frankreich und den Eidgenossen geführt. Auch die eidgenössischen Gesandten hatten für sich «die ehr dess hut-aufsetzens» in Anspruch genommen und dies mit dem Argument begründet, die Eidgenossenschaft sei mit dem Westfälischen Frieden 1648 «ein ohnmittelbarer, von gott gesegneter freyer stand, nicht weniger als etlich andere fürsten» geworden. Als höchste Repräsentanten souveräner Freistaaten wollten sie im diplomatischen Zeremoniell dem König auf gleicher Augenhöhe begegnen. Weitere Details der Darstellung akzentuieren das hierarchische und kulturelle Gefälle zwischen den Allianzpartnern. Die Eidgenossen tragen die schwarze Amtstracht eidgenössischer Magistraten, von der sich die erlesene Pracht der Kleider des Königs und seiner Entourage glänzend abhebt. Obwohl Ludwig XIV. bekanntermassen klein gewachsen war, überragt er hier alle an (Körper-)Grösse. Bürgermeister Waser aus Zürich nimmt dagegen eine leicht nach vorne gebückte, devote Haltung ein. Sein Blick steigt zum König empor, während dieser leicht von oben herab sein Gegenüber betrachtet. Beide haben sie ihre Schwurhand auf den zwischen ihnen auf dem Tisch liegenden Allianzvertrag gelegt. Während die feingliedrige, blassrosa Hand des Königs mit langen Fingern und schmalen Nagelbetten graziös auf der Urkunde ruht, wirkt Wasers braune Hand im Vergleich dazu grob und plump. Die breite Hand mit ihren klobigen Fingern gehört sichtlich zu einer Person von vergleichsweise niedrigerem Rang mit weniger verfeinerten Sitten.

In dieser tendenziösen Darstellung gab das eidgenössische Gruppenbild ein ideales Objekt ab, um die Überlegenheit von Ludwigs Majestät zu demonstrieren. Die Darstellung inszenierte zugleich die kulturelle und zivilisatorische Überlegenheit des französischen Hofs.

Bildteil Abb. 3

Bildteil

Bildteil

Abb. 5

Bildteil

Abb. 6 Kachel eines Ofens von David Pfau im neuen Zürcher Rathaus (1698): Die Darstellung versinnbildlicht unter den beiden Mottos «Inter Scyllam atque Charybdin» und «Der glückselig wirdt gepreiset, Der im Mittelweg durchreiset» die im Schriftband erwähnte «Eidgnössische Neutralitaet». Aus sicherer Distanz verfolgt der schlaue Fuchs im Hintergrund aufmerksam zwei Löwen im Streit. Ein Begleittext erläutert den Sinn der Darstellung: «Wann zwey Löwen sich betrengen, / Und den Fuchs in Fride lassen, / Wirdt er sich nicht einvermengen, / Noch sein eigne Ruhe hassen: / Wann zwey Potentaten kriegen, / Wirdt ein Weiser Freyer Stand / Wann er kan in Friden liegen, / Nicht einflechten seine Hand. / Jedem halten seine Pflichten; / Der die selben wurd auch halten; / Und sich in die Zeiten richten, / Alles aber der gestalten; / Das er Mittel-straaß bewahre / Und sich schlag auff keine seit: / Mitte wendet die Gefahre, / Bringet eigne Sicherheit.»

Abb. 6

Abb. 7 Der Alte und der Junge Eidgenosse. Glasscheibe von Niklaus Manuel und Hans Funk, um 1532: In Theaterspielen und auf Wappenscheiben wurde mit der Konfrontation von Altem und Jungem Eidgenossen Selbstkritik geübt. Der Generationenkonflikt thematisierte den Verrat der Jungen an den identitätsstiftenden Werten der Ahnen und offenbarte die Sinnkrise der Eidgenossenschaft im frühen 16. Jahrhundert.

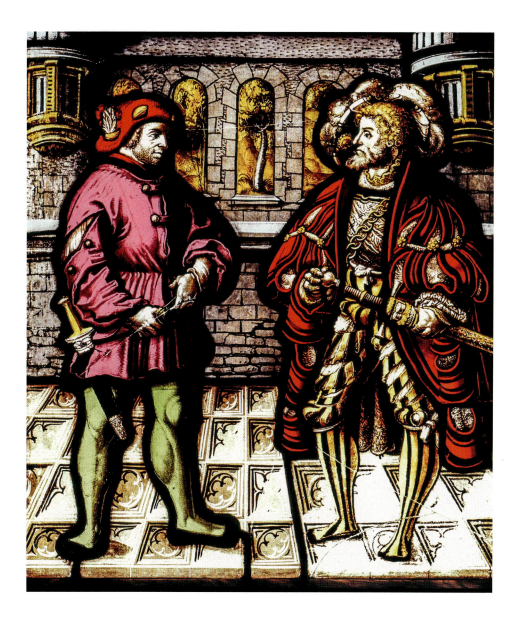

Abb. 7

Abb. 8   Der sogenannte Alpenrosenfrack – die Galauniform für Schweizer Diplomaten – als Symbol für die schwierige Integration der republikanischen Schweiz in das Zeremoniell der klassischen Diplomatie: Um den Anforderungen der klassischen Diplomatie und ihrer höfischen Etikette zu genügen, führte die Eidgenossenschaft im 19. Jahrhundert für ihre Gesandten eine zivile Galauniform ein. Den sogenannten Alpenrosenfrack trugen Gesandte, die keinen höheren militärischen Grad und eine entsprechende Offiziersuniform besassen, bis weit ins 20. Jahrhundert. Der Frack war aus nachtblauem Wolltuch gefertigt und mit Alpenrosen und Edelweiss bestickt, die die stereotypen Assoziationen der Schweiz als Alpenland evozierten.

Aussenpolitiker und Gesandten rekrutierten sich aus den Familien der Militärunternehmer, der Besitzer von Regimentern und Kompanien in fremden Diensten sowie der Grosskaufleute. Im Freiburger Patriziat verquickten sich die agrarkapitalistisch-kommerziellen Interessen der Käseproduzenten und -händler mit der profranzösischen Aussen- und Allianzpolitik des Kantons. In Genf, Basel oder Zürich lag die (Handels-)Aussenpolitik massgeblich in den Händen jener Ratsfamilien, die als Fabrikanten und Kaufleute in der Textil- und Uhrenindustrie oder als Bankiers im internationalen Finanzgeschäft tätig waren. Die Aussenbeziehungen eröffneten Perspektiven für militärunternehmerische und kommerzielle Geschäftsmöglichkeiten, die ihrerseits wiederum eine wichtige Voraussetzung für die Absicherung der Machtstellung der politischen Eliten in den Orten bildeten. Die Herrschaft im Innern und die Verflechtung nach aussen stützten sich gegenseitig.

Die Rückkoppelung zwischen Aussenbeziehungen und lokaler Vorherrschaft manifestierte sich auch im Pensionenwesen. Pensionen (Jahrgelder) hiessen die in den Allianzen festgelegten Zahlungen der ausländischen Mächte an die Kantone sowie an einflussreiche Figuren in den regierenden Kreisen. Einerseits materieller Ausdruck der besonderen Beziehung zwischen den Orten und der auswärtigen Macht, waren sie andererseits auch ein handfestes Instrument der Politik und Diplomatie.

Mit den Standespensionen wurden die Orte für das dem Allianzpartner zugestandene Recht entschädigt, in ihren Hoheitsgebieten Söldner anwerben zu dürfen. Die Gesandten der Mächte zahlten diese im Auftrag ihrer Dienstherren an die einzelnen Kantone aus, welche damit die Staatskasse alimentierten und öffentliche Ausgaben bestritten. Die Standespensionen schlugen besonders in den ökonomisch schwachen Länderorten zu Buch, während sie in den ökonomisch differenzierteren und wohlhabenderen Städteorten von Anfang an eine geringere Bedeutung besassen. Im Verlauf der frühen Neuzeit blieben vor allem die Haushalte der kleinen Länderorte stark von diesen ausländischen Geldern abhängig.

Der Anteil der ausländischen Pensionen an den Staatseinnahmen (16., 18. Jahrhundert)[36]

Jahre	Kanton	Anteil der Pensionen am Staatshaushalt
1501–1610	Freiburg	66,5 %
1501–1610	Luzern	41,2 %
1501–1610	Zürich	15,2 %
1501–1610	Basel	15,7 %
1582/83	Appenzell	etwa 80 %
2. Hälfte 18. Jh.	Uri	Die Höhe der französischen Pensionen von 1751 entspricht dem Durchschnitt der jährlichen Staatsausgaben in der zweiten Hälfte des 18. Jahrhunderts.

Zu den offiziellen Standespensionen traten die Partikular- oder Privatpensionen. Mit diesen mehr oder weniger diskreten, heimlichen Zahlungen an ausgesuchte Politiker und Vertrauensleute honorierten die Mächte besondere Dienste ihrer Klienten (Informationen, Verhalten bei Abstimmungen, politische Interventionen etc.) und suchten diese näher an sich zu binden oder zumindest politisch zu neutralisieren. Grundsätzlich lag es im Ermessen der ausländischen Gesandten, wem sie in welcher Höhe und Regelmässigkeit Privatpensionen ausrichteten. Je einflussreicher ein Politiker war, desto höher fielen in der Regel seine Privatpensionen aus. Allerdings blieben die Gesandten in der Verteilung der Pensionen nicht immer so frei, wie es ihr Dienstherr verstand und wie es in den Anfängen des Pensionenwesens im 15. Jahrhundert wohl auch der Fall gewesen war. Die Politiker in den Orten erhoben mit der Zeit einen gewohnheitsrechtlichen Anspruch auf die Gelder und pochten bisweilen auf deren Fortzahlung mit der Drohung, dass sich auch die Gegenpartei für ihre Dienste interessiere. In der Tat standen nicht wenige Politiker auf den Pensionenlisten mehrerer ausländischer Mächte.

Anfang des 18. Jahrhunderts stellte der französische Botschafter Charles-François de Vintimille, comte du Luc (1653–1740), der Frankreich von 1709–1715 und nochmals 1718 in der Eidgenossenschaft vertrat, Zahlen zusammen, wobei er genauer spezifizierte, wie gross der Anteil der Privatpensionen an den gesamten Pensionenzahlungen war.

Französische Pensionenzahlungen und der jeweilige Anteil der
Privatpensionen (in Livres) zu Beginn des 18. Jahrhunderts[37]

Kanton	Total der Pensionen	Anteil der Privatpensionen (absolut und in Prozent)
Katholische Kantone		
Solothurn	40 847	10 047 (25 %)
Freiburg	32 359	12 000 (37 %)
Luzern	22 132	10 692 (48 %)
Schwyz	19 640	6800 (37 %)
Uri	19 400	8800 (45 %)
Zug	10 563	3333 (32 %)
Obwalden	7821	3155 (40 %)
Katholisch Glarus	5883	3550 (60 %)
Nidwalden	5333	1333 (25 %)
Appenzell Innerrhoden	3000	750 (25 %)
Reformierte Kantone		
Basel	22 780	–
Zürich	10 500	–
Bern	10 500	–
Evangelisch Glarus	10 041	3975 (38 %)
Schaffhausen	3800	–
Appenzell Ausserrhoden	3000	750 (25 %)

Die katholischen Kantone erhielten im frühen 18. Jahrhundert wesentlich höhere Pensionen als die protestantischen. Solothurn und Freiburg erwiesen sich als eigentliche Bastionen der französischen Interessenpolitik. Unter den Länderorten ragten Schwyz und Uri heraus, die beide jeweils fast doppelt so viel erhielten wie Zürich und Bern. In aufschlussreicher Weise schwankte der Anteil der Privatpensionen von Kanton zu Kanton stark. Während die reformierten Städte Basel, Zürich, Bern und Schaffhausen nur öffentliche Pensionen entgegennahmen und Appenzell Ausserrhoden sowie Evangelisch Glarus als einzige protestantische Orte Privatpensionen empfingen, bekundeten die katholischen Kantone keine Skrupel beim Empfang von Privatpensionen. Besonders in Katholisch Glarus, Luzern, Uri und Obwalden fiel ihr Anteil an den Gesamtpensionen stark ins Gewicht.

Die Politiker der katholischen Kantone galten grundsätzlich als käuflicher als ihre reformierten Kollegen. Dies machte sie in den Augen des französischen Ambassadors Roger Brulart de Puysieux (1640–1719) verlässlicher. In einer Denkschrift von 1708 hielt er fest, in den katholischen Kantonen müsse man nur die fünf, sechs wichtigsten Politiker für sich gewinnen, um eine Sache zu schaukeln. Reformierte Politiker dagegen liessen sich wohl schmieren, doch nützten diese Kreaturen wenig, weil sie sich aus Angst vor dem Verlust ihres Ansehens nicht öffentlich für die Sache der auswärtigen Macht verwenden würden.[38]

Bei der Feinverteilung der Privatpensionen in den einzelnen Kantonen übten die sogenannten Pensionenausteiler («distributeurs» beziehungsweise «Faktionisten») grossen Einfluss aus. Diese besonders loyalen Vertrauenspersonen sollten das ihnen von der auswärtigen Macht zur Verfügung gestellte Geld optimal im Interesse des zahlenden Dienstherrn und Patrons verwenden – für Stimmenkauf, für die Steuerung wichtiger Entscheidungen in den Räten oder bei der Landsgemeinde, für die Wahl von Parteigängern in wichtige Landesämter, für die Beschaffung von Informationen und anderes mehr. Die Charge des Pensionenausteilers lag in den Händen jener Familie, die die Franzosenpartei im Ort anführte. In den Inneren Orten hielten dieselben Familien über Generationen hinweg diese Position inne – in Schwyz die Reding, in Zug die Zurlauben, in Uri die Schmid, in Nidwalden die Achermann und die von Flüe in Obwalden.

Politischer Klientelismus erscheint unter diesen Voraussetzungen als wichtiger Faktor alteidgenössischer Politik. Er erklärt, weshalb die Reproduktion der Machtverhältnisse in den Orten eng von den politischen Aussenbeziehungen abhängig blieb. Die Funktion des Pensionenausteilers, der Besitz von Soldkompanien sowie Einkünfte aus dem Salzhandel brachten den führenden Familien jene Ressourcen ein, die sie für den Unterhalt einer Klientel und die Absicherung ihrer politischen Vormachtstellung im Kanton benötigten. Ihr Einfluss vor Ort machte sie wiederum in den Augen ihrer ausländischen Patrone zu interessanten Klienten. Der politische Klientelismus war auch für die zahlreichen Parteikämpfe im politischen Leben der Orte verantwortlich. In jedem Ort konkurrierten Parteiungen um die Vorherrschaft, die sich jeweils an verschiedene auswärtige Mächte anlehnten. Besonders virulent war die Rivalität zwischen den pro- und antifranzösischen Faktionen, die nicht moderne Parteiorganisationen mit konstanter Massenbasis, sondern vielmehr Interessengruppen darstellten, die für die Anliegen ihrer ausländischen Patrone und die Wahrung der eigenen Interessen und Investitionen im Ausland lobbyierten. Die Bedeutung des Klientelismus war umso grösser, je breiter die soziale Basis der politischen Partizipation war. Am grössten war sie in den Landsgemeindeorten, wo Männer aus den führenden Familien die Mehrheit der Stimmen der Landleute bei der Landsgemeinde benötigten, um in ein angesehenes Amt im Land, zum Landvogt in eine Gemeine Herrschaft oder zum Tagsatzungsgesandten gewählt zu werden. Erfolg in der Politik hing entscheidend von der Fähigkeit ab, persönliche Loyalitäten stiften und im richtigen Moment mobilisieren zu können. Das dichtere Netz informeller persönlicher Beziehungen verschaffte Vorteile gegenüber den Rivalen. Weil die Länderorte stärker als die Städte von Ressourcen aus dem Ausland abhängig waren, sorgten Verteilungsfragen hier im 18. Jahrhundert wiederholt für heftige Auseinandersetzungen. Diese Parteienkonflikte (sogenannte Harten- und Lindenhändel) entbrannten rund um die Frage, wie die Gewinne und bisweilen auch die Verluste aus den auswärtigen Beziehungen im Land verteilt werden sollten.

VERFLECHTUNG ALS FAKTOR SCHWEIZERISCHER STAATSBILDUNG

Die Einbettung der alten Eidgenossenschaft in das grössere Mächtegefüge in Europa prägte wesentlich die Entwicklung kantonaler und eidgenössischer Staatlichkeit. Dass die Eidgenossenschaft nicht nur die zahlreichen Kriege in der frühen Neuzeit überdauerte, sondern auch nach der gigantischen staatlichen Flurbereinigung der napoleonischen Zeit im frühen 19. Jahrhundert weiterhin auf der politischen Landkarte Europas erschien, ist wesentlich dem Einfluss der Grossmächte zu verdanken, die in entscheidenden Momenten die zentrifugalen Kräfte im Land auffangen, die heillos zerstrittenen Kantone zur Vernunft bringen und damit den Zusammenhalt der Eidgenossenschaft sichern konnten.

Staatliche Institutionen entstanden in der frühen Neuzeit im Wesentlichen in den einzelnen Kantonen und nicht auf eidgenössischer Ebene. Es lag ausserhalb der institutionellen Logik dieser Föderation autonomer beziehungsweise souveräner Kleinstaaten, wichtige Hoheitsrechte an übergeordnete, gesamteidgenössische Institutionen abzutreten. Beim Ausbau der Staatlichkeit gingen die Städteorte wesentlich forscher ans Werk als die Länderkantone, die aufgrund ihrer schwächeren politischen Ökonomie und wegen des Mitspracherechts der Landleute bei der Bewilligung von Steuern ihre kantonalstaatlichen Institutionen wesentlich zurückhaltender entwickelten.

Ungeachtet dieser starken Unterschiede zwischen Städten und Ländern erwies sich die politische und wirtschaftliche Verflechtung der Kantone mit dem Ausland als wesentlicher Faktor für den besonderen Verlauf des Staatsbildungsprozesses in der Schweiz im 17. und 18. Jahrhundert. Das mehrseitige Allianzsystem der Orte stellte ein sicherheitspolitisches Arrangement dar, das den Orten zwar ein «Stillesitzen» im Sinn einer macht- und aussenpolitischen Selbstneutralisierung abforderte, es ihnen aber auch ermöglichte, auf den Aufbau eines eigenen Sicherheitsdispositivs und auf die Modernisierung ihres Militärs zu verzichten. Vielmehr waren es die Soldmächte, die die Ausbildung und den Unterhalt der Schweizer Soldtruppen finanzierten. Weil die Allianzen den Kantonen grundsätzlich das Recht einräumten, im Notfall ihre Soldtruppen zurückrufen zu dürfen, erhielten die Schweizer Regimenter in fremden Diensten faktisch den Charakter fremdfinanzierter stehender Heere im Ausland. Die Orte lagerten auf diese Weise die hohen Kosten für die Modernisierung ihrer Verteidigungsorganisation zulasten der auswärtigen Mächte beziehungsweise der dortigen Steuerzahler aus und konnten so ihre Militär- und Sicherheitsausgaben im europäischen Vergleich langfristig sehr tief halten. Dieses Outsourcing der Militärausgaben trug den Orten eine Art «Friedensdividende» ein, mit der sie im 17. Jahrhundert Schulden abtragen und einen Staatsschatz äufnen konnten. Weil es sich die eidgenössischen Orte auf diese Weise leisten konnten, von ihren Bürgern, Landleuten und Untertanen keine direkten Steuern erheben zu müssen, stabilisierte die Verflechtung mit den europäischen Mächten langfristig auch die inneren Herrschafts- und Machtverhältnisse. Dass die Bevölkerung in den Orten in der zweiten Hälfte des 17. Jahrhunderts und im 18. Jahrhundert keine direkten Vermögenssteuern mehr bezahlen musste, nahmen fremde Reisende mit Staunen zur Kenntnis und deuteten es als kluge Zurückhaltung der Obrigkeiten oder gar als Ausdruck ihrer besonderen Milde in einer Zeit, da der Aufbau stehender Heere, die häufigen Kriege, der Ausbau der Bürokratie und das Repräsentationsbedürfnis der Dynasten die Staatsausgaben und die fiskalische Belastung der Untertanen in den grossen europäischen Monarchien in die Höhe trieben.

Die eidgenössischen Obrigkeiten hatten sich allerdings nicht immer in fiskalischer Zurückhaltung geübt. Auch die Städte Zürich, Luzern, Basel und Bern hatten im späten 16. und frühen 17. Jahrhundert Anläufe zur Einführung direkter Vermögenssteuern bei ihren Untertanen unternommen, um den Ausbau des Staatsapparats und die Modernisierung des Militärs zu finanzieren. Sie hatten damit allesamt den massiven Widerstand ihrer Untertanen provoziert und erfahren müssen, wie labil die Herrschaft kleiner Städte über Territorien mit einer wesentlich zahlreicheren Untertanenschaft war. Nach dem sogenannten Bauernkrieg von 1653, der massivsten Untertanenrevolte in der Schweizer Geschichte, verzichteten die eidgenössischen Obrigkeiten stillschweigend auf die stärkere steuerliche Belastung ihrer Untertanen. Diese Zurückhaltung erfolgte nicht so sehr aus angeborener Liebe zu den Untertanen, sondern aus politischem Kalkül. Direkten Steuern hätten die Untertanen allenfalls in politischen Verhandlungen und damit um den Preis der Machtteilung zugestimmt, was aber nicht mit dem Anspruch der regierenden Aristokratien auf die Alleinherrschaft und damit auf die exklusive Nutzung der Staatseinkünfte vereinbar gewesen wäre. Da zogen es die Patriziate vor, von der Erhebung direkter Steuern abzusehen und die Finanzierung ihres Staats aus Quellen zu bestreiten, die ihnen auch ohne die Zustimmung ihrer Untertanen zugänglich waren.

Der wirtschaftliche Aufschwung des Landes im 17. und 18. Jahrhundert eröffnete interessante Alternativen zur direkten Besteuerung der Untertanen. Die blühende Gewerbeproduktion, der wachsende Handelsverkehr und die steigenden Warenexporte brachten der Staatskasse steigende Zolleinnahmen ein. Dank der Allianz mit Frankreich versorgten sich die Obrigkeiten der Orte günstig mit Salz; sie erklärten den Salzhandel zum Staatsmonopol und schufen damit eine wichtige Einnahmequelle: Das 1651 eingeführte Salzmonopol trug der Freiburger Obrigkeit 29 Prozent

(1680–1700) beziehungsweise 34 Prozent (1760–1790) der Staatseinnahmen ein.

Mit dem Bau leicht befahrbarer, direkter Kunststrassen suchten die grossen Mittellandkantone Bern, Zürich und Luzern, den Warenverkehr anzuziehen. Mit anderen Worten: Die zunehmende wirtschaftliche Verflechtung der Schweiz mit Europa zahlte sich auch für die Staatsfinanzen aus. Hatte der Exportzoll der Stadt Zürich im Jahr 1637 noch 8000 Pfund eingebracht, trug er 1790 stattliche 140 000 Pfund ein. Der Anteil der Zölle an den Zürcher Staatseinnahmen hatte sich von 5 Prozent auf 30 bis 40 Prozent versechs- bis verachtfacht. Auch die Berner Investitionen in die Verkehrsinfrastruktur rentierten im 18. Jahrhundert. Die Stadt steigerte die Zolleinnahmen aus dem Transithandel durch ihr ausgedehntes Territorium zwischen 1732 und 1782 um das Neunfache. Schliesslich profitierten die Orte von ihrer ökonomischen Verflechtung mit Europa auch insofern, als sie den Kapitalhunger der grossen europäischen Staaten befriedigen konnten. In den Gewölben der Rathäuser hatten sich ansehnliche Kapitalreserven angehäuft, die seit dem frühen 18. Jahrhundert aktiv bewirtschaftet wurden. Teile des Staatsschatzes wurden langfristig auf europäischen Finanzplätzen wie London in Staatsanleihen angelegt. Bern erzielte aus seinen Kapitalerträgen 1732 14,7 Prozent und 1782 17 Prozent seiner Staatseinnahmen. Zwischen 1732 und 1782 stiegen seine Einnahmen aus ausländischen Staatsanleihen um 71 Prozent.

Die politische und wirtschaftliche Verflechtung mit dem Ausland alimentierte auf diese Weise entscheidend die Staatsfinanzen der Orte und stützte damit deren spezifische politische Ökonomie. Diese politische Ökonomie zielte letztlich darauf ab, die Vorherrschaft der regierenden Familien in den Orten materiell und finanziell so weit zu sichern, dass diese Eliten weitgehend die Besteuerung ihrer Bürger und Untertanen umgehen und damit ihr exklusives Regiment stabilisieren konnten. So zogen die Kantone gleich doppelten Gewinn aus ihrem Abseitsstehen in der europäischen Mächtepolitik: Sie lieferten Söldner für die Kriegszüge der Mächte und alimentierten mit dem Kauf von Staatsanleihen das neu entstehende System der Staatsverschuldung.

«DE LA SUISSE DANS L'INTÉRÊT DE L'EUROPE»: DIE GROSSMÄCHTE RETTEN DIE SCHWEIZ (1813–1815)

Der König von Frankreich war als einziger europäischer Potentat mit allen 13 Orten und deren wichtigsten Zugewandten verbündet und befand sich damit strategisch im Vorteil gegenüber den rivalisierenden Dynasten. Es gehörte deswegen zu den prioritären Aufgaben seines Ambassadors in Solothurn, für ein Mindestmass an Einvernehmlichkeit zwischen den Orten zu sorgen. Der französische Botschafter schaltete sich unzählige Male als Vermittler bei eidgenössischen Konflikten ein, um das Auseinanderbrechen dieses losen Verbunds zu verhindern und die privilegierten Beziehungen Frankreichs zum gesamten Corpus helveticum zu wahren. Wie stark der Einfluss Frankreichs auf die inneren Verhältnisse in der alten Eidgenossenschaft war, zeigte sich auch daran, dass die Eidgenossen selbst den Zeitpunkt für ihre Kriege gegeneinander auf die Agenda Frankreichs abstimmen mussten. Dass Bern und Zürich ausgerechnet im Frühjahr 1712 den (Zweiten Villmerger) Krieg mit den Inneren Orten wagten, hing eng mit dem Verlauf der in den Niederlanden stattfindenden Verhandlungen für die Beendigung des Spanischen Erbfolgekriegs zusammen. François-Louis de Pesmes de Saint-Saphorin (1668–1737) – ein Waadtländer Adeliger, der in einer diplomatischen Doppelrolle sowohl die kaiserlichen Interessen in der Eidgenossenschaft als auch die Anliegen der reformierten Orte am Wiener Hof vertrat – riet Bern und Zürich dank seinen genauen Informationen über den Verlauf der Friedensverhandlungen dringend dazu, den Krieg gegen die katholischen Orte zu riskieren, solange die militärischen Kräfte Frankreichs noch durch den Erbfolgekrieg gebunden seien und bevor die Grossmächte in Utrecht Frieden geschlossen hätten. Sei der Friede zwischen Frankreich und der antifranzösischen Allianz einmal geschlossen, so Saint-Saphorin, könne der französische Ambassador den protestantischen Städten gegenüber wieder überzeugender mit einer militärischen Intervention Frankreichs in der Eidgenossenschaft drohen und sie vom Krieg gegen die Inneren Orte abhalten.

Als die Helvetische Republik im Sommer 1802 nach dem Abzug der französischen Truppen auseinanderfiel und das Land sogleich wieder in einen Bürgerkrieg zwischen Unitariern und Föderalisten («Stecklikrieg») versank, war es erneut

Frankreich beziehungsweise der Erste Konsul Bonaparte, der vermittelnd in die Schweizer Angelegenheiten eingriff und der Schweiz nach wochenlangen Verfassungsdiskussionen mit den wichtigsten Schweizer Politikern am Jahreswechsel 1802/03 in Paris eine neue konstitutionelle Grundlage als Staatenföderation verschaffte. In einer berühmten Erklärung erinnerte er die politische Elite des Landes daran, dass die politische Existenz der Schweiz darin gründete, sich mit ihrer schicksalhaften Rolle zwischen den Grossmächten zu bescheiden.

Bonaparte, Erster Konsul Frankreichs, erklärt den Schweizer Gesandten die Aufgabe der Schweiz als Ruhepunkt in der europäischen Mächtebalance (1802)

«Plus j'ai étudié la géographie, l'histoire et les habitudes de votre pays, et plus je me suis convaincu qu'il ne devait pas être assujetti à un gouvernement et à des lois uniformes. [...] Il faut diversité de gouvernements à des pays si divers. [...] Je ne conçois pas comment vous pourriez former un gouvernement central. D'abord votre pays ne peut en supporter les frais. Vous ne pouvez avoir de grandes finances. Vous êtes un pays pauvre. La nature vous a tout refusé. [...] Vous ne devez pas prétendre à jouer un rôle entre les puissances de l'Europe. Vous êtes placés entre la France, qui a 500 000 hommes de troupes; l'Autriche, qui en a 300 000, la Prusse, qui en a 200 000; combien pouvez-vous en entretenir? 10 000? Qu'est-ce que 10 000 hommes contre de telles armées? Si vous avez autrefois tenu un rang entre les puissances militaires, c'est que la France était divisée en trente parties, l'Italie en cent. Vous pouviez tenir tête au duc de Bourgogne; mais aujourd'hui la Bourgogne n'est qu'un point de la France. [...] Le système fédéral, qui est contraire à l'intérêt des grands États, parce qu'il morcèle leur force, est très favorable aux petits, parce qu'il leur laisse toute leur vigueur naturelle. [...] Il ne faut pas ambitionner l'éclat; il vous coûterait trop cher et ne vous servirait à rien. Il faut que le peuple paye peu d'impôts: c'est à cela qu'il reconnaîtra que vous avez travaillé pour lui, et c'est ce qui l'affectionnera à votre ouvrage. Si vous vouliez absolument de la grandeur, vous n'auriez qu'un moyen d'en acquérir: ce serait de vous réunir à la France, d'y former deux grands départements et de participer à ses destinées. Mais la nature ne vous a point faits pour cela. Elle vous a séparés des autres peuples par des montagnes; vous avez vos lois, vos moeurs, votre langue, votre industrie, votre gloire, qui vous sont propres. Votre neutralité est plus assurée que jamais. La France a le Simplon; l'Autriche le Tyrol. Vous êtes en sûreté entre ces puissances, qui sont en équilibre; vous êtes tranquilles, même dans les moments d'oscillation, parce que vous tenez le milieu des bras de la balance. Maintenez votre tranquilité, vos lois, vos moeurs, votre industrie, et votre partage sera encore assez beau.»[39]

Noch entscheidender für die Erzwingung des inneren Zusammenhalts der Kantone und für die Garantie der politischen Eigenständigkeit der Schweiz erwies sich das Eingreifen der Grossmächte beim Zusammenbruch der napoleonischen Vorherrschaft zwischen 1813 und 1815. Nach der Niederlage Napoleons in der sogenannten Völkerschlacht bei Leipzig im Oktober 1813 gegen die verbündeten Armeen von Österreich, Preussen, Russland und Schweden lösten sich auch die Orte zögerlich aus der französischen Umklammerung. Nachdem der Zürcher Landammann Hans von Reinhard an der Tagsatzung vom 7. Juni 1813 noch die Festigkeit von Bonapartes Mediationsakte von 1803 und deren segensreiche Folgen für das Land gepriesen hatte, setzten die Orte sie schon Ende 1813 ausser Kraft. Mit dem Ende der französischen Dominanz stellte sich auch der Schweiz die grundsätzliche Frage, wie sie sich staatlich neu organisieren würde. Rasch zeichneten sich die Konfliktlinien ab, die die politische Schweiz bis zur Gründung des Bundesstaats durchziehen sollten.

Auf der einen Seite liessen sich in den patrizischen Städten Bern, Luzern, Freiburg und Solothurn unüberhörbar die Stimmen der Reaktion vernehmen. Das Berner Patriziat proklamierte im Dezember 1813 die erneute Unterwerfung der Waadt und des ehemaligen bernischen Aargaus unter seine Herrschaft. Auch die Länderorte der Innerschweiz machten die in der Helvetischen Revolution erzwungene politische und rechtliche Gleichstellung der alten Landleute mit den sogenannten Beisässen rückgängig. Sie gingen bei der Restauration der vorrevolutionären Verhältnisse so weit, auch die Wiedereinrichtung der Untertanenverhältnisse in den Gemeinen Herrschaften zu fordern. Naheliegenderweise wehrten sich die seit 1803 souveränen Kantonalstaaten Aargau, Waadt, Thurgau, St. Gallen und Tessin kategorisch gegen den Verlust ihrer Souveränität und das Ansinnen der früheren Herren, sie wieder zu eidgenössischen Untertanen machen zu wollen.

Die Frage der künftigen politischen Organisation der Schweiz spaltete das Land. Im März 1814 tagten zwei gegnerische Tagsatzungen. Die reaktionäre Gruppe unter bernischer Führung und die gemässigte Gruppe unter Zürcher Führung rüsteten zum Krieg. Allein die Garantie der neuen Kantone durch die Grossmächte und deren Drohung mit einer Zwangsvermittlung brachten die zerstrittenen Kantone im April 1814 an einen Tisch. Der langen, bis Ende August 1815 tagenden Tagsatzung gelang die staatliche Neuordnung der Schweiz letztlich nur dank der diplomatischen Hartnäckigkeit und dem starken Druck der Gesandten der wichtigsten Grossmächte. Unter diesen Diplomaten haben sich besonders der Gesandte Zar Alexanders I. – Graf Ioannes Antonios Kapodistrias (1775–1831) –, der britische Gesandte Stratford Canning (1786–1880), der Franzose Claude Marie Gustave de Damas (1786–1842) und der Österreicher August Ernst von Steigentesch (1774–1826) hervorgetan. Sie rangen in mühseligen Verhandlungen nach und nach allen Kantonen die Zustimmung zum sogenannten Bundesvertrag ab, wobei Nidwalden als letzter sich widersetzender Kanton diesem Vertrag erst nach seinem vorläufigen Ausschluss aus der Eidgenossenschaft und der militärischen Besetzung durch eidgenössische Truppen zustimmte. Der Bundesvertrag von 1815 stellte die Souveränität der Kantone wieder her. Neuenburg, das Wallis und Genf wurden als souveräne Kantonalstaaten in die Eidgenossenschaft aufgenommen. Entscheidend für den Fortbestand der Eidgenossenschaft war es schliesslich, dass die Grossmächte auf dem Wiener Kongress diesen Bundesvertrag garantierten und der Schweiz die Wahrung der dauernden, bewaffneten Neutralität auferlegten. Diese Auflage zwang die Kantone zur Schaffung eines Bundesheers aus kantonalen Kontingenten, womit auf äusseren Zwang hin erstmals eine zentrale hoheitliche Aufgabe als übergeordnete Bundeskompetenz institutionalisiert wurde.

Herbert Lüthy zur Bedeutung Frankreichs für die Schweizer Geschichte (1964)
«Der Historiker soll nicht spekulieren; doch gegenüber dem wieder modern gewordenen Lob des alten institutionslosen Bundes gibt es auch in der Geschichte manches *Wenn*, das hart wie Tatsachen ist. *Wenn* nicht 1798 das französische Direktorium nach etlichem Schwanken sein wohlerwogenes Interesse darin gefunden hätte, einen starken helvetischen Satellitenstaat zu schaffen [...], so wäre der Untergang der alten Eidgenossenschaft der

Untergang der Schweiz gewesen. *Wenn* Frankreich irredentistische Nationalpolitik betrieben und die befreite Waadt, wie Genf und den Jura, sich einverleibt hätte, so hätte ausser dem geschlagenen Bern und den helvetischen Revolutionsmännern Ochs und Laharpe kein Hahn danach gekräht; *wenn* Bonaparte beschlossen hätte, die tessinischen Vogteien der cisalpinischen Republik einzuverleiben, wie das rätische Veltlin, so gäbe es keine dreisprachige Eidgenossenschaft, denn Österreich hätte 1814 das eine so wenig zurückgegeben, wie es das andere zurückgab, und eine moralische Legitimation der Rückforderung hätte es nicht gegeben. *Wenn* Frankreich den Plan des Generals Brune verwirklicht hätte, zur Einsparung von Kräften die Umwälzung auf das schweizerische Mittelland zu begrenzen und die widerborstigen Urkantone als Tellgau sich selbst zu überlassen, so wissen wir aus den Akten der Helvetik, dass die Urkantone diese Auflösung der Eidgenossenschaft als Gottesgeschenk begrüsst hätten. Zwölf Jahre lang hielt nun nach dem Scheitern der Helvetischen Republik die französische Protektoratsmacht und das geniale Verfassungsdiktat Napoleons die innerlich haltlose Eidgenossenschaft zusammen; und als dann mit der Auflösung der napoleonischen Kontinentalherrschaft auch sein helvetischer Vasallenstaat wieder in Auflösung überging, war es wiederum nicht eine Welle eidgenössischer Solidarität und nationalen Zusammengehörigkeitswillens, was die Schweiz zusammenhielt und sogar vergrösserte, sondern die Staatskunst des Wiener Kongresses, die zwischen Frankreich und Mitteleuropa von Sardinien-Piemont bis zum vereinigten Königreich der Niederlande eine Zone starker Pufferstaaten errichtete, in der auch eine verstärkte neutralisierte Schweiz unter dem Protektorat der Heiligen Allianz ‹im Interesse ganz Europas› ihren Platz hatte.»[40]

Dass die Schweiz in jenen kritischen Jahren nicht von der politischen Landkarte verschwand und einem mächtigeren Nachbarn zugeschlagen oder selber in eine Monarchie verwandelt wurde, ist alles andere als selbstverständlich. Die allermeisten alteuropäischen Herrschaftsgebilde überlebten die gigantische staatliche Flurbereinigung zwischen den 1790er-Jahren und 1815 nicht. In jenen Jahren, als in Europa kein Stein mehr auf dem anderen blieb und früher undenkbare macht- und geopolitische Planspiele die Fantasie der Potentaten und ihrer Minister beflügelten, stand auch die staatliche Zukunft der Eidgenossenschaft zur Disposition. Die Schaffung eines Königreichs Helvetien mit einem König aus dem badischen Fürstenhaus an der Spitze (1806) oder die Eingliederung der Schweiz als Provinz in den Deutschen Bund (1813/14) waren Projekte, die aus heutiger Sicht abwegig erscheinen mögen, damals aber nicht nur publizistisch erörtert, sondern auch politisch ernsthaft erwogen wurden.

Seit 1815 besitzt die Schweizerische Eidgenossenschaft dank der Anerkennung des Bundesvertrags durch die Grossmächte auf dem Wiener Kongress ein völkerrechtlich garantiertes, klar abgegrenztes Staatsgebiet. Seitdem ist auch ihre Neutralität als immerwährende Verpflichtung zur bewaffneten Verteidigung der Landesgrenzen völkerrechtlich festgeschrieben. Dies war nicht das Verdienst des Landes selber. Vielmehr verliehen die Grossmächte der Schweiz ein weiteres Leben, weil deren Fortbestand als loser, wenngleich schon stärker als früher geschlossener Staatenverbund mitten in Europa in ihrem macht- und sicherheitspolitischen Interesse lag. Sie wollten eine Wiederholung der Erfahrung der Jahre 1798 bis 1813 unbedingt vermeiden und verhindern, dass eine einzelne Grossmacht diesen Raum unter ihre exklusive Kontrolle brachte. Bezeichnenderweise war es kein Eidgenosse aus den alten Orten, der den Grossmächten diese magische Formel für die Sicherung der politischen Eigenständigkeit der Schweiz nahelegte, sondern der Genfer Politiker und Gelehrte Charles Pictet de Rochemont (1755–1824). Als Angehöriger der kleinen Republik Genf, die immer vom guten Einvernehmen mit den benachbarten Mächten abhängig gewesen war, wusste Pictet um die Bedeutung grösserer Mächte als Garanten republikanischer Freiheit. Er befürwortete den Beitritt seiner Vaterstadt zur Eidgenossenschaft 1814, der sowohl in Genf wie besonders in den Orten der Eidgenossenschaft selber höchst umstritten war. Pictet erkannte aus der Aussensicht klarer als mancher Politiker in den alten Orten, dass die politische Unabhängigkeit der Schweiz ihr Fundament in den geostrategischen Interessen der grossen Nachbarn Frankreich und Österreich besass und insbesondere im Beitrag der Schweiz zum Frieden in Europa gründete. Die Schweiz hatte im nachrevolutionären, modernen Europa ihre Existenzberechtigung, weil die Grossmächte dies für richtig befanden und ihr die Aufgabe übertrugen, als neutralisierte Pufferzone zwischen den Grossmächten den geostrategisch sensiblen Alpenraum militärisch zu kontrollieren und damit den Frieden in Europa zu stabilisieren.

Abgrenzungen in der alten Schweiz

Die historische Betrachtung des Verhältnisses der Schweiz zu Europa und zur Welt bliebe einseitig, zöge sie neben den vielfältigen Verflechtungszusammenhängen nicht auch die intensiven Abgrenzungsdiskurse in Betracht, die seit Jahrhunderten die Suche des Landes nach dessen Identität sowie nach dessen Verhältnis zum Ausland und zum Fremden anleiten. Gegen die Einbindung des Landes in grenzüberschreitende Zusammenhänge werden seit je Stimmen laut, die die Schweiz gegen das Ausland und gegen die Dynamik umfassenderer Integrationsprozesse abschotten wollen und das Heil des Landes im (nationalstaatlichen) Alleingang erblicken. Sie erklären die Unabhängigkeit der Schweiz aus deren radikaler Opposition gegen aussen und das Fremde und stellen diese Haltung als genuines Attribut schweizerischer Identität vor.

«Anpassung oder Widerstand» – Christoph Blochers Sicht auf die Geschichte der Schweizer Aussenbeziehungen (2014)
«Es erschallen immer schöne Worte, wenn eine fremde Macht das Selbstbestimmungsrecht eines anderen Landes einschränken will. [...] Seien das die Versprechen Freiheit und Gleichheit, sei es der Ruf nach Menschenrechten, Frieden, Harmonisierung, Wohlstand, Öffnung, internationale Freundschaft, Zusammengehörigkeit, Solidarität. Und immer glauben fremde Mächte, zu wissen, was besser für unser Land sei. [...] die Schweiz stand stets unter Druck von Mächten, die uns immer nur das Beste bringen wollten. Anpassung oder Widerstand? Das ist die Dauerfrage in der Geschichte unseres Landes. In der Regel rächte sich allzu willfährige Anpassung. [...] Die Preisgabe der eigenen Souveränität, die Anpassung an ausländische Obrigkeiten bringt den Regierenden oft Ansehen, Lob, Geld und Prestige, dem Volk aber das Gegenteil. [...] Die Geschichte der Schweiz ist eine fortwährende Geschichte des Freiheitskampfs gegen Anfeindungen von aussen. Aber auch gegen Anfeindungen von Verblendeten und Bequemen im Innern.»[41]

Das tiefe Bedürfnis nach Abgrenzung gegenüber einem als wesensfremd und bedrohlich wahrgenommenen Ausland gehört ebenfalls zur Geschichte der schweizerischen Aussenbeziehungen. Verflechtung und Abgrenzung sind die beiden Seiten derselben Medaille und können in der nüchternen historischen Betrachtung nicht gegeneinander ausgespielt werden. Aus diesem spannungsvollen Gegensatz erwachsen letztlich die kulturellen und politischen Schwierigkeiten, die der Kleinstaat bei der Bewältigung jener dynamischen Wandlungsprozesse bekundet, die sich seiner unmittelbaren politischen Kontrolle entziehen und von denen er sich übermächtigt fühlt.

Um die im Folgenden zur Diskussion stehenden, intensiven Bemühungen um Abgrenzung nach aussen zu verstehen, mag eine Erklärung hilfreich sein, wo in der alten Eidgenossenschaft die Trennlinien zwischen dem Eigenen und dem Fremden beziehungsweise zwischen jenen, die dazugehörten, und den anderen verliefen. Wir müssen dazu die Vorstellung klarer territorialer Grenzen aufgeben. Die alte Schweiz war im Innern alles andere als ein homogener Rechtsraum. Zahlreiche Grenzen trennten Räume und Bevölkerungsgruppen mit je partikularen Rechtslagen voneinander – Grenzen zwischen den 13 Kantonen, zwischen den 13 Kantonen und den sogenannten Zugewandten Orten und Gemeinen Herrschaften, zwischen den regierenden Städten und Ländern sowie deren Untertanengebieten, zwischen den rechtlich voll integrierten Stadtbürgern und Landleuten sowie den minderberechtigten Hintersässen, zwischen Zunftangehörigen und Nichtzünftlern, zwischen Katholiken und Protestanten, zwischen Christen und Juden, zwischen den politisch berechtigten Männern und den politisch rechtlosen Frauen und so fort. Die vollberechtigten Angehörigen profitierten stark von den Diensten und Nutzungen ihrer Gemeinden, Korporationen, Zünfte beziehungsweise Kantone. Bei den lokal Eingesessenen, die für sich in Anspruch nahmen, «immer schon» da gewesen zu sein, verband sich dieses elementare Zugehörigkeitsgefühl mit einer harschen Ausgrenzungsmentalität und Ablehnung, die korporativen Vorrechte mit Auswärtigen und Fremden zu teilen, die selber noch gar nichts zum Gedeihen des Kollektivs beigetragen hatten. Ein starker partikularistischer Korporatismus beziehungsweise Kommunalismus bestimmte mit seinem ausgeprägten «Kollektivegoismus»[42] das soziale und politische Klima in den eidgenössischen Republiken. Dieses Wechselverhältnis zwischen hoher Integration nach innen und starker Exklusion gegen aussen bestimmt mitunter noch heute die politische Kultur der Schweiz und wird jeweils in den Kontroversen zur Ausländer- und Migrationspolitik wieder fassbar.

Neutralität als Abgrenzung: vom Gebot der Staatsräson zum Fundament nationaler Identität

Nichts manifestiert das (aussen-)politische Abgrenzungsdenken im Kleinstaat Schweiz so sehr wie die Maxime der Neutralität. Sie gehört zum Kern des nationalen Selbstverständisses und der Identitätsrepräsentation. Die geläufige Meistererzählung erklärt die Niederlage der Eidgenossen gegen König Franz I. von Frankreich (1494–1547, König ab 1515) bei Marignano 1515 zu ihrer Geburtsstunde. Diese heilsame Katastrophe habe die verirrten Eidgenossen auf den richtigen Weg zurückgeführt und sie gelehrt, sich besser nicht in fremde Händel einzumischen, sondern ihr Heil im Abseitsstehen zu suchen. So machte die patriotische Geschichtsschreibung des 19. und 20. Jahrhunderts aus dem Ereignis Marignano den Wendepunkt, der die Eidgenossen zur Besinnung auf deren Wesen und auf die angemessene Rolle des Kleinstaats in einem Europa der kriegsversessenen Grossmächte gezwungen habe. Damit stellte sie die «Helden von Marignano» in eine Reihe mit den Helden von Morgarten, Sempach und Murten. Auch sie hatten ihr Blut folglich nicht vergebens vergossen, sondern mit dem Rückzug aus der europäischen Machtpolitik der Eidgenossenschaft den Weg in eine Zukunft als glückliche Friedensinsel gewiesen.

Wie jeder Mythos verkürzt Marignano ein komplexes Geschehen auf eine einprägsame, sinnhafte Geschichte mit einem klaren Anfangspunkt. Doch auch für die Schweizer Neutralität gilt, dass sie nicht an einem Tag das Licht der Welt erblickte. Vielmehr nahm sie Gestalt in einem längeren Anpassungs- und Lernprozess an, in dem die Kriege des 17. Jahrhunderts und insbesondere die Erfahrung des Dreissigjährigen Kriegs eine entscheidende Rolle spielten. Damals mussten sich die konfessionell gespaltenen und machtpolitisch miteinander rivalisierenden Orte eingestehen, dass für sie die Nichteinmischung in die Kriege der europäischen Mächte aus Gründen der Staatsräson und der politischen Klugheit geboten war. Seit dem letzten Drittel des 16. Jahrhunderts hatte sich nämlich der Gegensatz zwischen katholischen und reformierten Kantonen verschärft. Für beide Seiten war damit auch die Verlockung gestiegen, im Bündnis mit einer ausländischen Macht den Krieg gegen die eidgenössischen Rivalen zu wagen. Letztlich aber setzte sich unter dem Eindruck des langen Kriegs in beiden konfessionellen Lagern die Einsicht durch, dass es im höheren, gemeinsamen Interesse beider Seiten lag, in einem innereidgenössischen Konflikt auf die aktive Unterstützung durch eine europäische Macht zu verzichten. Das Risiko, dadurch selber in die Konflikte der Grossmächte verwickelt zu werden, wäre für die Orte nicht mehr kalkulierbar gewesen. Zu Recht erkannten friedlich gesinnte politische Beobachter wie der Zürcher Theologieprofessor Johann Heinrich Hottinger (1620–1667) schon im 17. Jahrhundert, dass die Glaubensspaltung ein Segen für den Fortbestand der Eidgenossenschaft war, wäre doch eine konfessionell einheitliche Eidgenossenschaft eher in die konfessions- und machtpolitischen Konflikte des 17. Jahrhunderts verwickelt worden. Anschauungsunterricht dafür, welche fatalen Folgen aus der Verquickung von internen Richtungskämpfen mit rivalisierenden Aussenbeziehungen resultierten, lieferten die Bündner Wirren und die langjährige Besetzung der Drei Bünde durch die Grossmächte während des Dreissigjährigen Kriegs.

So betrachtet erwies sich die freiwillige Neutralisierung als kleinster gemeinsamer Nenner in der aussenpolitischen Strategie des eidgenössischen Staatenverbundes, der schon zur Zeit seiner stärksten Machtpolitik in den Mailänder Kriegen seine strukturelle Unfähigkeit zu einer koordinierten Aussenpolitik hinreichend unter Beweis gestellt hatte. So freundeten sich die Eidgenossen mit dem Gedanken an, angesichts ihrer Zerstrittenheit nur dann eigenständig bleiben zu können, wenn sie sich ihre aussenpolitische Schwäche eingestanden und nicht mehr selber auf der Bühne der Machtpolitik agierten.

Strukturelle Gründe nötigten die Eidgenossen mithin zur aussenpolitischen Rolle passiver Zuschauer am Rand der grossen Konflikte. Die erste formelle Neutralitätserklärung der Orte 1674 macht deutlich, wie sehr dieser aussenpolitische Immobilismus mehr mit Blockaden innerhalb des Bündnisgeflechts zu tun hatte als mit einer souveränen Entscheidung: Als sich damals der französische König anschickte, die unter spanisch-habsburgischer Herrschaft stehende Freigrafschaft Burgund zu erobern, manövrierte er die Kantone in eine brenzlige Situation: Seit 1512 waren sie formell Garantiemächte einer Vereinbarung zwischen Habsburg und Frankreich, die im Interesse der beiden Mächte die Neutralität der Freigrafschaft vertraglich festlegte. Gleichzeitig waren insbesondere die katholischen Orte im letzten Drittel des 17. Jahrhunderts wirtschaftlich und politisch stark von Frankreich abhängig geworden. In Anbetracht der aggressiven Absichten Ludwigs XIV. in Bezug auf die Franche-Comté kamen sich nun die Verpflichtungen der Orte gegenüber Spanien-Habsburg und Frankreich in die Quere. In dieser klassischen Doublebind-Situation flüchteten sich die Orte in die Neutralität. Statt ihre Pflicht als Garantiemacht wahrzunehmen und die Neutralität der Freigrafschaft gegen den französischen Aggressor zu verteidigen, erklärten die Orte ihre Neutralität, untersagten Truppenwerbungen für beide verfeindeten Mächte und besetzten die Grenze zur Freigrafschaft. Faktisch jedoch spielte diese erste formelle Neutralitätserklärung der Eidgenossenschaft Frankreich in die Hände und bedeutete einen Vertragsbruch gegenüber Spanien-Habsburg. Unschwer gab sich die Neutralität als situatives Instrument der Schwachen zu erkennen. Sie war noch weit davon entfernt, die von allen Grossmächten völkerrechtlich garantierte, legitime Strategie des Kleinstaats zu sein.

Unter dem Eindruck der häufigen Kriege zwischen Frankreich und den übrigen europäischen Mächten im späten 17. und in der ersten Hälfte des 18. Jahrhunderts erklärten die Orte bei Ausbruch der Konflikte fortan regelmässig ihre Neutralität und verschafften dieser mit gemeinsam organisierten militärischen Grenzbesetzungen – wenn auch mehr schlecht als recht – Nachachtung. Weil die kriegführenden Mächte allerdings Zweifel an der militärischen Tauglichkeit des eidgenössischen Grenzschutzes hegten und jeweils befürchten mussten, vom Gegner über eidgenössisches Gebiet angegriffen zu werden, übernahmen – je nach Konstellation – Österreich oder Frankreich wiederholt in eigennütziger Grosszügigkeit die Kosten für den Grenzschutz der Orte. Aufgrund dieser Erfahrung bestand Frankreich 1777 bei der Erneuerung der Allianz mit den 13 Orten darauf, dass sich diese nicht nur ausdrücklich zum bewaffneten Schutz ihrer Neutralität bekannten, sondern auch tatsächlich bereit waren, ihre Grenze militärisch zu sichern. Die Neutralität des Corps helvétique wurde somit schon im 18. Jahrhundert mehr und mehr eine Praxis, deren Wert allerdings weniger in den einseitigen Erklärungen der eidgenössischen Kleinstaaten, sondern im Eigeninteresse der Grossmächte gründete. Dies musste die Eidgenossenschaft 1797/98 schmerzlich erfahren. Damals beherrschte Frankreich nach seinem unerwarteten Sieg über die Koalitionsmächte die Lage in Europa und musste bei seinem Vorhaben, die politische Karte Europas neu zu zeichnen, keine Rücksicht mehr auf andere Mächte nehmen. Weil die junge Republik Frankreich nach Kriegsende eine eigenständige, neutrale Eidgenossenschaft auch nicht mehr als Transitland für die Beschaffung von dringend benötigtem Kriegsmaterial brauchte, konnte sie die eidgenössische Neutralitätserklärung in den Wind schlagen und das formell neutrale Land besetzen, ohne die Gegenwehr der übrigen Mächte und eigene Nachteile befürchten zu müssen.

Mit der Invasion 1798 setzte die Hegemonie Frankreichs über die Schweiz ein, die bis zum Zerfall der napoleonischen Herrschaft im Spätherbst 1813 andauerte. Sie bildete den Erfahrungshintergrund für die Lösung der Schweizer Frage auf dem Wiener Kongress 1815: Die Grossmächte kamen überein, dass künftig keine unter ihnen jemals wieder die Pässe und Zugangswege im zentralen Alpenabschnitt unter ihre exklusive Kontrolle bringen sollte. Dazu brauchte es eine dauerhaft neutralisierte Pufferzone namens Schweizerische Eidgenossenschaft, die ausserdem verpflichtet wurde, ihre immerwährende Neutralität auf eigene Kosten militärisch durchzusetzen. Die Grossmächte verknüpften ihre Anerkennung der staatlichen Eigenständigkeit der Eidgenossenschaft 1815 mit einem massiven Eingriff in die politische Souveränität des Landes. Und erst auf deren massiven Druck hin einigten sich die wieder einmal am Rand eines Bürgerkriegs stehenden Kantone auf die Schaffung eines Bundesheers zum Schutz der Neutralität.

Die Entstehung der Schweizer Neutralität sollte aber nicht vergessen lassen, dass das Abseitsstehen der Eidgenossen und ihr Verzicht auf eine eigenständige aussenpolitische Rolle immer nur die eine Seite der Medaille darstellte. Auch wenn sie nach 1515 nicht mehr in der europäischen Mächtepolitik agierten, blieben sie gleichwohl die nächsten drei Jahrhunderte hindurch eng mit dieser Mächtepolitik verflochten. Sie gingen Allianzen mit den führenden Mächten ein, stellten ihnen Söldner zur Verfügung und öffneten ihnen das Land für den Durchmarsch ihrer Truppen. Indem sie zähneknirschend auf die Auszahlung rückständiger Sold- und Pensionenzahlungen seitens der Mächte verzichteten, indem sie die diesen gewährten Kredite abschrieben oder indem sie Kapital in die Staatsverschuldung der Mächte investierten, verrieten die Orte, wie sehr sie auch als politische Zuschauer in die europäische Mächtepolitik eingebunden waren. Einseitiges Abseitsstehen allein genügte also nicht, um sich tatsächlich aus den europäischen Konflikten heraushalten zu können. Noch musste dies auch im Interesse der Mächte sein. Allein in Verbindung mit der engen wirtschaftlichen, sicherheitspolitischen und militärischen Verflechtung wurde das Abseitsstehen der Orte auch für die Mächte interessant. Diese fanden hier ein unversehrtes Söldnerreservoir vor und erhielten dank dem Abseitsstehen der Orte beziehungsweise deren multilateralem Allianzsystem eine gewisse Garantie dafür, dass die zentralen Alpenübergänge nicht unter die alleinige Kontrolle einer Grossmacht fielen und die Eidgenossenschaft damit für sie zum Risikofaktor wurde. Abseitsstehen und Verflechtung waren somit für die Orte keine Gegensätze, sondern integrale Elemente einer aussenpolitischen Doppelstrategie in einem Europa der kriegerischen Monarchien.

Siehe Abb. 6: Die «Eidgnössische Neutralitaet»

Seit dem späten 17. Jahrhundert verdichtete sich in der Selbstwahrnehmung der Eidgenossen die Vorstellung, sie verdankten ihre unversehrte Existenz auf der vergleichsweise wohlhabenden Friedensinsel mitten in einem Europa von Krieg und Elend ihrem politischen Abseitsstehen. Im Selbstlob eidgenössischer Neutralität drohten allerdings die geopolitischen Rahmenbedingungen für das Gelingen neutraler Abstinenz vergessen zu gehen. Es machte sich eine selbstgefällige Zufriedenheit breit, die dazu neigte, Frieden und Wohlstand ganz als eigenes Verdienst abzubuchen und darob die strategischen, wirtschaftlichen und politischen Faktoren europäischer Geopolitik auszublenden, die mit dazu beitrugen, dass das Land von Krieg und Elend verschont blieb.

Johann Caspar Lavater (1741–1801)
zum Glück des neutralen Zuschauers (1767)
«Wenn Europens Völker kriegen,
Singen wir von alten Siegen,
Sehen im Gefühl der Ruh

Jhren Blutgefechten zu;
Weiden selbsterzogne Heerden,
Pflügen sicher eigne Erden,
Essen froh, nach altem Schrot,
Käse, Milch und Roggenbrod.»[43]

Solcher Lobpreis des Glücks half dem kleinen Neutralen auch über die unangenehme Tatsache hinweg, dass sein Standpunkt in der christlich-europäischen Tradition keineswegs positiv assoziiert, sondern vielmehr als Schwäche, wenn nicht gar als Feigheit und Verrat bewertet wurde.[44] Keine Partei ergreifen, sondern lieber zuschauen zu wollen, bringt den Neutralen immer dann in Erklärungsnotstand, wenn sein Abseitsstehen flagrantes Unrecht und Böses zulässt und er daraus womöglich noch politischen und materiellen Nutzen zieht.

Der Jenaer Professor Oken (1779–1851) kritisiert die Feigheit der Schweiz als neutrale Trittbrettfahrerin in den Befreiungskriegen gegen Napoleon (1814)
«Napoleon hat sich zum Herrn der Schweiz aufgeworfen, hat ihr Land genommen, hat sie zur Stellung vieler Tausend Soldaten gezwungen, und sie so hin und her gehetzt, daß sie in der Angst dem Ungeheuer bald ganz in den Rachen gekrochen wäre. Teutschland hat sich durch Rußland's Hilfe ermächtigt. Alexander [Zar von Russland], Friedrich Wilhelm [König von Preussen], Franz [Kaiser von Österreich], haben ihm die Freiheit wieder errungen. Diese Freiheit haben sie auch den Schweizern und den Holländern wieder gebracht. In Teutschland ist Alles zu den Waffen geeilt, um die errungene Freiheit zu behaupten, um den Weltdespoten zu vernichten, und die Freiheit zu sichern. [...] die Schweizer aber [...] sind so ausgeartet, daß sie müßige Zuschauer bleiben wollten, während ihre Brüder sich für sie erschlagen ließen. Sie wollten ihre Freiheit nicht mit eigenem Blute, sondern mit dem unsrigen erkaufen; sie wollten durch eine faule Neutralität uns unseren Kampf noch schwer machen, um dann die, während ihres Müssiggangs, blutig gebrochenen Früchte lachend mit zu verzehren. Pfui der Schande! Pfui der Schweizer!»[45]

Die still sitzende Schweiz sah sich wiederholt dem Vorwurf ausgesetzt, sich in den grossen Entscheidungen der europäischen Geschichte unsolidarisch verhalten und nicht für die

Werte der Freiheit und Menschlichkeit eingesetzt, sondern vielmehr gesinnungslos mit den Diktatoren kollaboriert und zuletzt als Trittbrettfahrerin doch wieder von den Opfern der Alliierten für die Befreiung des Kontinents profitiert zu haben. Nicht von ungefähr war für die Politikwissenschaftler der frühen Neuzeit neutrales Verhalten vielfach unklug, «weil der Neutrale durch sein Stillesitzen nur Abscheu wecke» und sich «seiner nach Kriegsende keiner» annehme und er damit schutzlos werde.[46]

Identitätsbildung durch Abgrenzung: «frume, edle puren» gegen den bösen Adel

Das starke Bedürfnis nach Abgrenzung gegen aussen lag schon der frühesten Identitätskonstruktion der Eidgenossen zugrunde, die sich im 15. Jahrhundert im Rahmen einer eigentlichen Propagandakampagne gegen habsburgisch-österreichische Anschuldigungen ihrer Besonderheit und Identität innegeworden sind. Habsburg-Österreich verarbeitete seine Niederlagen gegen die Eidgenossen (Sempach 1386; Verlust des Aargaus 1415 bzw. Thurgaus 1460), indem es diese als meineidige, gottlose Rebellen verteufelte. In Chroniken, Liedern und Manifesten warfen Gelehrte, Politiker und selbst der Kaiser den Eidgenossen vor, sie hätten sich gegen ihre natürlichen adeligen Herren aufgelehnt und die gottgewollte Ständeordnung über den Haufen geworfen. Der eidgenössische Gründungsmythos, wie er im sogenannten Weissen Buch von Sarnen um 1470 erstmals überliefert ist, war die «Antwort der Bauern» auf diese antieidgenössische Propaganda. Er schilderte die Gründung der Eidgenossenschaft als Kampf der Waldstätte um die Freiheit und rechtfertigte den Widerstand der «Bauern», das heisst der ersten Eidgenossen, gegen die adeligen Vögte als gerechte Notwehr gegen tyrannische Feudalherren. Diese hätten sich am Eigentum der Landleute sowie an deren Frauen und Töchtern vergriffen und seien selbst vor dem unmenschlichen Befehl nicht zurückgeschreckt, dass ein Mann mit einem Schuss von seiner Armbrust einen Apfel auf dem Kopf seines Sohns treffen musste, wenn er seine Freiheit wiedererlangen wollte. Die Vögte hätten mit ihren Schandtaten – so die Erzählung weiter – ihre Zuchtlosigkeit bewiesen und ihren Anspruch verwirkt, wahre Edle zu sein. In ihrer Not hätten sich die Landleute von Uri, Schwyz und Unterwalden in konspirativen Treffen auf dem Rütli darauf verständigt, gemeinsam den bösen Adel zu vertreiben und zum Schutz ihrer Freiheit eine Eidgenossenschaft zu gründen. Die ersten Eidgenossen wurden hier zu «frumen, edlen puren», das heisst zu tugendhaften, gottesfürchtigen, bescheidenen Bauern stilisiert, die Gott im Sinn des Paulusworts von den Geringen, die die Mächtigen vernichten (1 Kor 1, 26–29), als Werkzeug auserwählt habe, um den sündhaften, verkommenen Adel zu bestrafen. Die Gründung der Eidgenossenschaft präsentierte sich damit als gottgewollte Wiederherstellung einer christlichen Ständeordnung, in der die Bauern als wahre Edle an die Stelle des alten Herrenstandes traten. Ihre Schlachtensiege bei Morgarten, Sempach, in den Burgunderkriegen und bei Dornach deuteten die Eidgenossen vor diesem Hintergrund als Gottesurteile, mit denen der Allmächtige aller Welt kundtat, dass er auf ihrer Seite stand.

Die mythische Gründungserzählung rechtfertigte auf raffinierte Weise die Existenz und Andersartigkeit der Eidgenossenschaft. Sie erzählte einprägsam, woraus die Eidgenossenschaft hervorgegangen und welches ihr wahres Wesen war. Sie leitete die eidgenössische Freiheit aus einem legitimen Kampf bescheidener Bauern gegen fremde Vögte her. Dieses heroische Eigenbild schrieb sich tief in die Erinnerung der Eidgenossen ein. Es definierte den Kern eidgenössischer Selbstrepräsentation, an den sich später zwar noch neue Elemente anlagerten, der aber auf Dauer die Vorstellung eidgenössischer Wesensart prägte und den Stolz der eidgenössischen Ehrgemeinschaft ausmachte. Im Zentrum dieser Selbstdefinition steht das David-gegen-Goliath-Syndrom, das den Eidgenossen die Rolle des bescheidenen israelitischen Hirtenknaben zuweist, der mit Gottes Hilfe den überlegenen Riesen und Philister Goliath tötet und das auserwählte Volk Israel rettet. Klein versus gross beziehungsweise eigen versus fremd wurden die beiden komplementären Gegensatzpaare in einem mentalen und kulturellen Koordinatensystem mit klar normierten Rollenzuschreibungen.

Die Selbststilisierung der «Alten Eidgenossen» zu «frommen, edlen Bauern» war moralisch und kulturell anspruchsvoll, weil sie das authentische eidgenössische Wesen mit der frugalen, materiellen Kultur verknüpfte. Der wahre Eidgenosse war demzufolge ein bescheidener Mann, der sich materiell mit dem Notwendigen begnügte und allem unnötigen Konsum, allem Luxus, entsagte. In diesem «kohärenten Vorstellungssystem»[47] wurde ein zwingender Zusammenhang zwischen dem einfachen Lebensstil sowie der Freiheit und kriegerischen Tapferkeit der Eidgenossen hergestellt. Die alteidgenössischen Gründungsväter und ihre wahren Erben waren folglich genuine Hervorbringungen einer bestimmten materiellen Kultur und eines besonderen Lebensraums. Die Eidgenossen verdankten ihre Freiheit der «Einfalt ihrer Sitten». Sie rangen ihre bescheidene Subsistenz einer kargen Natur ab. Der tägliche Kampf um die eigene Nahrung machte sie stark und widerstandsfähig, die Männer machte er tapfer und kriegstauglich und versetzte sie in die Lage, ihre Freiheit zu verteidigen – und ihre militärischen Dienste fremden Herren anzubieten.

Bedrohtes eidgenössisches Wesen: die Kritik an Solddienst und «fremden Händeln»

Allerdings sind sich die Eidgenossen mit ihrer hehren Identitätskonstruktion schon bald selber in die Quere gekommen. Die Selbststilisierung als genügsame, fromme Bauern, die sich von ihrer Hände Arbeit ernährten, kollidierte frontal mit der sozialen Figur des Reisläufers, der das Bild von den Eidgenossen in Europa seit dem späten 15. Jahrhundert zunehmend prägte. Spätestens mit ihren Erfolgen in den Burgunderkriegen war ihr Ruf als unschlagbare Fusssoldaten in Europa gefestigt und die Nachfrage nach ihnen bei den kriegführenden Herrschaften geweckt. Das diplomatische Buhlen der Kriegsherren um Reisläufer aus der Eidgenossenschaft brachte flüssiges Geld ins Land und liess auch innerhalb der eidgenössischen Eliten rivalisierende Faktionen entstehen, die sich für ihre Parteinahme für Frankreich oder Habsburg bezahlen liessen. Sofern die Krieger von den Feldzügen heimkehrten, brachten sie – nebst sittlicher Verrohung – fremde Konsumbedürfnisse sowie die Erfahrung rascher Geldmacherei nach Hause. Deswegen artikulierte sich fast zeitgleich mit dem positiven Selbstbild, das den «frommen, edlen Bauern» als Kontrastfigur zum bösen, adeligen Vogt profilierte, die Selbstkritik in der Konfrontation vom «Alten und Jungen Eidgenossen». Sie sah das eidgenössische Wesen durch die moralischen und materiellen Folgen des bezahlten Kriegens für fremde Herren gefährdet, wenn nicht gar beschädigt. Die Erfolge in den Burgunderkriegen gingen somit nicht nur als Höhepunkt, sondern auch als Beginn des Irrwegs eidgenössischer Machtpolitik in das kollektive Gedächtnis ein.

Siehe Abb. 7:
Der Alte und der Junge Eidgenosse

Die Kritik am bezahlten Kriegen für fremde Herren ist beinahe so alt wie das Geschäft selber. In der Eidgenossenschaft spitzte sie sich in der peinigenden Frage zu, wo denn die Tugenden der Gründungsväter geblieben waren. Sie geisselte die neuen Konsumgewohnheiten der Jungen als verwerflichen, die Eidgenossen moralisch und kulturell korrumpierenden Luxus. Drastisch wurde der Verrat am stolzen Selbstbild des frommen, genügsamen, frugalen Bauern in der Gegenüberstellung des «Alten und Jungen Eidgenossen» in Theaterspielen und auf Glasscheiben an den Pranger gestellt. Die frühe Kritik an den schädlichen Folgen des Reislaufs wurde häufig Bruder Klaus in den Mund gelegt. Die moralische Autorität, die der Obwaldner Eremit nach den Burgunderkriegen als Vermittler zwischen den Eidgenossen erworben hatte, machte den 1487 verstorbenen Mystiker über seinen Tod hinaus zum glaubwürdigen Kritiker eidgenössischer Grossmachtpolitik in den Mailänderkriegen.

Das sogenannte Bruderklausenlied kritisiert die Machtpolitik der «grossen hansen» unter den Eidgenossen (um 1513/1514)
«[...] ich bitt üch allesampt / kriegend nit verr in froemde land / blibend bi wib und kinden / [...].

Er [Bruder Klaus] gab uns vil der guoten ler. / Daran denkt man gar wenig mer / dunkt mich bi unserm kriegen / wir luogind nun umb wite naest / ein ieder herr dunkt uns der best / on faedren wend wir fliegen.

Ouch wirt sin red ietz ganz verschetzt / und ouch ganz hinder die tür gesetzt, / das sönd ir merken eben, / das schafft allein das gold und gelt, / das ietz die fürsten in der welt / den grossen hansen gebend.»[48]

Wenig später griffen die Reformatoren Ulrich Zwingli (1484–1531) und Heinrich Bullinger (1504–1575) dieses Argument auf, um ihre im Geist der Glaubenserneuerung radikal zugespitzte, christliche Kritik am bezahlten Töten zu untermauern. Sie brandmarken die Reisläuferei nicht nur als schwere Sünde, sondern auch als Verrat an der eidgenössischen Identität.

Der Solddienst als Verrat am eidgenössischen Wesen: die Kritik des Reformators Heinrich Bullinger (1526/28)
«Denn wenn eure gottesfürchtigen Väter jetzt wieder von den Toten auferstehen würden, könnten sie euch in diesem Zustand noch erkennen? Wie sollten sie euch denn noch erkennen können? Sie beschützten die Armen und Ausgestoßenen und waren barmherzig. Ihr aber seid

so hartherzig, achtet nur darauf, wen man angreifen könnte und wo es viel Geld zu holen gibt, und nicht, warum man überhaupt Krieg führt oder ob man im Recht sei. Sie waren schlicht und einfach gekleidet, und ihre Hände waren von der Arbeit und den Schwielen hart. Die Mehrheit von euch trägt hingegen ganze Krämerläden mit sich herum! Und eure Finger sind nicht steif von der Arbeit, sondern von protzigen Ringen, die doch nichts anderes sind als Zeichen verweichlichter und weibischer Gesinnung. Eure Väter haben sich von allen Herren losgesagt, damit sie frei wären und von ihrer eigenen Arbeit leben könnten. Ihr hingegen rennt hinter allen möglichen Herren her wie die Küken hinter der Henne. Denn ihr wärt selbst gerne große Herren und würdet gerne das Leben genießen, aber mit dem Vermögen und den Zuwendungen anderer Leute.»[49]

Die Kritik an Reisläuferei und Solddienst an der Wende vom 15. zum 16. Jahrhundert nutzte die Identitätsrepräsentation des «Alten Eidgenossen» als Kontrastfolie und grenzte vehement einen zu beschützenden eidgenössischen Innenraum von einer verderblichen Aussenwelt ab. Das bezahlte Kriegen für fremde Herren und ins Land strömende Gier und Luxus vergifteten, so hiess es, das eidgenössische Wesen. Die Eidgenossen verlören die Tugenden ihrer Vorfahren aus den Augen und unterhöhlten das Fundament ihrer Freiheit. Fremdes Geld korrumpiere sie nicht nur, sondern führe sie auch in die Knechtschaft fremder Fürsten. Schliesslich büssten sie auch ihre frühere Tapferkeit und Kriegstüchtigkeit ein, weil die Verlockungen des Luxus die Männer verweichlichten und verweiblichten.

Helvetismus: Abgrenzungen gegen das Ausland und die Entdeckung des Schweizer Nationalcharakters

Sowohl die Praxis des Solddienstes wie auch die Kritik daran blieben zwei eng miteinander verschränkte Tatsachen eidgenössischer Geschichte. Die militärische Verflechtung der Orte mit den Mächten Europas und deren vielfältige Rückwirkungen auf die Politik, die Gesellschaft und die Kultur der Schweiz blieben bis zum Ende der fremden Dienste im späten 18. Jahrhundert und endgültig in der Mitte des 19. Jahrhunderts ein Stachel im Fleisch des helvetischen Selbstverständnisses. Rückte der Kriegsdienst für europäische Monarchen im 18. Jahrhundert auch aus wirtschafts- und bevölkerungspolitischen Gründen ins Kreuzfeuer aufklärerischer Kritik, so galt er den Liberalen in der ersten Hälfte des 19. Jahrhunderts als krankhaftes Überbleibsel eines überwundenen Ancien Régime und als ein verwerfliches Tun, das eines aufrechten Republikaners unwürdig war.

Die wachsende wirtschaftliche und kulturelle Verflechtung der Schweiz mit Europa und mit einer sich globalisierenden Ökonomie führte dem helvetischen Abgrenzungsdiskurs im 17. und 18. Jahrhundert neue Motive zu. Im Jahrhundert vor der Revolution verdichteten sich im geistigen und kulturellen Leben der Schweiz – parallel zum gemeineuropäischen Diskurs über die Unterschiede zwischen den Völkern Europas – die Bemühungen um die Bestimmung des genuin schweizerisch-helvetischen «Nationalcharakters». Symptomatisch war in dieser Hinsicht das Aufkommen der programmatischen Begriffe «Schweiz», «schweizerisch», «helvetisch» beziehungsweise «Suisse» und «helvétique» in den Titeln vieler gelehrter Abhandlungen, Gedichtsammlungen,

Landesbeschreibungen, Zeitschriften und Geschichtsdarstellungen.[50] Die 1761/62 in Schinznach gegründete Vereinigung von reformaufklärerischen Männern, die schweizerischen Gemeinsinn über den kantonalstaatlichen und konfessionellen Partikularismus stellen wollten, nannte sich denn auch «Helvetische Gesellschaft». Bezeichnend für die Blockade in den Beziehungen zwischen den Kantonen und für deren Ablehnung aller weitergehenden Integrationsschritte bleibt allerdings, dass der Helvetismus im Ancien Régime auf das Geistes- und Kulturleben beschränkt blieb und sich in der Öffentlichkeit betont apolitisch gab. Erst mit dem Zusammenbruch der alteidgenössischen Aristokratien in den Helvetischen Revolutionen von 1798 brach sich ein politischer Helvetismus Bahn und mündete in das Experiment der Helvetik, die die versteinerte Eidgenossenschaft mit ihren vielfältigen, historisch bedingten Konstruktionsmängeln in einem grossen Kraftakt in einen vernünftig organisierten, einheitlichen schweizerischen Staat verwandeln wollte.

Beim Versuch, die schweizerisch-helvetische Eigenart zu bestimmen, vollzogen die Autoren im Ancien Régime eine zweifache geistige Abgrenzungsbewegung: Gegen die exklusive kantonalstaatliche Souveränität betonten sie die Zusammengehörigkeit der partikularen Teile des Corps helvétique, die sie in deren gemeinsamer Geschichte und Zugehörigkeit zum alpinen Lebensraum begründet sahen. Gegen das Ausland und insbesondere gegen die kulturelle Hegemonie Frankreichs grenzten sie die Nation Schweiz ab, indem sie hergebrachte, negativ konnotierte Fremdbilder positiv umdeuteten.

Siehe
Abb. 5:
Johann Heinrich
Füsslis
«Tellsprung»

Dass der schweizerische Nationalcharakter im Gestus einer markanten Grenzziehung gegenüber einem als wesensfremd betrachteten Ausland definiert wurde, hat wohl damit zu tun, dass der konfessionell, sprachlich-kulturell und politisch uneinheitlichen Schweiz die traditionellen Anknüpfungspunkte für die Begründung nationaler Zusammengehörigkeit fehlten und ihren kleinen Republiken auch keine fürstliche Dynastie als gemeinsamer Bezugspunkt zur Verfügung stand.

DIE ALPEN – HORT URSPRÜNGLICHER NATÜRLICHKEIT UND SCHUTZWALL EIDGENÖSSISCHER FREIHEIT

Reformierte Zürcher Theologen und Gelehrte der ersten Hälfte des 16. Jahrhunderts begründeten die Vorstellung von der Eidgenossenschaft als einer aus den Bergen beziehungsweise den Alpen geborenen Nation. Der junge Heinrich Bullinger, Zwinglis Nachfolger an der Spitze der Zürcher Kirche, verklärte die Alpen 1525 zum fruchtbaren Lebensraum mit gesunder Luft, dem die grossen Ströme Europas entsprängen und dessen Bewohner vom Gebirge und vom Rhein wie von einer starken Ringmauer beschützt würden. Der Chronist Johannes Stumpf (1500–1577/78) erklärte in seiner historisch-topografischen Landesbeschreibung (1547/48) die Eidgenossen zum Alpenvolk, dem Gott schon zur Zeit der helvetischen Vorfahren einen natürlichen Lebensraum zugewiesen habe, der sie tapfer und kriegstüchtig gemacht habe.

Um 1700 und im frühen 18. Jahrhundert spielten die Entdeckungen der Gelehrten und die Beschreibungen der Dichter eine entscheidende Rolle bei der Umwertung der Wahrnehmung der Alpen. In der Vorstellung des lesenden europäischen Publikums wurde das unwirtliche, unfruchtbare und unzivilisierte Bergland mit seinen rohen, der Sodomie bezichtigten Einwohnern zu einer erhabenen Naturerscheinung und zum fruchtbaren, nützlichen Lebensraum eines starken, tugendhaften, freien Volkes umgewertet.

Damals entdeckten städtische Gelehrte die Alpen als naturgeschichtliches und anthropologisches Labor. In zahlreichen Exkursionen erkundete der Zürcher Johann Jakob Scheuchzer (1672–1733), ein Pionier der Alpenforschung, mit physikalischen und meteorologischen Messinstrumenten den Alpenraum. 1697 verschickte er einen Fragekatalog an Ärzte und Pfarrer in den Alpen und bat sie um Angaben über die Temperatur, das Wetter, Hagel, Schneefall, Mineralquellen, Pflanzen, Tiere, Fossilien sowie die Ernährung und Lebensart der Bergbewohner. Scheuchzers Alpenerlebnis zeugte von einer neuen, positiv gewendeten Naturerfahrung. Hatte man in den Alpen bis dahin allgemein eine öde, kahle Wüste aus Stein und Eis ohne jeglichen Nutzen für den Menschen sowie ein Mahnmal der menschlichen Sündhaftigkeit gesehen, beschrieb Scheuchzer sie nun als Wasserschloss Europas, von dem aus die grossen Flüsse die Landschaften Europas bewässerten. Die Alpen waren ein überragendes Bauwerk, und Gott selber war ihr Baumeister. In militärischer Hinsicht waren sie «unsere Vestungen / innert welchen wir rühig schlaffen». Angelegt seien die hohen Berge «nicht durch Menschen Witz und Hände / sondern durch die Allmächtige Weißheit GOTTES / und beschützen innert diesen unsern Mauren unsere Geist- und Leibliche Freyheiten / so wol unter und gegen einander / als gegen frömde potentaten».[51]

Abraham Ruchats Reiseführer durch die Schweiz «Les Délices de la Suisse» (1714), Albrecht Hallers Gedicht «Die Alpen» (1729; Erstdruck 1732) oder Jean-Jacques Rousseaus Briefroman «Julie ou La Nouvelle Heloïse» (1761) verbreiteten beim lesenden europäischen Publikum das Bild eines glücklichen, freien Alpenlandes und eines Horts ursprünglicher Natur.

Die Alpen als eidgenössischer Schutzraum in Albrecht Hallers poetischem Alpenlob (1729/32)
«Zwar die Natur bedeckt dein hartes Land mit Steinen;
Allein dein Pflug geht durch, und deine Saat errinnt;
Sie warf die Alpen auf, dich von der Welt zu zäunen,
Weil sich die Menschen selbst die größten Plagen sind.»[52]

Die Schweizbegeisterung verbreitete sich in zahlreichen Reisebeschreibungen. Diese schilderten verzückt ein Land im Schutz seiner Berge, dessen Bürger und Bauern in massvollem Wohlstand lebten, das mit idyllischen Landschaften und schönen Städten gesegnet war und wo sich weise, kluge Bauern bei der Landsgemeinde um die Staatsgeschäfte kümmerten. In der verklärten Schweiz schufen sich Teile der europäischen Intelligenz ein kulturelles und anthropologisches Gegenmodell, das sie mit der Dynamik eines Wandels versöhnen sollte, der vielfach als Niedergang und Verlustgeschichte gedeutet wurde.

DER «HOMO HELVETICUS ALPINUS» ALS ANTHROPOLOGISCHES GEGENMODELL

Das Interesse der Alpenforscher des späten Ancien Régime galt auch den Bewohnern der Alpen. Mit ihrem neuen Wissen zur Naturgeschichte der Alpen und mit der geoklimatischen Theorie, wonach die natürliche Umwelt unmittelbar das Wesen des Menschen prägt, stilisierten sie die Alpenbewohner zum Volk der Hirten und meinten, in diesen – analog zu den indigenen Völkern in den neu erkundeten Gegenden Sibiriens oder Südamerikas – den ursprünglichen, unverdorbenen Menschenschlag zu erkennen. Diese «edlen Wilden» hatten sich in der Abgeschiedenheit der Berge ein natürliches Menschentum bewahrt. Ihre Stärke, Tapferkeit, Gesundheit und natürliche Freiheitsliebe gründeten in ihrer einfachen Lebensweise, in der harten Arbeit, die der karge Boden ihnen abverlangte, sowie in der gesunden Ernährung mit «Milch und Milchspeisen», die den Berglern besser bekamen «als die niedlichen Speisen / so aus frömden Landen zu uns gebracht werden».[53] Die frühen Alpenforscher sahen im Hirten nicht nur das anthropologische Gegenmodell zum dekadenten, zivilisierten Städter, sondern auch den unverfälschten Nachkommen der Alten Eidgenossen aus der Gründungszeit. In der Figur des Hirten verknüpften sich unauflösbar die Idee der politischen Freiheit und der Lebensraum der Alpen. Die Identitätsrepräsentation der Alten Eidgenossen als «fromme, edle Bauern» aus dem späten 15. Jahrhundert wurde nun auch naturwissenschaftlich und anthropologisch begründet und erlangte dadurch neue Überzeugungskraft. Gemäss den Klimatheorien des 18. Jahrhunderts formten Natur und Klima der Alpen den schweizerischen Nationalcharakter, was es möglich machte, die Eidgenossenschaft mit wissenschaftlichen Argumenten in den europäischen Nationendiskurs einzuordnen. Die Bergler verkörperten den wahren schweizerischen Nationalcharakter. Diese Identitätskonstruktion war umso erstaunlicher, als sie nichts mehr mit der damaligen Lebenswirklichkeit der allermeisten Schweizerinnen und Schweizer gemein hatte. Die gelehrte Konstruktion des schweizerischen Nationalcharakters und das Innewerden der spezifischen nationalen Differenz der Schweiz zum Ausland erfolgten gleichzeitig mit einem davor nie erreichten Ausmass wirtschaftlich-kommerzieller und kulturell-wissenschaftlicher Verflechtung der Schweiz mit Europa.

Albrecht Haller («Die Alpen») preist die Selbstgenügsamkeit und Armut der Alpenbewohner (1729/32)
«Ihr Schüler der Natur, ihr kennt noch güldne Zeiten!
Nicht zwar ein Dichterreich voll fabelhafter Pracht;
Wer mißt den äußern Glanz scheinbarer Eitelkeiten,
Wann Tugend Müh zur Lust und Armut glücklich macht?
Das Schicksal hat euch hier kein Tempe zugesprochen,
Die Wolken, die ihr trinkt, sind schwer von Reif und Strahl;
Der lange Winter kürzt des Frühlings späte Wochen,

Und ein verewigt Eis umringt das kühle Tal;
Doch eurer Sitten Wert hat alles das verbessert,
Der Elemente Neid hat euer Glück vergrößert.

Wohl dir, vergnügtes Volk! o danke dem Geschicke,
Das dir der Laster Quell, den Überfluß, versagt;
Dem, den sein Stand vergnügt, dient Armut selbst zum Glücke,
Da Pracht und Üppigkeit der Länder Stütze nagt.
Als Rom die Siege noch bei seinen Schlachten zählte,
War Brei der Helden Speis und Holz der Götter Haus;
Als aber ihm das Maß von seinem Reichtum fehlte,
Trat bald der schwächste Feind den feigen Stolz in Graus.
Du aber hüte dich, was Größers zu begehren.
Solang die Einfalt daurt, wird auch der Wohlstand währen.»[54]

NATÜRLICHE GROBSCHLÄCHTIGKEIT GEGEN GEKÜNSTELTE SCHÖNGEISTIGKEIT: DIE KULTURELLE ABGRENZUNG VON FRANKREICH

Als Scheuchzer aus seinen naturwissenschaftlich-anthropologischen Beobachtungen die Eigenart der Alpenbewohner und den helvetischen Nationalcharakter ableitete, arbeitete der Berner Beat Ludwig von Muralt (1665–1749) in einem umfassenden Kulturvergleich die Differenzen in Lebensstil und Nationalcharakter der Engländer und Franzosen heraus. Seine 1694/95 verfassten und 1725 erstmals gedruckten «Lettres sur les Anglois et les François et sur les Voiages» – eigentlich ein Reisebericht, in dem von Muralt den Standpunkt des fremden, unvoreingenommenen Beobachters einnahm – fanden weit über die Grenzen der Schweiz hinaus Beachtung und begründeten die europäische Anglophilie des 18. Jahrhunderts. Von Muralts Vergleich des Lebensstils und der Denkungsart der beiden führenden Nationen seiner Zeit fiel klar zugunsten der Engländer aus. Er lobte diese für ihren individuellen Freiheitssinn, ihre Gesetztheit und für ihre Wertschätzung des gesunden Menschenverstandes («bon sens»). Die Franzosen hingegen tadelte er für ihre intrigante Heuchelei und ihre Unart, sklavisch alles der Mode, dem schönen Schein und unterwürfigem Rangdenken zu opfern. Heerscharen von französischen Kammerdienern, Köchen, Hofmeistern, Tanzlehrern, Fechtmeistern und Ingenieuren verbreiteten nach ihm einen mondänen Lebensstil des tändelnden, eitlen «bel esprit», der Künstlichkeit, Oberflächlichkeit und Frivolität, den die europäischen Eliten schon viel zu lange nachäfften.

Von Muralts Schrift war in Europa auch deshalb erfolgreich, weil sie dem hegemonialen Anspruch der französischen Kultur genau zu dem Zeitpunkt eine Absage erteilte, als die expansive Grossmachtpolitik Ludwigs XIV. ihren Höhepunkt erreichte. Im Gegensatz zum französischen Nationalcharakter überzeugte der Lebensstil der Engländer durch geistige Offenheit und Ehrlichkeit, die Vorliebe für das naturnahe Landleben und die Absage an gesellschaftliche Zwänge. Von Muralts Schrift zeigte einen Umschlag in der öffentlichen Meinung Europas an, die die junge maritime und politische Grossmacht England nicht nur als machtpolitisches Gegengewicht zu Frankreich begrüsste, sondern auch deren freiheitliche Verfassung sowie Vorreiterrolle in den Wissenschaften, im Handel und in der Landwirtschaft bewunderte.

Von Muralts beissende Kritik am französischen Kulturmodell zielte zentral auf den Lebensstil seiner patrizischen Standesgenossen in der Eidgenossenschaft, die mit der Nachahmung eines fremden kulturellen Leitbildes ihr eigenes Wesen verrieten. Dieses Wesens nahm sich von Muralt an, indem er die aus der Literatur der französischen Klassik herrührende, negative Charakterisierung des Schweizers radikal positiv umwertete: Wenn französische Dichter wie Molière, Racine oder Boileau den «Suisse» in ihren Theaterstücken und Gedichten als naiven, lüsternen, trunksüchtigen, geldgierigen Trottel vorführten, drehte von Muralt den Spiess um und erhob die helvetische Grobschlächtigkeit («grossièreté») zum Ausdruck des genuinen Nationalcharakters der Schweizer, der im Unterschied zur gekünstelten, galanten Zivilisation der Städter eine ursprüngliche, ehrliche, menschliche Einfachheit und vorbildliche Sitten bewahrt habe. Damit aktualisierte von Muralt zentrale Elemente der Selbstrepräsentation des «Alten Eidgenossen» im Sinn einer frühen Zivilisationskritik.

Allerdings war er sich nur allzu sehr bewusst, wie gefährdet der schweizerische Nationalcharakter durch die schädlichen Einwirkungen aus dem Ausland war. Seine Kritik am französischen Lebensstil mündete in den Appell an die glückliche Nation der Schweizer, sich ihres ursprünglichen Charakters und ihrer Aufgabe zu besinnen, die ihr die göttliche Vorsehung als Vorbild der Einfachheit und Rechtschaffenheit für den Rest der Welt zugedacht habe. Von Muralt präsentierte seinem Leser nichts weniger als das Modell eines authentischen Menschentums, für das die alten Eidgenossen das Vorbild abgaben.

Von der Vorsehung auserwählt als Vorbild einfacher Rechtschaffenheit: Beat Ludwig von Muralt zur Berufung der Schweizer Nation (1725)

«Heureuse Nation, si elle revenoit à soi, & si elle savoit jouïr de ses avantages. La Simplicité & la Droiture ont été son partage. Elle en étoit ornée naturellement, tandis que d'autres se paroient du Faste & des vains ornemens qu'il fait rechercher. Dans sa Simplicité elle a puisé des Forces qui l'ont renduë superieure à des Ennemis puissans, & ce qu'ils méprisoient en elle leur a été fatal. Elle s'est fait rechercher dans sa Droiture, & par son Caractère original elle s'est élevée au-dessus des autres Nations, autant qu'elle s'abaisse à présent au dessous d'elles en les imitant. Jamais Nation n'eut moins sujet de se lasser de son Caractère. Comment se peut-il que nous l'ayons quitté, pour nous mettre dans la foule des Imitateurs [...]. Il semble que la Providence qui gouverne le Monde, ait voulu que parmi les Nations il y en eut une droite & simple, qui manquant de grandes Richesses, aussi bien que d'occasions à de grands Plaisirs, ne fut pas dans la tentation de se laisser aller au Luxe. Une heureuse Obscurité, un Genre de vie éloigné de toute Ostentation, autant que de toute Mollesse, devoit nous attacher à nos Montagnes, & le Contentement inseparable de ce Genre de vie, devoit nous y affermir. Dans cette situation la Providence nous vouloit conserver exemts des Troubles & des Agitations qui travaillent le reste du Monde, & nous proposer pour exemple aux Peuples égarés. Elle vouloit recompenser en nous un reste d'Ordre, conservé à la vuë de toute la Terre, un Caractère perdu parmi les Nations opulentes & voluptueuses.»[55]

In der selbstbewussten Kritik am kulturellen Vorbild Frankreich gingen Schweizer Intellektuelle so weit, selbst die Regeln der klassischen französischen Dichtkunst infrage zu stellen und sie durch einen eigenen, nationalen poetischen Kanon zu ersetzen. In seiner Antwort auf die von der Lausanner literarischen Gesellschaft 1780/82 gestellte Frage, ob und inwieweit von einer «poésie nationale» der Schweiz die Rede sein könne, räumte der Waadtländer Pfarrer und Autor Philippe-Sirice Bridel (1757–1845), eine Pionierfigur des frankofonen literarischen Helvetismus, zwar ein, es gebe in der Schweiz nur wenige französischsprachige Dichter. Die Erklärung dafür sah er aber – anders als das gängige Urteil in Frankreich – nicht in der den Schweizern angeblich abgehenden Begabung zur Poesie, sondern vielmehr darin, dass die streng geregelte, auf gekünstelte Effekthascherei beim Publikum angelegte Dichtkunst der Franzosen nicht zur Beschreibung der Schweizer Verhältnisse tauge. Die Schilderung der besonderen Gefühlslagen und Ideen der Schweizer bedürfe einer eigenen Poetik, die ihre Motive in der sublimen Landschaft und heroischen Geschichte sowie in den Tugenden und Lastern der Bewohner des Landes statt in der antiken Mythologie finde und die sich dabei einfacher, urtümlicher, kraftvoller Stilmittel bediene statt der in Frankreich gebräuchlichen gelehrt-künstlichen Wortspielereien, Epigramme und Concetti. Den stereotypen Vorwurf, die Schweizer seien nur mittelmässige Dichter, konterte Bridel, indem er den hegemonialen kulturellen Anspruch der französischen Poesie als Partikularismus zurückwies und ihr eine ebenbürtige, genuin schweizerische Spielart an die Seite stellte.

KRITIK AN DEN SCHÄDLICHEN REISEN DER SCHWEIZER INS AUSLAND

Als Hauptmann der Schweizergarde hatte Beat Ludwig von Muralt das Leben am Versailler Hof kennengelernt und bemerkt, wie sich die hohen Schweizer Offiziere einen höfischen Lebensstil aneigneten und diesen nach ihrer Dienstzeit mit nach Hause brachten. Dagegen riet er nun seinen Standesgenossen, sich an das Vorbild der Ahnen zu halten und die Jungen zu alteidgenössischer Tugend statt zu französischer Dekadenz zu erziehen. Auf seine «Lettres sur les Anglois et les François» liess er die «Lettres sur les Voiages» folgen – eine radikale Kritik an den bei jungen Patriziern beliebten Auslandsreisen. Für von Muralt trugen diese nichts zur besseren Kenntnis der Menschen und der Welt bei, sondern verdarben vielmehr Sitten und Charakter der jungen Menschen. Von Muralt reihte sich damit in eine in Deutschland nach dem Dreissigjährigen Krieg aufgekommene Kritik an den häufigen Reisen des Adels nach Frankreich ein.

Unsere Vorfahren reisten nicht: Beat Ludwig von Muralts Kritik an den Auslandsreisen (1725)

«Mais parlons de Voiages par raport à nôtre Nation, [...]. Nos Peres ne voiageoient point; il n'étoit point établi parmi eux de se former sur des Modelles étrangers pour se faire valoir. La Droiture, la Franchise, la Fermeté, les ornoient sufisamment. Ils ne savoient pas qu'avec ces qualitez on eut besoin de Manieres, ni que, pour se faire estimer dans son Païs, il falloit le quitter & aller chercher au loin dequoi contenter le Public. Avec les Moeurs & le Caractere pris dans leur Domestique, non-seulement ils ont vécu avec Dignité chez eux, mais ils ont porté leurs Moeurs dans les Païs étrangers; lors qu'ils étoient engagez à y aller; & après en avoir fait gloire plûtôt que d'en avoir eu honte, ils les ont raporté chez eux. Sans mêler rien d'étranger dans leur Caractère, ils ont vêcu avec honneur, & ils en ont laissé à nôtre Nation une Reputation si bien affermie, que ce n'est qu'après une longue suite d'années, que nous sommes venus à bout de la détruire. Mais aussi, dit-on, ces Bonnes gens, pour ne vouloir pas descendre de leurs Montagnes & se former un peu, étoient merveilleusement simples & grossiers, & n'ont guère jouï de la Vie. Ils en ont joui plus que nous. Comme chez eux les Plaisirs de la vie ne dépendoient pas des choses étrangérs, mais de ce que le Païs leur fournissoit, ils les ont goûtez tranquillement, & ils ont vécu heureux. [...] Si l'on pouvoit se transporter dans les Temps passez, comme l'on voiage dans les Païs éloignez, c'est là que l'on pourroit être tenté de voiager. La grossiere Republique d'alors donne l'idée d'un Batiment fait de pieces de Roche, qui a du Grand autant que du Solide; celle d'aujourd'hui, nôtre Nation avec la Politesse & l'Eclat dont elle cherche à se parer, ne présente à l'Imagination que Platre & Vernis. Je suis même persuadé que les Manieres, aussi bien que les Moeurs & le Caractere original de nos Peres avoient plus de véritable Bienseance que les Manieres & le Caractère que nous affectons. Le Changement à quoi ces choses là sont sujetes montre assés qu'elles ne se fondent pas sur la Nature & le Caractère de l'Homme, & tout ce qu'elles ont d'outré & de ridicule pour nous, devroit nous faire comprendre que sur tout elles ne conviennent pas au notre. Chaque Nation a le sien, que la Nature lui donne, & qui est assorti au Païs & aux circonstances de ses Habitants. De même chaque Nation a ses Manieres comme une suite nécessaire de son Caractère. Il ne faudroit changer ni l'une ni l'autre de ces choses, mais se contenter de les rectifier; il faudroit cultiver son Caractère, & lui assortir les manieres. Aller prendres des Manieres étrangeres pour les raporter chez soi, c'est chercher à devenir Etranger dans sa Patrie.»[56]

Die Ablehnung von Reisen ins Ausland wurde zum Gemeinplatz der antifranzösischen Kulturkritik helvetischer Patrioten des Ancien Régime. Der junge Haller tadelte in seinen Gedichten seine Mitbürger für das Nachäffen französischer Moden und Sitten. Der Luzerner Franz Urs Balthasar (1689–1763) griff von Muralts Idee in seinen einflussreichen «Patriotische[n] Träume[n] eines Eydgenossen, von einem Mittel, die veraltete Eydgenossenschaft wieder zu verjüngeren» (1744, Druck 1758) auf und entwickelte daraus ein nationalpädagogisches Konzept. Die in die Jahre gekommene Eidgenossenschaft sollte demnach verjüngt, das heisst erneuert werden, indem die Zöglinge aus der Elite aller eidgenössischen Orte gemeinsam in einer nationalen Erziehungsanstalt auf ihre künftige Rolle als Magistratspersonen vorbereitet wurden.

Franz Urs Balthasar zu den schädlichen Einflüssen des Auslands (1744/58)
«Wir sehen ja täglich, wie die vätterliche Sorgfalt und Begierde den Kindern ihr Glück zu machen, und sie zur Tugend anzuleiten, keine Kosten sparet, sondern alles williglich aufwendet, so weit die Kräften sich erstrecken, und wohl oft ein mehrers, um vermittelst Academien, Collegien, Kriegsdiensten und andern Mittlen, ihren Kindern eine Fähigkeit und Wissenschaft einzuflössen; sich aber mehrentheils in ihrer Vorbildung betrogen finden; massen nur allzu oft anstatt eines wohlgesitteten, ehrbaren, gelehrten jungen Menschen, ein Idiot, ein Sprachverderber, ein mit ausländischen Lastern angefüllter, ein Sauffbruder, ein Galantisierer, ein Großsprecher und Auffschneider gebildet worden, und zum Vorschein kommet; dessen gantze Kunst darinn bestehet, jenes Gut zu verschwenden so in dem Lauff eines gantzen Jahrhundert durch seine Voreltern mit saurer Müh, Arbeit und Sparsamkeit, wie von sorgfältigen Ameisen zusammen getragen worden […].

Und diß sind mehrentheils die Früchte, so die Jugend in fremden Ländern samlet; nebst deme, daß, was der junge Hänsel gelernet, der alte Hanß nicht mehr lassen, noch sich davon entwöhnen kan; welches die Thüre, dadurch Pracht, Hoffahrt, Schwelgerey, und Ausgelassenheit in das Land schleichen, sich fest setzen, und nicht mehr auszubannen sind, welche denn einen großen Theil der Burger, ja gantze Städt in den Bättel und das Elend jagen.»[57]

Balthasars eidgenössisch-republikanisches Erziehungsprogramm sah vor, dass aus jedem Kanton zehn Jünglinge aus Familien der politischen Elite in einem Seminar in der Schweiz zusammengezogen und mit Kursen in den eidgenössischen Staatswissenschaften auf ihre politischen Ämter vorbereitet werden sollten. Entschieden lehnte Balthasar Reisen ins Ausland ab. Vielmehr sollte die gemeinsame Erziehung in der Heimat den Zusammenhalt unter den Regierungspersonen der Kantone und deren gemeineidgenössischen Sinn stärken und damit der – wie sich ein anderer Autor 1789 ausdrückte – «Entschweitzerung so mancher hoffnungsvoller Jünglinge» vorgebeugt werden, die die «geistschwächende Nachäffung fremder Artigkeit» zwangsläufig nach sich ziehen musste.[58]

Balthasars Vorschlag wurde im Kreis der Helvetischen Gesellschaft diskutiert, für deren Zusammenkünfte der Zürcher Dichter und Theologe Johann Caspar Lavater seine «Schweizerlieder» verfasste. Bezeichnenderweise fügte Lavater seiner nationalpatriotischen Liedersammlung auch ein «Abschiedslied an einen reisenden Schweizer» bei. Dieses Lied sollten die Freunde all jener jungen Schweizer anstimmen, die zu einer Reise ins französische Ausland aufbrechen wollten, und der gesangliche Appell sollte diese vor «dem Verderben der grossen Welt […] erretten». Im Ausland drohten «Monarchieenluft» und «Monarchenpracht» die «Sitten Einfalt» und den «Schweizersinn» der Republikaner zu «vergiften». Am Schluss des Lieds äussern die Sänger die Befürchtung, ihr Freund werde trotz ihren Ermahnungen und trotz dem drohenden Ausschluss aus der patriotischen Wertegemeinschaft in die Fremde aufbrechen. Sie nehmen ihm deshalb zum Abschied den Schwur ab, er möge sein Vaterland immer so sehr lieben wie die Freiheit. Nicht ganz ohne Widerspruch zu ihrer vorangehenden entschiedenen Ablehnung des Aufenthalts in der Fremde verabschieden sie ihren Freund mit dem Wunsch: «Und komm unschuldig, wie du bist, / Durch neue Tugend groß, / Ein Schweizer noch, und noch ein Christ, / Zurük in unsern Schoos.»[59]

HEIMWEH – DIE SCHWEIZER KRANKHEIT

Wenn Autoren wie von Muralt, Balthasar und Lavater vor den schädlichen Nebenwirkungen von Auslandsreisen auf die Sitten der jungen Schweizer warnten, unterstellten sie die Existenz eines authentischen schweizerischen Nationalcharakters. Diesen unverfälscht zu bewahren, war für sie nicht nur ein Gebot der individuellen Moral, sondern auch patriotische Pflicht eines jeden Einzelnen, hing letztlich doch nichts weniger als die Freiheit des Vaterlandes davon ab.

Wenn die Autoren des Ancien Régime die Besonderheit des schweizerischen Nationalcharakters begründeten, argumentierten sie mit der Eigentümlichkeit des Naturraums und Klimas, die die Eigenart der Schweiz ausmachten und diese vom Ausland abgrenzten. Das Argument hatte im 18. Jahrhundert die Überzeugungskraft eines naturwissenschaftlichen Paradigmas auf seiner Seite. Die Klimatheorie und der alpine Lebensraum erklärten nicht nur, warum die Menschen aus den Bergen anders waren als die Städter, sondern auch, weshalb gerade Schweizer an Heimweh erkrankten, wenn sie die Heimat verliessen. Diese lebensbedrohende Krankheit wurde in zahlreichen Abhandlungen, Lexika und medizinischen Fallgeschichten des 18. bis frühen 20. Jahrhunderts erörtert, und zwar nicht als fantastische Einbildung geistig verwirrter Menschen, sondern als ernst zu nehmendes Problem der medizinischen Wissenschaft.

Das Heimweh-Syndrom wurde erstmals 1688 in der Basler medizinischen Dissertation des Mülhauseners Johannes Hofer (1669–1752) bezüglich seiner Ursachen, der betroffenen Personengruppen, des Krankheitsverlaufs und der Therapiemöglichkeiten beschrieben und unter dem lateinischen Begriff «nostalgia» in die Fachsprache eingeführt. Im Sinn der Humoralpathologie erklärte Hofer das Heimweh als Ausdruck einer nur in der Fremde auftretenden, krankhaften Einbildungskraft: Das Denken an das Vaterland fern von der Heimat leite die Lebensgeister im Gehirn fehl und führe zu gefährlichen Störungen sowohl der Sinneswahrnehmung als auch so vitaler Körperfunktionen wie der Verdauung und Atmung. 1710 meinte der Basler Medizinprofessor Theodor Zwinger (1658–1724), die zahlreichen Schweizer Söldner in fremden Diensten seien besonders gefährdet. Das Heimweh befalle sie, wenn sie Kuhreihen hörten, und bewege sie zur Desertion. Anders als Hofer begründete der Zürcher Naturforscher Scheuchzer das Heimweh der Schweizer 1705 mit dem Luftdruck, der im Flachland höher sei als in den Bergen und die Blutzirkulation der Schweizer in der Fremde beeinträchtige. Die tapferen Söldner erlägen somit nicht einem militärischen Gegner, sondern der höheren Gewalt der Natur. Nur die Rückkehr in die Heimat verspreche Heilung von der Krankheit, die allenfalls gelindert werden könne, wenn die Kranken an einen höher gelegenen Ort gebracht würden. Scheuchzers Luftdrucktheorie verlor in der zweiten Hälfte des 18. Jahrhunderts an Überzeugungskraft und wurde durch Erklärungen abgelöst, die das Heimweh als Folge der schädlichen Luft sowie der unvertrauten, fremden Lebensumstände betrachteten. Noch Johanna Spyri (1827–1901) liess in ihren «Heidi»-Erzählungen (1880/81) das fröhliche, unverbildete Bündner Naturkind in der Grossstadt Frankfurt an Heimweh erkranken. Geheilt wird es erst mit der Rückkehr in die Bündner Berge, die mit ihrer guten Luft auch für das seit ihrer Diphterieerkrankung gelähmte Grossstadtkind Klara Sesemann zum Ort der Genesung werden.

MANNHAFTE REPUBLIKANISCHE KRITIK AM VERWEIBLICHENDEN HÖFISCHEN LUXUS

Zahlreiche moralische und ökonomische Abhandlungen erörterten im 18. Jahrhundert in Europa die sogenannte Luxusfrage. Kontrovers diskutierten sie das Aufkommen neuer Konsumgewohnheiten und deren Folgen für die ständische Gesellschaftsordnung und die christliche Moral. Die Debatte spiegelte die steigende Warenproduktion und die zunehmende Globalisierung der Ökonomie im späten Ancien Régime wider. Die neue materielle Kultur äusserte sich nicht nur in der Vervielfältigung von Waren und Gütern aus fernen Ländern, sondern auch im beschleunigten Wandel der Moden, die der Verfeinerung des Geschmacks und der Vervielfältigung der Bedürfnisse immer neue Anreize boten.

Die Luxuskritik der geistigen Eliten in der Schweiz erhielt wegen der republikanischen Verfassung der eidgenössischen Kleinstaaten eine grundsätzliche Note. Sie registrierte, dass der Luxus keineswegs auf die städtische Oberschicht beschränkt blieb, sondern auch Bauern, Handwerker und Heimarbeiter erfasste. Auch sie konsumierten Kolonialwaren wie Kaffee, Tee, Zucker und Schokolade und schmückten ihre Kleider mit Seidenbändern. Der neuartige Konsum wurde ökonomisch als Indikator für die steigende Abhängigkeit vom Ausland und moralisch als Symptom des Zerfalls der Sitten gewertet. Mit Sorge diagnostizierte man eine zunehmende Dekadenz der Schweizer, die in geschlechterspezifischen und medizinisch-physiologischen Metaphern als Verweiblichung und als «Entnervung» im Sinn einer physischen und sexuellen Erschlaffung der Männlichkeit beschrieben wurde.

Dieser Befund war insofern beunruhigend, als die Tugend («virtus») in der Tradition des klassischen Republikanismus antiker und humanistischer Prägung als Voraussetzung für die Unabhängigkeit und innere Stabilität von Republiken galt. Die Vorbilder des antiken Sparta und Rom sowie die italienischen Bürgerhumanisten der Renaissance vor Augen, teilten die Schweizer Kritiker des Luxus die Auffassung eines Montesquieu und Rousseau, für die der Luxus das sittliche Fundament der Republik zerstörte.

Johann Heinrich Schinz' Zweifel an der Kriegstüchtigkeit seiner Landsleute (1768)

«Was ist es vorzüglich, daß den Namen der Eidsgenossen so berühmt gemacht? wodurch hat unsere kleine Republik ihre Existenz erhalten, und sich die Achtung und das Ansehn erworben, das ihr in dem grossen Systeme von Europa zugestanden ist? Wem hat sie die rühmlichen Schuz-Bündnisse der grösten Monarchen, und die schon ganze Secula hindurch unangetastet gebliebene Sicherheit von aussen zu verdanken?»

Schinz erkannte das Fundament republikanischer Eigenständigkeit und die Garantie der äusseren Sicherheit der Eidgenossenschaft in «der Unerschrokenheit und Abhärtung, dem Muth, der beständigen Waaffen-Uebung und vortreflicher Kriegs-Zucht unserer Voreltern. [...] Wenn aber ein Staat am meisten durch eben die Mittel aufrecht erhalten wird, durch die er gegründet worden, wird es nicht eine der angelegensten Fragen für uns seyn, ob wir heutigen Schweizer auch noch das nemliche Volk seyn, muthig stark, und geübt genug, die angestammte Freyheit gegen jeden Feind zu vertheidigen?»[60]

Wirtschaftliches Wachstum, steigender Wohlstand und die wachsende Bedeutung der Marktökonomie förderten laut diesen frühen Kritikern der kapitalistischen Warenwirtschaft

Eigennutz, soziale Ungleichheit sowie die Armut und gefährdeten damit den für das Überleben kleiner Republiken besonders notwendigen Gemeinsinn und die patriotische Opferbereitschaft der Bürger. Die Schweizer Zivilisationskritiker machten die zunehmende Verflechtung der Eidgenossenschaft mit dem Ausland für die moralische Korruption der Schweizer und den Niedergang ihrer Staaten verantwortlich.

Wenn die reformgesinnte eidgenössische Elite bei den Treffen der Helvetischen Gesellschaft im letzten Drittel des 18. Jahrhunderts selbstkritisch den Niedergang republikanischer Tugend und Massnahmen zu deren Wiederbelebung diskutierte, so waren diese Debatten mehr als nur schöngeistige Gedankenspiele. Sie spiegelten die reale Sorge um die politische Überlebensfähigkeit der kleinen, militärisch schwachen Republiken in einem Europa kriegerischer Grossmächte wider. Angesichts des Schicksals der polnischen Adelsrepublik, die unter die drei benachbarten Grossmächte Russland, Österreich und Preussen aufgeteilt worden war, war es mehr als eine rhetorische Frage, ob es die Eidgenossen des späten Ancien Régime noch mit der Tapferkeit ihrer Ahnen aufnehmen konnten oder ob die Annehmlichkeiten eines friedlichen Wohlstands sie nicht schon längst «mit seidenen Striken» gefesselt hatten. In der Tat sollte der desolate Zustand der eidgenössischen Militärorganisation bei der französischen Invasion 1798 manifest werden.

Zwischen Einbindung und Absonderung: Rollen und Rollenbilder des Kleinstaats im 19. und 20. Jahrhundert

Das komplexe Wechselspiel zwischen Einbindung und Absonderung prägt die politischen und wirtschaftlichen Aussenbeziehungen auch der modernen Schweiz vom frühen 19. Jahrhundert bis in unsere Zeit. Das Land wurde in den letzten 200 Jahren stärker als schon im Ancien Régime gewahr, wie es sich anders und vielfach gar gegenläufig zum europäischen Umfeld verhielt. Intellektuelle und Politiker reflektierten diesen Sachverhalt. Viele sahen die andersartige Schweiz als Vorbild für die übrigen Völker Europas; sie rechtfertigten den isolierten Sonderfall Schweiz, indem sie ihm eine höhere Sendung zuschrieben. Aussenpolitisch und diplomatisch bekundete das Land jedoch etwelche Mühe, sich in den wechselhaften politischen Ordnungen Europas zu verorten. Es pendelte zwischen zaghafter Öffnung und Einbindung in die umfassenderen politischen Zusammenhänge auf der einen Seite und der Abkapselung und Einigelung auf der anderen Seite. Die Schweizer Volkswirtschaft hingegen integrierte sich ungeachtet der hochfliegenden missionarischen Gedankenspiele und der zurückhaltenden Aussenpolitik zielstrebig in die Dynamik der globalen kapitalistischen Marktwirtschaft. Solch ökonomischer Pragmatismus kontrastierte auffallend mit der Weigerung des Kleinstaats, sich mit Verweis auf seine unverrückbare Souveränität und Neutralität politisch auf supranationaler Ebene an der Bewältigung jener Probleme zu beteiligen, die auch die Schweiz als global vernetzte Wirtschaftsmacht unmittelbar berühren. Die Ausbalancierung der Schwierigkeiten, die diese Strategie der «Integration ohne Partizipation»[61] bereitet, stellte und stellt nach wie vor eine grosse aussenpolitische Herausforderung für die Schweiz dar.

Anders (und besser): die Erfahrung des Sonderfalls

Das schweizerische Sonderfalldenken schärfte sich recht eigentlich im 19. und 20. Jahrhundert. Im Vergleich mit den übrigen europäischen Ländern traten nun die Ausnahmestellung und Isolierung der Schweiz markanter hervor als früher. Aus der einseitigen Bewertung dieser Differenzen kristallisierte sich das schweizerische Sonderfalldenken heraus. Bilanzierte man die eigenen Vor- und Nachteile gegenüber dem europäischen Umfeld, so gewann man im Kleinstaat zunehmend den Eindruck, ein besseres Los als die anderen Staaten gezogen zu haben. Dieses Gefühl nährte die Überzeugung, ein exzeptioneller Sonderfall zu sein, der sein Glück allein dem Umstand verdankte, sich erfolgreich vom Rest Europas abgegrenzt beziehungsweise ihm widerstanden zu haben.

Anders als im übrigen Europa, wo sich die politische Landkarte zwischen 1789 und 1815 radikal veränderte, blieb in der Schweiz nach der revolutionären und napoleonischen Umbruchszeit fast alles beim Alten. Während das Heilige Römische Reich deutscher Nation 1806 unterging und die allermeisten kleinen und mittleren politischen Gebilde in Europa (kleine Fürstentümer, Kloster- und Adelsherrschaften, Stadtstaaten, Republiken) aufgehoben und grösseren Staaten zugeschlagen wurden, existierte nach 1815 in der Schweiz ein Konglomerat von nunmehr 22 souveränen Klein- und Kleinststaaten unter einer schwachen Bundesgewalt fort. Während in Europa die Moderne mit der gründlichen Überwindung zahlreicher Partikularismen aus der ständisch-korporativen Gesellschaft des Ancien Régime einsetzte, die Staaten grösser wurden und innere Reformen eine einheitliche Gesellschaft von Untertanen beziehungsweise Staatsbürgern herbeiführten, konservierten sich in der Schweiz die lokalen und kantonalen Besonderheiten, fassbar in einem ausgeprägten Föderalismus und in der starken Autonomie der Korporationen und Gemeinden.[62]

Herbert Lüthy charakterisiert die moderne Schweiz als
«Allianz auseinanderstrebender Partikularismen» (1961)
«Alle modernen Staaten haben sich gebildet, indem sie
den Partikularismus ihrer konstituierenden Teile bekämpften; die Schweiz hingegen ist entstanden und hat sich
durch oft schwere Krisen ihrer Geschichte erhalten gerade
durch den Partikularismus ihrer Landesteile, ihrer ‹zweiundzwanzig Völkerschaften›, um den malerischen Ausdruck
aus ihrem Grundgesetz nochmals zu gebrauchen. Die
ganze Existenz und vor allem das ganze Selbstbewusstsein
dieses Landes beruht auf diesem Paradox. [...] Aber die
Schweiz ist kein Vernunftsgebilde; sie lässt sich nur historisch definieren. Diese augenscheinliche Verwirrung ist
das Abbild ihrer langen Geschichte, deren verschiedene
Epochen – loses Geflecht von Einzelbünden, einheitlicher
Staatenbund, Bundesstaat unter einer gemeinsamen
Bundesbehörde – aufeinander folgten, ohne dass je die
Gegenwart die Vergangenheit aufgehoben hätte:
Alle alten Formen bleiben in der neuen bestehen.»[63]

Während sich in Europa 1815 das monarchische Prinzip durchsetzte, blieb die Eidgenossenschaft als einzige Republik Alteuropas übrig. Venedig, Genua, Lucca, Ragusa und die zahlreichen Reichsstädte wurden grösseren Monarchien einverleibt oder erhielten – wie die Niederlande – selber einen König.

Unter den 22 Schweizer Republiken behielten einige auch nach 1815 trotz den vorherrschenden restaurativen Tendenzen ihre liberale Staatsverfassung mit parlamentarischer Demokratie bei. Mit den Revolutionen 1830/31 erweiterte sich der Kreis der liberal-radikalen Kantone nochmals, sodass die Schweiz definitiv eine staatsrechtliche und ideologische Sonderzone sowie ein Hort des Liberalismus in Europa wurde. Sie bot verfolgten Liberalen aus dem Ausland Zuflucht und diente als Plattform für liberale Bewegungen in den Nachbarländern. Damit war sie den konservativ-reaktionären Monarchen in Europa mehr als nur ein Dorn im Auge. Letztlich behauptete sich der politische Liberalismus in der Schweiz, wo 1847/48 die einzige erfolgreiche Revolution in Europa stattfand. Der freisinnig-liberale Bundesstaat stellte seitdem ein alternatives Staats- und Politikmodell in Europa dar, das die konstitutionellen Grundprinzipien für eine moderne föderalistische Republik – mangels eines europäischen Vorbildes – in der Verfassung der USA fand und diese mit dem Referendum (1874), der Verfassungsinitiative (1891) sowie dem Staatsvertragsreferendum (1921 beziehungsweise 1977/2003) um direktdemokratische Elemente ergänzte. Die verfassungsrechtliche Verknüpfung des demokratischen Volkswillens mit dem Willen der Gliedstaaten sowie ein hohes Mass an politischer Teilhabe für die Bürgergesellschaft integrierten seitdem die zentrifugalen, partikularistischen Kräfte eines in mancher Hinsicht uneinheitlichen Landes zu einer politischen Nation.

Als in Deutschland und Italien – den beiden letzten grossen Ländern mit ausgesprochen kleinstaatlicher Struktur – im Verlauf des 19. Jahrhunderts nationale Einigungsbewegungen zur Bildung grosser Nationalstaaten mit starker Zentralgewalt führten und diese sich als einheitliche Sprach- und Kulturnationen definierten, akzentuierte sich die Andersartigkeit des Kleinstaats Schweiz. In Ermangelung einer sprachlich-kulturellen, ethnischen, konfessionellen oder dynastischen Klammer musste er seinen nationalen Zusammenhalt anders begründen. Seine Unzeitgemässheit äusserte sich auch darin, dass innerhalb seiner Grenzen im Gegensatz zur multikulturellen Habsburger Monarchie keine Nationalitätenkonflikte entbrannten. Vielmehr entwickelte der Bundesstaat alternativ zum Konzept der einheitlichen Sprach- und Kulturnation die Idee der mehrsprachigen, multikulturellen und föderalistischen Willensnation Schweiz, die die politische Einheit in der Vielheit und das friedliche Zusammenleben von Angehörigen dreier bedeutender europäischer Kulturnationen – und damit letztlich die Entkoppelung von politischer Nation und Kulturnation – als Stärken ihrer besonderen Nationalidee entdeckte.

Die Differenz zum europäischen und globalen Umfeld wuchs unter dem Eindruck des Aufkommens des Kolonialismus, Imperialismus und Totalitarismus im 19. und frühen 20. Jahrhundert. Die Schweiz hatte politisch keinen Anteil an der europäischen Expansion und an der Errichtung der grossen Kolonialreiche. Sie hielt sich als kleines, neutrales Land aus der schärfer werdenden Konkurrenz zwischen den imperialistischen Mächten heraus. Und als sich in den 1920er- und 1930er-Jahren nicht nur bei den Nachbarn Deutschland, Österreich und Italien, sondern auch in mehreren Klein- und Mittelstaaten Ost- und Südosteuropas autoritär-totalitäre Diktaturen installierten, hob sich die Schweiz nochmals vom europäischen Umfeld ab, weil solche Strömungen hier weit davon entfernt blieben, mehrheitsfähig zu werden.

Karl Schmids Gedanken über das Bedürfnis des Kleinstaats, sich als Ausnahme zu erklären (1964)
«Das Bedürfnis der Nation, sich einen geistigen Umriss zu geben, ist im Kleinstaat aus vielen Gründen stärker als bei den großen Nationen. Man will die Ausnahme erklären und rechtfertigen. Großstaaten überdauern noch lange, auch wenn ihre Staatsidee verdunkelt wurde. Der Kleinstaat aber, den keine eigene Sprache und keine eigene Rasse, kein Herrscherhaus und keine spektakulären politischen Erfolge befestigen, bedarf einer klaren nationalen Staatsidee. Er muß mit sich selbst im Reinen sein, sonst wird er zum wehrlosen Spielball der großen Politik.»[64]

Die Überzeugung, vom Schicksal, von der Geschichte oder gar von Gott auserwählt zu sein, festigte sich definitiv unter dem Eindruck der Kriegskatastrophen des 20. Jahrhunderts. Von beiden Weltkriegen und deren leidvollen Prüfungen verschont geblieben zu sein und im Zweiten Weltkrieg als Insel des Friedens die mehrjährige, vollständige Einkreisung durch die Achsenmächte durchgestanden zu haben, bestärkte das Land in der Idee, letztlich auf sich allein gestellt zu sein und nur sich selber vertrauen zu können. Die wiederholte Erfahrung, als Sonderfall gegen den Lauf der Geschichte überlebt zu haben, förderte eine grundsätzlich pessimistische bis abweisende kollektive Haltung gegenüber Europa und der Welt und zugleich die schiefe Wahrnehmung, Europa und die Welt hätten nicht ihren Teil zur Ermöglichung des Sonderfalls beigetragen. Diese Sicht der Dinge blendet aus, dass das System des Gleichgewichts der Mächte und deren Interesse an der Existenz eines neutralen Puffers im zentralen Alpenraum die Eigenständigkeit der Schweiz über die Zeit der napoleonischen Flurbereinigung hinüberrettete, dass die Alliierten im Zweiten Weltkrieg auch die Schweiz von Nazi-Deutschland befreiten, dass auch der neutrale Kleinstaat im Kalten Krieg unter dem atomaren Schutzschild der USA Platz fand und er ebenso wie der Rest Europas dankbar sein sollte, dass der Kontinent dank der Nato und den europäischen Institutionen die krisenträchtige Umbruchzeit nach dem Fall des Eisernen Vorhangs 1989/90 weitgehend ohne Konflikte überstand.

Anders (und vorbildlich): die Rechtfertigung des Sonderfalls

Als die Schweizerische Eidgenossenschaft nach der revolutionären Umbruchszeit um 1800 als Solitär in der europäischen Staatenwelt fortbestand, warfen Politiker und Intellektuelle des In- und Auslands immer wieder die Frage nach der Raison d'Être und Legitimität dieses kleinstaatlichen Sonderfalls auf. Wer die Kontinuität und Stabilität der Schweiz mit den Zäsuren und Umwälzungen in Europa in den letzten 200 Jahren verglich, suchte nach Erklärungen für die glückhafte Andersartigkeit der Schweiz. Denker und Schriftsteller charakterisierten die Schweiz – wie Michael Böhler feststellte[65] – als einen anderen Raum, als einen Ort ausserhalb aller Orte (Heterotopie). Die Schweiz erschien ihnen als tatsächlich realisierte Utopie. Die «Wechselbespiegelungen Schweiz–Europa»[66] besetzten den Raum Schweiz in Absetzung zu Europa mit starken Werten. Diese normativen Aufladungen waren bemerkenswert nachhaltig und entfalteten ihre Virulenz je nach innen- und aussenpolitischer Problemlage zu verschiedenen Zeiten.

DIE SCHWEIZ ALS GEGEN-EUROPA

Die Raumvorstellung der Schweiz als ein Gegen-Europa wurzelt in der Idee der Schweiz als Land der Alpen, der Freiheit und der Demokratie. Sie nutzt das Argumentationsrepertoire, das die Schweizer Aufklärer des 18. Jahrhunderts für ihre Beschreibung des helvetischen Nationalcharakters anlegten. Sie akzentuiert die naturräumliche, kulturelle und politische Einzigartigkeit des Landes. Die Schweiz wird als Lebensraum eines natürlichen, freien Volkes beschrieben, das im Schutz seiner Berge und des alpinen Klimas vor den Gefahren der fremdartigen Zivilisation bewahrt blieb, das ein ursprüngliches, gesundes, unverdorbenes Menschentum lebt und ein Gesellschafts- und Politikmodell entwickelt hat, das sozialen Ausgleich und ein friedliches Zusammenleben ermöglicht. Diese Ideen leiten seit Langem jene Abgrenzungsdiskurse an, die Einflüsse von aussen (zum Beispiel Luxus, fremde Sitten, Mentalitäten und Religionen, unrepublikanische Staatsformen) und die Kontakte mit dem Fremden als Gefährdungen des nationalen Wesens auffassen. Sie mobilisieren in Zeiten der äusseren Gefahr die Kräfte des Widerstands und rechtfertigen die Einigelung der Schweiz und deren Rückzug auf sich selbst. Vor dem Verlust der Freiheit und (kulturellen, politischen) Eigenständigkeit können dieser Auffassung zufolge nur entschiedener Widerstand gegen beziehungsweise konsequente Ausgrenzung des Fremden bewahren. Bemerkenswerterweise repatriiert beziehungsweise nationalisiert diese Sichtweise – ohne sich dessen in der Regel bewusst zu sein – Bilder der Schweiz, an denen vielfach philhelvetische ausländische Reisende, Maler und Schriftsteller seit dem 18. Jahrhundert mitgemalt haben. Zu einem Gegen-Europa wird die Schweiz auch in all jenen politischen Abgrenzungsbemühungen stilisiert, die das Verhältnis des Landes zum politischen Umfeld gerne mithilfe der Analogie des Beziehungspaars David/Goliath beschreiben. Die Besetzung der Rolle des bösen, fremden Goliaths, gegen den sich David erfolgreich zur Wehr setzt, wechselte im Verlauf der Zeit. Nacheinander spielten sie die bösen Vögte, die Habsburger, der Burgunder Karl der Kühne, die benachbarten kriegerischen Grossmächte, das napoleonische Frankreich, die grossen Nationalstaaten, Hitler-Deutschland und schliesslich die Sowjetunion. Zuletzt hat diese Sicht auf die Schweiz als ein Gegen-Europa die Europäische Union beziehungsweise Brüssel als neues Feindbild identifiziert. Ohne Goliath scheint David nicht zu wissen, wer er ist.

«VERSCHWEIZERUNG»: LOB UND SCHMÄHUNG KLEINSTAATLICHER MACHTLOSIGKEIT

«Verschweizerung» bezeichnet die politische Haltung eines Staatswesens, das durch Kleinstaatlichkeit, Neutralität sowie politische Ohnmacht und Bedeutungslosigkeit charakterisiert ist. Je nach Auffassung des Sprechers wird diese Haltung als zivilisatorisch überlegen gepriesen oder als schwächlich und verantwortungslos geschmäht. Für die eine Auffassung steht Jacob Burckhardts Lob des genügsamen Kleinstaats, der sich positiv als humane Alternative vom machtversessenen, expansiv-aggressiven Grossstaat abhebt, der im Innern kulturelle Vielfalt gewährleistet und die grösstmögliche Zahl von Staatsangehörigen an den Freiheiten der Bürgergesellschaft teilhaben lässt. Verschweizerung als politische Option zieht dieser Sichtweise zufolge das Recht der Macht vor und wertet Friedenspolitik höher als Machtpolitik. Für die andere Auffassung steht etwa Max Weber mit seinem 1916 vorgetragenen Appell gegen die «Verschweizerung» Deutschlands. Im Weltkrieg habe sich Deutschland, so Weber, seiner Verantwortung vor der Geschichte zu stellen und sich als Grossmacht der «Überschwemmung der ganzen Welt» durch Russland und Frankreich entgegenzuwerfen. Damit rette Deutschland nicht nur sich selber, sondern auch ein Deutschtum ausserhalb seiner Grenzen. Damit meinte er die «kleinen» Völker der Schweizer, Dänen, Holländer und Norweger, die im Unterschied zum Machtstaat Deutschland «den Panzer großer Militärstaaten nicht tragen können (und also auch nicht zu tragen historisch verpflichtet sind)». Der deutsche Militärstaat schütze indirekt auch die Schweiz, die Weber zufolge bei einer Niederlage Deutschlands sofort den «Annexionsgelüsten» Italiens zum Opfer fallen würde. «In der antimilitaristischen ‹Neutralität› der Schweizer und ihrer Ablehnung des Machtstaats liegt gelegentlich ebenfalls ein gut Teil recht pharisäischer Verständnislosigkeit für die Tragik der historischen Pflichten eines nun einmal als Machtstaat organisierten Volkes.»[67] Noch heute bezeugt der Ausdruck «Verschweizerung» seine Ambivalenz. Er bringt zum einen die positive Erwartung zum Ausdruck, der europäische Integrationsprozess werde sich ein Vorbild an der föderalistischen Schweiz nehmen und die Einheit in der Vielheit realisieren, und er kritisiert zum anderen die machtpolitische Schwäche der Europäischen Union, die zwar wirtschaftlich als Supermacht auftrete, wegen ihrer zentrifugalen nationalstaatlichen Partikularismen aber keine eigenständige aussenpolitische Kraft neben den USA, Russland und zunehmend auch China darzustellen vermöge.[68]

SENDUNGSGEDANKEN: DIE SCHWEIZ ALS MODELL

Der Gedanke, die Schweiz sei das Vorbild für Europa, stellt die wirkungsmächtigste Wertbesetzung des schweizerischen Raums dar. Nicht nur integrierte diese Vorstellung mehrere Schweizer Alleinstellungsmerkmale, sie adelte darüber hinaus das Sonderfalldenken, indem sie es moralisch mit der Idee einer Sendung der Schweiz für die Völker Europas erhöhte. Sie begründete die Zugehörigkeit der Schweiz zu Europa mit der anspruchsvollen Idee, Europa ginge es besser, wenn es dem helvetischen Erfolgsmodell gefolgt wäre.

Der französische Dichter und Philosoph Paul Valéry (1871–1945) preist die Schweiz als glückliche Insel und Inbegriff eines vollkommenen Gemeinwesens (1943) «La Suisse est une île que nous pensons heureuse. [...] Paix, liberté, prospérité y sont les fruits d'une volonté de perfection sociale poursuivie depuis des siècles. [...] La Suisse est l'oeuvre de son peuple citoyen, qui mérite les biens matériels et spirituels dont il jouit au centre même d'une étendue de détresse sans exemple. [...] Tout le monde doit consentir que la Suisse est un état modèle qui a su patiemment et heureusement résoudre presque tous les problèmes qui font depuis des siècles le malheur du reste de l'Europe et tourmentent aujourd'hui le monde entier. [...] Mais on observe en Suisse la diversité et le contact le plus paisible des populations qui s'accordent à conserver leurs différences de langage, de caractère, de croyances, d'usages et de lois civiles. Il y a longtemps que les Suisses ont compris que la diversité est une richesse qu'il ne faut ni laisser se corrompre en antagonismes, ni se dissoudre en unité systématique. Ce pays est un sage.»[69]

Daniel Frei identifizierte drei grosse Sendungsgedanken, die seit der Spätaufklärung und insbesondere im liberalen Bundesstaat bis in die Mitte des 20. Jahrhunderts die Überlegungen von Schweizer Autoren sowie das Urteil von Sympathieträgern im Ausland anleiteten.[70] Er deutete die Penetranz, mit der die Schweiz den Völkern Europas ihre Sendungsgedanken mitteilen und diesen als Vorbild dienen wollte, psychologisch aus der Not des isolierten Sonderfalls: «Das Bewusstsein, mit der Ausnahmestellung etwas Überlegenes, in höheren Grundsätzen Wurzelndes zu vertreten, gab den Schweizern die Kraft, die Isolierung auszuhalten. [...] Die Sendungsgedanken mehrten den Stolz der einzelnen, diesem Staat anzugehören, und sie festigten damit den inneren Zusammenhalt der Nation in Zeiten der Anfechtung der nationalen Existenz von außen. [...] die durch die Geschichte gegebene Isolierung schuf so einen geistig-politischen Isolationismus [...].»[71]

1. Die republikanisch-demokratische, föderalistische, neutrale Schweiz als politisches Vorbild:[72] Seit der Aufklärung existiert die Vorstellung von der Eidgenossenschaft als freier Musterrepublik. Der Pioniercharakter der demokratisch-republikanischen Schweiz profilierte sich im Kontrast zu den europäischen Monarchien bis 1918, zu den autoritär-totalitären Regimes der 1920er-Jahre bis 1945 sowie zu den Staaten unter dem Einfluss des Sowjetkommunismus während des Kalten Kriegs. Zum Modell helvetischer Staatlichkeit gehören – im Innern – ein subsidiäres Staatsverständnis, in dem sich Gemeinden, Kantone und Bund bei der Erfüllung der öffentlichen Aufgaben ergänzen, und – nach aussen – das Bekenntnis des neutralen Kleinstaats, mit sich zufrieden zu sein und im friedlichen Einvernehmen mit seinen Nachbarn leben zu wollen. Kommunalismus und Föderalismus kontrastieren dabei mit dem Zentralismus und der Idee der Einheit und Unteilbarkeit des Staats, die neutral-kleinstaatliche Bescheidung mit der militärischen Option der Grossmacht.

In der Zwischenkriegszeit wiesen die Genfer Historiker William E. Rappard (1883–1958) und William Martin (1888–1934) auf Analogien zwischen der alten Eidgenossenschaft und dem neu gegründeten Völkerbund hin; in beiden Fällen handelte es sich für sie um den Versuch autonomer Kommunen beziehungsweise souveräner Staaten, ein kollektives Sicherheitssystem zu entwickeln und die höhere Idee einer dauerhaften, überstaatlichen Friedensordnung zu verwirklichen. Als nach dem Zweiten Weltkrieg das Projekt einer europäischen Einigung konkreter wurde, brachten Schweizer Intellektuelle wie der Kulturphilosoph Denis de Rougemont (1906–1985), der Historiker Herbert Lüthy (1918–2002) oder der Staats- und Völkerrechtler Dietrich Schindler (*1924) die föderalistische Erfahrung beim pluralistischen Aufbau politischer Ordnungen und die bundesstaatliche Verfassung der Schweiz als Vorlage für europäische Integrationsprojekte in die Diskussion ein. De Rougemont hatte schon 1940 den Einsatz für eine föderalistische Ordnung Europas als genuinen Auftrag der Schweiz bezeichnet und diese später wiederholt an deren Rolle im europäischen Integrationsprozess erinnert, denn: «Die Schweiz ist aus Europa hervorgegangen und kennt sein Geheimnis.»[73] Wollte sich die Schweiz aktiv in diesen Prozess einbringen, könnte sie die Rolle eines Wegweisers für die europäische Zukunft übernehmen, ansonsten sie mit ihrem Abseitsstehen in ein «Museum» oder «in eine Art Nationalpark Europas» verwandelt zu werden drohte. In einem künftig vereinten Europa mit aktiver Schweizer Beteiligung würde das Land seine Mission erfüllt sehen, wenn es als neutraler Bundesdistrikt im Herzen des Kontinents die Behörden der europäischen Föderation beherbergte und diese beschützte. De Rougemont war sich selber allerdings sehr wohl bewusst, dass seine Einwürfe mit der zurückhaltenden Europapolitik des Bundesrats und mit der verbreiteten aussenpolitischen Skepsis seiner Landsleute schwer zu vereinbaren waren.[74] Weniger enthusiastische Europäer als de Rougemont wiesen allerdings auch auf die grossen Unterschiede hin, «die die Wirklichkeit des schweizerischen Föderalismus vom Traumbild einer europäischen Föderation trennten». Sie vermerkten die Schwierigkeiten in der Anwendung des eidgenössischen Rezepts, das selber Jahrhunderte bis zur Vollendung benötigt hatte und mehrmals nach heftigen Krisen neu hatte aufgesetzt werden müssen.[75]

2. Die Idee der Völkerversöhnung:[76] Die Vorbildlichkeit der Schweiz wurde auch darin gesehen, eine Lösung für das friedliche Zusammenleben verschiedener Sprach-, Kultur- und Religionsgemeinschaften gefunden zu haben. Die Bundesverfassung von 1848 enthielt demzufolge die Zauberformel, wie der Wunsch nach nationaler Einheit mit dem Respekt vor der kulturellen Vielfalt und dem Schutz von Minderheiten versöhnt werden konnte. Eingedenk der Tatsache, dass auch die Schweizer Lösung von 1848 erst nach einem Krieg möglich geworden war, wurde das Modell der «Helvetia mediatrix» – der vermittelnden und versöhnenden Schweiz – gerne als geglückte Alternative zu den schärfer werdenden Nationalitätenkonflikten des 19. und 20. Jahrhunderts vorgestellt. Als Kontaktzone zwischen der deutschen, französischen und italienischen Kultur erschien die Schweiz gleichsam als Europa im Kleinformat, als das europäischste der Länder auf dem alten Kontinent.[77] Gegen das agonale, übersteigerte Nationalitätsbewusstsein der grossen Nachbarn wollte das Schweizer Modell das den Kulturen Gemeine, allgemein Menschliche herausheben und auf den friedlichen Austausch zwischen den Kulturen hinwirken.

Carl Hilty (1833–1909), Staats- und Völkerrechtler und politischer Denker, zur geschichtlichen Überlegenheit der Schweizer Nationalidee (1875)
«Nicht Race, nicht Stammesgenossenschaft, nicht gemeinsame Sprache und Sitte, nicht Natur und Geschichte haben den Staat schweizerischer Eidgenossenschaft gegründet [...]. Alles, was Natur, Sprache, Blut, und Stammeseigenart vermag, zieht die Schweizer viel mehr auseinander, als zusammen, nach Westen, nach Norden, nach Süden zu ihren Stammesgenossen. [...] Was die Schweiz zusammenhält gegenüber und inmitten dieser grossen Reiche ihrer nächsten Blutsverwandten und Stammesgenossen, ist ein idealer Zug, das Bewusstsein, einen in vielen Hinsichten besseren Staat zu bilden, eine Nationalität zu sein, die hoch über der blossen Bluts- und Sprachenverwandtschaft steht».[78]

In den 1920er-Jahren erkannte der Zürcher Komparatist Fritz Ernst (1889–1958) in der Rolle der «geistigen Mittlerin» eine zentrale kulturelle Leistung der Schweiz im Dienst Europas. Er verwies auf jene Schweizerinnen und Schweizer, die in einem höheren Sinn als Übersetzer zwischen den nationalen Kulturen gewirkt hatten: Beat Ludwig von Muralt brachte England dem Publikum auf dem Kontinent näher, Germaine de Staël (1766–1817) prägte die Sicht der französischen Elite auf das Deutschland der Romantik, Jacob Burckhardt (1818–1897) erschloss dem europäischen Bildungsbürgertum die Renaissance Italiens. In der patriotischen Aufwallung der «geistigen Landesverteidigung» der späten 1930er-Jahre wurde der Gotthard zum Symbol für «den Sinn und die Sendung des eidgenössischen Staatsgedankens» erhoben, der im Gegensatz zu den grossen europäischen Nationalstaaten aufzeigte, in welchem staatlichen Rahmen eine geistige Gemeinschaft der Völker und Kulturen möglich wurde.

Der schweizerische Bundesrat zur europäischen Sendung des eidgenössischen Staatsgedankens (1938)
«Es kommt nicht von ungefähr, dass die ersten eidgenössischen Bünde sich um den Gotthardpass lagerten. Diese Tatsache war providentiell und wesentlich für den Sinn und die Sendung des eidgenössischen Staatsgedankens. Am Gotthard entspringen die drei Ströme, durch die wir den drei für die Geschichte des Abendlandes bedeutungsvollsten Lebensräumen verbunden sind: Rhein, Rhone und Tessin. Der Berg der Mitte trennt und verbin-

det diese drei geistigen Lebensräume. Es wäre ein naturwidriges Unterfangen, die Kultur unseres Landes von der kulturellen Gemeinschaft mit den drei Lebensräumen losreissen zu wollen, denen wir weitgehend verbunden sind. [...] Es ist doch etwas Grossartiges, etwas Monumentales, dass um den Gotthard, den Berg der Scheidung und den Pass der Verbindung, eine gewaltig grosse Idee ihre Menschwerdung, ihre Staatswerdung feiern durfte, eine europäische, eine universelle Idee: die Idee einer geistigen Gemeinschaft der Völker und der abendländischen Kulturen!»[79]

1938 wurde das Rätoromanische als vierte Landessprache in der Bundesverfassung verankert. Volk und Stände bekannten sich mit diesem sprachen- und kulturpolitischen Entscheid nicht nur zur Mehrsprachigkeit, Multikulturalität sowie zum innerschweizerischen Sprachenfrieden, sondern setzten auch ein Zeichen gegen den aggressiven, inhumanen Nationalismus Deutschlands und Italiens, der sich anschickte, Europa in den Abgrund zu reissen.

Gegen eine allzu verklärte Sicht auf die friedliche Koexistenz der Sprachen und Kulturen im schweizerischen Raum ist allerdings darauf hinzuweisen, dass auch diese in Vergangenheit und Gegenwart immer wieder gefährdet war. Angesichts der tiefen Spaltung der Schweiz in zwei Lager, die im Ersten Weltkrieg jeweils mit den gegnerischen Kriegsparteien sympathisierten, musste der Schriftsteller und spätere Nobelpreisträger Carl Spitteler (1845–1924) seine Landsleute an den «Schweizer Standpunkt» erinnern, das heisst an die Neutralität der Schweiz, die für ihn 1914 aus Gründen der inneren Einheit geboten war.

Carl Spitteler mahnt zur Bescheidenheit und erinnert die gespaltene Schweiz an ihren «Standpunkt» (1914)
«Zum Schluss eine Verhaltungsregel, die gegenüber sämtlichen fremden Mächten gleichmässig Anwendung findet: die Bescheidenheit. Mit der Bescheidenheit statten wir den Grossmächten den Höflichkeitsdank dafür ab, dass sie uns von ihren blutigen Händeln dispensieren. Mit der Bescheidenheit zollen wir dem todwunden Europa den Tribut, der dem Schmerz gebührt: die Ehrerbietung. Mit der Bescheidenheit endlich entschuldigen wir uns. – ‹Entschuldigung? Wofür?› Wer jemals an einem Krankenbett gestanden, weiss wofür. Für einen fühlenden Menschen

bedarf es der Entschuldigung, dass er sich des Wohlbefindens erfreut, während andere leiden. Vor allem nur ja keine Überlegenheitstöne! Keine Abkanzeleien! Dass wir als Unbeteiligte manches klarer sehen, richtiger beurteilen als die in Kampfleidenschaft Befangenen, versteht sich von selber. Das ist ein Vorteil der Stellung, nicht ein geistiger Vorzug. [...] Und da wir doch einmal von Bescheidenheit sprechen, eine schüchterne Bitte: Die patriotischen Phantasien von einer vorbildlichen (oder schiedsrichterlichen) Mission der Schweiz bitte möglichst leise. Ehe wir andern Völkern zum Vorbild dienen könnten, müssten wir erst unsere eigenen Aufgaben mustergültig lösen. Mir scheint aber, das jüngste Einigkeitsexamen haben wir nicht gerade sehr glänzend bestanden.»[80]

Sowohl die bekannte Metapher vom «Röstigraben» als auch die schulpolitische Kontroverse unserer Tage, ob in der Deutschschweiz Französisch oder Englisch als erste Fremdsprache in der Volksschule unterrichtet werden soll, erinnern an die Grenzen des helvetischen Modells. Dieses wurzelt faktisch weniger in der selbstverständlichen Vertrautheit der Schweizerinnen und Schweizer mit der Kultur und Sprache der jeweils anderen Landesteile, sondern in einer allseits akzeptierten föderalistischen Praxis des «Leben und Lebenlassens». Diese gewährt den Landesteilen hohe Autonomie. Damit entlastet sie sie davon, die Belastbarkeit des Sprachenfriedens dauernd testen zu müssen, gewährleistet aber zur allgemeinen Zufriedenheit die Funktionstüchtigkeit des «service public» innerhalb der nationalen politischen Zweckgemeinschaft.

3. Die Idee des humanitär-karitativen Wirkens:[81] Das humanitäre und karitative Engagement der Schweiz wurzelt in der Überzeugung, dass die aussenpolitische Haltung der Neutralität nicht mit gefühlsloser Teilnahmslosigkeit angesichts des menschlichen Leids in der Welt verwechselt werden dürfe. Vielmehr sollte das Abseitsstehen den vom Krieg nicht berührten Kleinstaat zu tätiger Anteilnahme und zur grosszügigen Hilfe an die leidenden Völker bewegen.

Im nationalen und internationalen Bild der Schweiz ist dieser Sendungsgedanke untrennbar mit der auf eine Genfer Privatinitiative zurückgehenden Gründung des Internationalen Komitees vom Roten Kreuz (IKRK) im Jahr 1863 verknüpft. Einen zweiten nationalen Erinnerungsort der humanitären Schweiz beherbergt die Stadt Luzern seit 1889 mit dem sogenannten Bourbaki-Panorama. Das Rundgemälde von 1881 stellt den Grenzübertritt der Armee des französischen Generals Bourbaki im Februar 1871 im Neuenburger und Waadtländer Jura dar. Damals gelangten 87 000 Militärpersonen und 12 000 Pferde, die im Deutsch-Französischen Krieg abgedrängt worden waren, nach ihrer Entwaffnung in die Schweiz, wo sie von der Zivilbevölkerung aufgenommen und für mehrere Wochen interniert wurden. Im Ersten Weltkrieg fanden über 12 000 Kriegsgefangene unterschiedlicher Nationalitäten und zwischen 1939 und 1945 insgesamt 104 000 ausländische Militärangehörige Aufnahme in der Schweiz. Die Vermittlung in internationalen Konflikten sowie die Übernahme sogenannter Guter Dienste für die Aufrechterhaltung der diplomatischen und politischen Kommunikation zwischen verfeindeten Staaten ohne diplomatische Beziehungen sind weitere Elemente dieses Sendungsgedankens, der noch heute in aussen- und neutralitätspolitischen Diskussionen als Argument für eine weitgehend passive Aussenpolitik sowie für die strikte Bewahrung der Neutralität ins Feld geführt wird.

Die Entwicklung der politischen Lage in Europa seit dem Ende des Zweiten Weltkriegs brachte es mit sich, dass der Sonderfallstatus der Schweiz und mit ihm die helvetischen Sendungsgedanken stark an Bedeutung verloren haben. In Westeuropa ist die Demokratie seit der zweiten Hälfte der 1940er-Jahre und in den Ländern Mittel- und Osteuropas seit dem Ende des Kalten Kriegs zum Normalfall geworden. Der Ost-West-Gegensatz der Nachkriegszeit ist überwunden und hat einer diffuseren internationalen Lage Platz gemacht. Der Krieg ist auf dem Kontinent zwar nicht verschwunden, aber dank der diplomatischen, militärischen und humanitären Interventionsfähigkeit supranationaler Organisationen (Nato, EU, OSZE, Uno, IKRK) ein Ereignis von relativ kurzer Dauer und begrenzter räumlicher Reichweite geworden. Europa ist als Kontinent von Kleinstaaten «schweizerischer» geworden: 13 Mitgliedstaaten der Europäischen Union verzeichnen eine kleinere Bevölkerungszahl als die Schweiz. Zusammen mit den mittleren Staaten stellen sie innerhalb der EU klar die Mehrheit gegenüber den fünf Grossstaaten Deutschland, Frankreich, Grossbritannien, Italien und Spanien. In Italien, Spanien und Belgien erhielten sprachliche und kulturelle Minderheiten im Rahmen föderalistischer Staatsreformen mehr Autonomie.

Schon in den frühen 1960er-Jahren hatte Herbert Lüthy ein abnehmendes internationales Interesse am Rezept für das Schweizer «Miniaturmodell einer zukünftigen Völkergemeinschaft» diagnostiziert und gemeint: «Inzwischen denkt niemand mehr daran, uns nach unserem Rezept zu fragen, und wir sind darüber ein wenig enttäuscht; wir beginnen uns sogar etwas einsam zu fühlen, in unsere eigene Geschichte und in unsere allzu lebendige Vergangenheit eingeschlossen, während um uns herum Europa seine tote Vergangenheit abzuwälzen und neue Wege zur Einheit zu finden sucht. Bei dieser Suche aber stand die Schweiz fast verärgert abseits.»[82] Lüthy bemerkte schon damals, der Schweizer Durchschnittsbürger stürze bei der Frage, «in welchem internationalen Konflikt und zwischen welchen Parteien er und sein Land denn eigentlich neutral seien», in grosse Verlegenheit. Mochte dies damals noch eine gewagte Feststellung sein, so zeigen die zahlreichen Reformen der Schweizer Armee und die drastische Reduktion ihres Truppenbestandes seit dem Ende des Kalten Kriegs, dass der Wandel der Sicherheitslage und die neuen Bedrohungsszenarien auch am zentralen Instrument zur bewaffneten Durchsetzung der Neutralität nicht spurlos vorbeigegangen sind.

Die Aussenbeziehungen einer kleinen, neutralen, besonderen Republik

In den wechselhaften Mächtekonstellationen des 19. und 20. Jahrhunderts musste die Schweiz ihre Beziehungen zur Staatenwelt regeln und ihren Platz unter den Völkern finden. Dies galt umso mehr, als ihre Verflechtung mit der Welt sich weiter verstärkte. Im 19. Jahrhundert wanderten so viele Schweizerinnen und Schweizer nach Übersee aus wie nie davor und nie mehr danach. Die Schweizer Volkswirtschaft setzte die frühneuzeitliche Tradition der transnationalen kommerziellen Verflechtung fort und fügte sich in die kapitalistische Weltwirtschaft ein. In den neuen Staatenordnungen, die jeweils mit dem Wiener Kongress 1815, nach den beiden Weltkriegen 1918 beziehungsweise 1945 sowie nach dem Fall des Eisernen Vorhangs 1989 eingerichtet wurden, musste die Schweiz ihre politischen und wirtschaftlichen Aussenbeziehungen definieren und lernen, ihre Interessen zu vertreten.

REPUBLIKANISCHE MÜHEN MIT DER KLASSISCHEN DIPLOMATIE

Die Anfänge einer eigenständigen Aussenpolitik und Diplomatie der Schweiz im 19. Jahrhundert gestalteten sich schwierig. Die Eidgenossenschaft war kein versierter Akteur auf diesem Feld. Das Corpus helveticum des Ancien Régime hatte keine einheitliche Aussenpolitik betrieben, weil die bündnispolitischen Interessen der einzelnen Orte zu sehr divergierten. Die gemeinsame Allianz mit Frankreich seit dem 16. Jahrhundert sowie die Verständigung auf das «Stillsitzen» in den Kriegen der ausländischen Mächte seit der zweiten Hälfte des 17. Jahrhunderts bildeten den kleinsten gemeinsamen Nenner in den Aussenbeziehungen, die ansonsten bis zum Untergang der alten Eidgenossenschaft ein Vorrecht der Orte blieben. Konsequenterweise verzichteten die Orte auf eine gemeinsame Diplomatie im Sinn einer ständigen Interessenvertretung bei wichtigen ausländischen Mächten. Statt in Paris beziehungsweise Versailles, Wien, Mailand oder Turin Gesandte akkreditieren zu lassen, begnügten sich die Orte mit diplomatischen Ad-hoc-Missionen – eine spätestens im 17. Jahrhundert überholte diplomatische Praxis, die an den auswärtigen Höfen Befremden auslöste. Da die Orte den Aufwand einer höfisch-adligen Standards folgenden Repräsentation im Ausland scheuten, waren sie nicht unglücklich, dass ihre wichtigsten Allianzpartner über längere oder kürzere Phasen ständige Gesandtschaften in der Eidgenossenschaft unterhielten. Diplomatische Verhandlungen konnten somit auch beim französischen Ambassador in Solothurn, beim spanischen Botschafter oder päpstlichen Nuntius in Luzern, beim kaiserlichen Gesandten in Baden oder beim englischen und niederländischen Gesandten in Zürich oder Bern geführt werden.

Die Schweiz legte sich erstmals in der kurzlebigen Helvetik einen professionellen Apparat für ihre Aussenpolitik und Diplomatie zu. Die junge Republik richtete ein Aussenministerium ein und eröffnete Gesandtschaften in Paris (1798), Mailand (1798) und Wien (1802) sowie mehrere Konsulate in Hafenstädten am Mittelmeer und an der französischen Atlantikküste (Bordeaux 1798; Marseille und Genua 1799; Nantes 1801; Triest 1802). Nach dem Zusammenbruch der napoleonischen Herrschaft wurde die Mission in Mailand 1814 wieder geschlossen und die aussenpolitisch-diplomatische Präsenz der Schweiz ging merklich zurück. Die beiden Schweizer Gesandten in Paris und Wien hatten kaum Kontakt zu den politischen Entscheidungsträgern. Ausser dem Nuntius, der wieder in Luzern residierte, liessen sich die Gesandten der bei der Tagsatzung akkreditierten Mächte (Frankreich, Spanien, Österreich, Preussen, Grossbritannien, Neapel, Sardinien, Russland, Bayern) in der ersten Hälfte des 19. Jahrhunderts in der Stadt Bern nieder, die damit schon vor der Wahl zur Bundesstadt 1848 zum diplomatischen Zentrum der Schweiz avancierte. Mit ihren sehr asymmetrischen politischen Aussenbeziehungen verletzte die Schweiz allerdings den Grundsatz der diplomatischen Reziprozität. Die starke Zurückhaltung in der klassischen Diplomatie kontrastierte mit der Tatsache, dass die Tagsatzung von 1815 bis 1848 nicht weniger als 34 Konsulate eröffnete, darunter zwei erste in Übersee (1819: Rio de Janeiro; 1822: New York). Ehrenamtliche Konsuln nahmen frühzeitig schweizerische Handelsinteressen im nahen und fernen Ausland wahr und kümmerten sich um die in wachsender Zahl eintreffenden Auswanderer aus der Heimat.

Siehe Abb. 8: Der sogenannte Alpenrosenfrack

Eine kritische Distanz zur höfisch-aristokratisch geprägten Welt der klassischen Diplomatie der Mächte und eine klare Priorisierung der Innenpolitik kennzeichneten die Aussenpolitik des jungen Bundesstaats. Das 1848 eingerichtete Eidgenössische Politische Departement (EPD; seit 1978 Eidgenössisches Departement für auswärtige Angelegenheiten [EDA]) war nicht nur für die Aussenbeziehungen, sondern auch für die innere Sicherheit zuständig. Für die Erledigung seiner Amtsgeschäfte ging dem zuständigen Bundesrat zunächst ein einziger Sekretär zur Hand, dessen Stelle schon 1850 wieder gestrichen und erst 1869 neu eingerichtet wurde. Das Politische Departement wurde 1848–1887, 1896–1914 und letztmals 1917–1920 vom jeweiligen Bundespräsidenten geführt, was wegen des Rotationsprinzips im Bundespräsidium dazu führte, dass jedes Jahr ein anderer Bundesrat für die Aussenbeziehungen zuständig war.

«Innere Kraft» statt «äusserer Schein»:
Bundesrat Friedrich Frey-Hérosé zur diplomatischen
Zurückhaltung der Republik (1854)
«Hätte man aber dennoch solche Repräsentanten im Ausland, so müsse man sie beschäftigen. Sinecuren würden vom schweizerischen Volk bald ernstlich gegeisselt. Die politischen Geschäfte der Schweiz würden nun aber, wenigstens an den meisten Höfen, lange nicht die Zeit eines Gesandten in Anspruch nehmen. Was soll er mit der übrigen Zeit anfangen? Intrigiren? oder will man ihm Arbeiten auftragen, welche die Landsleute belästigen, wie z. B. Ausstellung von Immatrikulationsscheinen, von Legalisationen u.d.gl., welche Sporteln und Kosten im Gefolge haben? Das wäre wohl auch nicht populär. [...] Allein auch die alte Tagsatzung [...] hatte derartige Bedenken, was daraus klar hervorgeht, dass sie im Innern der Eidgenossenschaft, und also natürlich im Ausland auch, keine Stellen wollte, die einen hohen Titel mit gewissen Ansprüchen und Repräsentationspflichten hatten. [...] Die Kraft der Republik liegt in ihrem Innern und nicht in äusserem Schein, und sie sucht ihre Würde nicht in Ostentationen bei Fremden, sondern darin, dass sie ihre Selbständigkeit gegen das Ausland zu behaupten versteht und ihre Verwaltung redlich und gut zum Wohl des Landes einzurichten strebt.»[83]

Bis zum Ersten Weltkrieg auferlegte sich der Bundesstaat grösste Zurückhaltung beim Ausbau von diplomatischen Vertretungen im Ausland. Damit kontrastierte die Eröffnung zahlreicher konsularischer Niederlassungen, die meist von Auslandschweizern angeregt wurden. Der Bundesrat trug den im Parlament und in der Presse vielfach geäusserten Bedenken gegenüber dem «unrepublikanisch» hohen Kostenaufwand für Auslandsvertretungen Rechnung, zumal die Schweizer Gesandten bürgerlichen Standes gegenüber den adeligen Repräsentanten aus Monarchien protokollarisch ohnehin benachteiligt waren. Dem kulturell fremden zeremoniellen Gepränge der klassischen Diplomatie zogen die pragmatischen Schweizer Politiker das Konsularwesen vor. Als (Honorar-)Konsuln fungierten im Ausland vielfach Schweizer Kaufleute, die als Träger eines Ehrenamtes nicht nur billiger als die politischen Gesandten arbeiteten, sondern mit ihren konsularischen Diensten, die sie auch in Städten ausserhalb der Haupt- und Residenzstadt erbrachten, und mit ihrer kommerziellen Vernetzung als weitaus nützlicher erschienen.

Anzahl diplomatischer Vertretungen und Konsulate der Schweiz im Ausland[84]

Stichjahr	Gesandtschaften	Konsulate
1802	3	4
1848	2	38
1865	4	71
1882	5	?
1892	7	?
1914	11	?
1939	27	121
1949	37	?
1970	90	93

Anzahl ständiger Gesandtschaften europäischer Mittel- und Kleinstaaten im Jahr 1900[85]

Belgien	Portugal	Schweden	Griechenland	Schweiz
28	18	11	11	7

Die Abneigung gegen das Milieu der Berufsdiplomaten sass auch beim Schweizer Stimmvolk tief: 1884 verweigerte es dem Schweizer Gesandten in Washington die Erhöhung seiner Entschädigung um 10 000 Franken. 1895 lehnte es ein Bundesgesetz über die Auslandsvertretungen der Schweiz ab. Das Kostenargument verfing auch jetzt wieder, obwohl die Gesamtkosten für die Aussenbeziehungen der Schweiz im späten 19. Jahrhundert nicht mehr als 0,7 bis 1,2 Prozent der gesamten Bundesausgaben ausmachten.

Der konservative Politiker und Journalist Ulrich Dürrenmatt (1849–1908) bemüht das Stereotyp des Hirten im Kampf gegen das Bundesgesetz über die Auslandsvertretungen (1895)
«Was sagt Ihr zur Gesandtschaft?
Nein, Dafür ist unser Land zu klein.
[...]
Der steife Alpenrosenfrack,
Passt nicht zu Hirtenkappen,
Wir holen mit dem Schabernack,
Bei Hofe uns nur Schlappen.»[86]

Gemessen an der Zahl der Niederlassungen machte die diplomatische Eingliederung der offiziellen Schweiz in das internationale System erst in der Zwischenkriegszeit und definitiv nach dem Zweiten Weltkrieg einen Sprung nach vorne. Bis zum Ersten Weltkrieg blieben Washington (1882), Buenos Aires (1891) und Tokio (1906) die einzigen Gesandtschaften ausserhalb Europas. In der Zwischenkriegszeit und nach dem Zweiten Weltkrieg baute der Bund die diplomatischen Vertretungen der Schweiz vor allem in Skandinavien, Ost- und Südosteuropa, im arabischen Raum, in Asien sowie in Südamerika weiter aus.

AUSSENPOLITIK IM WANDEL DER EUROPÄISCHEN STAATENORDNUNG

Mit der alten Eidgenossenschaft 1798 endeten auch die Allianzen der Orte mit den Grossmächten, die dem Corps helvétique als multilaterales Sicherheitsdispositiv gedient hatten. Mit dem Zusammenbruch der französischen Vorherrschaft 1813/14 wurde die Abhängigkeit der Eidgenossenschaft vom guten Willen der Wiener Kongressmächte evident. Insbesondere die russische und die englische Diplomatie retteten die Kantone über die heftige Verfassungs- und Integrationskrise 1813–1815 hinweg und agierten auf den Friedenskongressen von Paris und Wien als Anwälte einer weiteren Eigenständigkeit der Schweiz. Diese trat 1817 wie die meisten europäischen Staaten der Heiligen Allianz (gegründet 1815) der Kongressmächte bei, die schon bald einmal zu einem Instrument der Repression liberaler Bewegungen auf dem Kontinent umfunktioniert wurde. Die freiheitliche Asyl- und Pressepolitik der liberalen Kantone in den 1820er-Jahren provozierte Interventionen der Allianz. Die konservativen Kantone hingegen nutzten die Einbindung der Schweiz in das restaurative europäische Mächtesystem und suchten Österreich, Frankreich und Preussen für diplomatische und militärische Schritte gegen die Befürworter des Bundesstaats zu gewinnen. Wie schon im Ancien Régime erbaten die Kantone noch in der ersten Hälfte des 19. Jahrhunderts in Krisenlagen gerne die Unterstützung auswärtiger Mächte gegen ihre eidgenössischen Brüder.

Nach 1848 ging es in den politischen Aussenbeziehungen des jungen Bundesstaats um die Absicherung der Souveränität und Neutralität gegenüber den äusseren Mächten. Diese hatten in der Sonderbundskrise 1847 ein Garantierecht für den Bundesvertrag von 1815 geltend und die Errichtung des Bundesstaats von ihrer Zustimmung abhängig machen wollen. Nach der Niederschlagung der revolutionären Bewegungen im Ausland 1848 suchten zahlreiche politische Flüchtlinge Zuflucht im einzigen Land, wo die liberale Revolution gesiegt hatte. Allerdings waren die reaktionären Mächte nicht gewillt, in ihrer Nähe ein Land zu dulden, das ihren «Staatsfeinden» Unterschlupf gewährte, und übten starken Druck auf die Schweizer Behörden aus. Der Bund gab aus Gründen der Staatsräson teilweise nach und handelte mit nicht unmittelbar betroffenen Nachbarn Durchreisegenehmigungen aus, die den Weggewiesenen die Weiterreise nach Grossbritannien oder in die USA ermöglichten. Die liberale Asylpolitik sorgte auch später wiederholt für Spannungen mit den Nachbarn. Die Verhaftung des deutschen Polizeibeamten August Wohlgemuth, der 1889 auf Schweizer Boden Spitzel für die Observierung emigrierter Sozialdemokraten anheuern wollte, bewog Reichskanzler Bismarck zu heftigen Angriffen auf die Schweiz (Wohlgemuth-Affäre).

Im jungen Bundesstaat wurde auch bald der völkerrechtliche Zwitterstatus von Neuenburg geklärt, das einerseits als Fürstentum seit 1707 unter der Herrschaft des Königs von Preussen stand und andererseits seit dem Spätmittelalter enge Beziehungen zu den Eidgenossen, insbesondere zu Bern, unterhielt und 1814 formell als 21. Kanton in den Bund aufgenommen worden war. Im sogenannten Neuenburgerhandel 1856/57 stützte der Bund die republikanische Regierung in Neuchâtel gegen die dortigen royalistischen Putschisten und gegen die militärischen Drohungen Preussens. Durch französische Vermittlung konnte ein Krieg vermieden und Preussen zum formellen Verzicht auf sein entlegenes Territorium bewogen werden. In republikanischem Souveränitätsbewusstsein verbot der liberale Bundesstaat 1859 den Solddienst, der im Ancien Régime noch ein Pfeiler der eidgenössischen Aussenbeziehungen gewesen war.

In der zweiten Hälfte des 19. und im frühen 20. Jahrhundert profilierte sich die Schweiz aussenpolitisch zunehmend als humanitäres Land und als aktive Vermittlerin in internationalen Konflikten. Obwohl der Bund nicht offiziell an der Gründung des Internationalen Komitees vom Roten Kreuz 1863 beteiligt gewesen war, richtete der Bundesrat 1864 in Genf jene Konferenz aus, die zur Unterzeichnung der ersten Genfer Konvention zum Schutz von Kriegsversehrten führte. Der Sitz des IKRK in Genf, der Schweizer Vorsitz im Komitee sowie das analog zum Schweizer Wappen gestaltete Rote Kreuz erklären, weshalb das IKRK verbreitet mit einer genuin schweizerischen humanitären Mission in Verbindung gebracht wird.

In der Tradition alteidgenössischer Schiedsgerichtsbarkeit übte die Schweiz in internationalen Konflikten des späten 19. und frühen 20. Jahrhunderts eine rege Vermittlungstätigkeit aus, zu der sie ihr neutraler Status besonders legitimierte. Mit der Einrichtung des Ständigen Internationalen Gerichtshofs durch den Völkerbund 1920 beziehungsweise des Internationalen Gerichtshofs in Den Haag durch die Uno 1946 verlor diese Art von einzelstaatlicher Vermittlung allerdings an Bedeutung. Weiterhin aber übernahm die Schweiz politische Mandate zur Überwachung von friedenssichernden Massnahmen in Spannungsgebieten (zum Beispiel in Oberschlesien 1921–1936; in Danzig 1937–1939; in Korea 1953–heute). Seit dem Deutsch-Französischen Krieg 1870/71 fungierte die Schweiz häufig als Schutzmacht und hielt die Kommunikation zwischen Staaten aufrecht, die ihre diplomatischen Beziehungen abgebrochen hatten. Diese sogenannten Guten Dienste erlangten während der beiden Weltkriege eine grössere Bedeutung; im Zweiten Weltkrieg betreute die Schweiz 200 Einzelmandate. Auch im Kalten Krieg übernahm sie nochmals eine grössere Anzahl solcher Mandate, doch ersetzten auch hier supranationale Organisationen zunehmend die Guten Dienste des neutralen Kleinstaats.

Als die Siegermächte des Ersten Weltkriegs 1918/19 mit dem Projekt für einen Völkerbund der alten Idee einer staatenübergreifenden Friedensordnung institutionelle Gestalt verliehen, stellte sich auch der Schweiz die Frage, ob und unter welchen Voraussetzungen sie dieser Organisation beitreten sollte. Wie liess sich die Neutralitätsmaxime mit dem übergeordneten Zweck des Völkerbunds vereinbaren, der zwischenstaatliche Konflikte auf den Rechtsweg verwies und diesen Grundsatz notfalls auch mit wirtschaftlichen und militärischen Sanktionen gegen zuwiderhandelnde Mitgliedstaaten erzwingen wollte? Dem Projekt einer Organisation kollektiver Sicherheit gegenüber konnte es im Grunde kein neutrales Abseitsstehen geben, zumal die Parallelen zwischen dem staatlichen Selbstverständnis der Schweiz und den höheren Zielen des Völkerbunds evident waren (friedliche Koexistenz der Völker, Prinzip der kollektiven Sicherheit, Verzicht auf Angriffskriege, Konfliktlösung durch Vermittlung und Schiedsgerichte). Um den Beitritt der Schweiz zum Völkerbund nicht am Votum von Volk und Ständen scheitern zu lassen, deren Zustimmung in den Augen des Bundesrats für diese bedeutsame aussenpolitische Öffnung erforderlich war, erwirkte die Schweizer Diplomatie von den Grossmächten das Zugeständnis der sogenannten differenziellen Neutralität. Die Schweiz musste sich folglich nur an Wirtschaftssanktionen, nicht jedoch an militärischen Massnahmen gegen Staaten beteiligen, die die Völkerbundssatzung verletzten. Im Mai 1920 stimmte eine eher knappe Mehrheit der Stimmbürger und Kantone dem Beitritt zu und machte den Weg frei für ein starkes Engagement der Schweiz in den Gremien des Völkerbunds. Der Bundesstaat gab seine bisherige aussenpolitische Zurückhaltung auf. Diese Entscheidung war auch insofern bemerkenswert, als der Völkerbund Teil der Versailler Friedensbestimmungen und deswegen in weiten Teilen der Deutschschweiz, die im Krieg klar mit Deutschland sympathisiert hatte, umstritten war. Das dezidierte Eintreten des Bundesrats für den Beitritt zum Völkerbund muss auch vor diesem Hintergrund gesehen werden. Der Erste Weltkrieg hatte das Land politisch und kulturell in zwei Lager gespalten – in eine romanische Schweiz, die die Entente-Mächte unterstützte, und in eine deutsche Schweiz mit starken Sympathien für das wilhelminische Deutsche Reich. Wenn Bundesrat Felix Calonder (1863–1952) beim Schweizer Volk mit dem Argument für den Beitritt warb, im Völkerbund erfüllten sich der Schweizer Staatsgedanke und die internationale Mission des Schweizer Volks, allen als Vorbild eines friedlichen Zusammenlebens verschiedener Ethnien und Kulturen zu dienen,[87] so sah er damit grosszügig über die Brüchigkeit des innerhelvetischen Zusammenhalts hinweg.

Wie wenig allerdings auch die Schweiz im Zweifelsfall bereit war, partikulare Staatsinteressen dem höheren Ideal einer globalen Friedensordnung unterzuordnen, zeigte sich nach dem Angriff Italiens auf Abessinien 1935/36. Wie andere Staaten setzte die Schweiz aus Rücksicht auf ihre Handelsinteressen die Wirtschaftssanktionen gegen den Nachbarn Italien nicht strikte um, verhängte aber für beide Länder ein Waffenausfuhrverbot. Angesichts des Versagens der Konfliktlösungsmechanismen des Völkerbunds kehrte die Schweiz 1938 zur sogenannten integralen Neutralität zurück. Als sich die Spannungen in Europa verschärften, schwand das Vertrauen in die Leistungsfähigkeit kollektiver Sicherheitssysteme. Im Kleinstaat besann man sich auf die eigene Stärke und wappnete sich in «hochgemutem Pessimismus» gegen die «düstersten und schlimmsten Möglichkeiten».[88] Gegen die unschweizerischen Totalitarismen des Auslands rief der Bundesrat zur «geistigen Landesverteidigung» auf, die mit der Besinnung auf die kulturellen und politischen Grundwerte der Schweiz auch den militärischen Widerstandswillen stärken sollte.

Die Schweiz wurde nicht vom Krieg heimgesucht. Bis heute wird die Frage nach den tieferen Ursachen dieses gnädigen Schicksals kontrovers diskutiert. Insbesondere Angehörige der Kriegsgeneration liessen ihre persönliche Erfahrung jener Jahre in ein Geschichtsbild einfliessen, demzufolge der entschlossene Widerstandswille der Schweizer Bevölkerung sowie das militärische Abwehrdispositiv des Alpenreduits Hitler von einem Angriff auf die Schweiz abgehalten hätten. Demgegenüber führt die wissenschaftliche Geschichtsschreibung in Kenntnis der Aktenlage die wirtschaftliche und finanzielle Bedeutung der Schweiz für den Krieg der Achsenmächte sowie die immensen Opfer der Alliierten im Kampf gegen Deutschland als Erklärungen ins Feld.

Die wirtschaftliche Kooperation der Schweiz mit den Kriegsparteien im Zweiten Weltkrieg offenbarte die ganze Ambivalenz der starken internationalen Verflechtung der Schweizer Volkswirtschaft. Einerseits manövrierte sie das Land in den grossen internationalen Krisenlagen zwischen die Schusslinien der Kriegsparteien. Andererseits ermöglichte sie ihm, sich mit kriegswirtschaftlich wertvollen Leistungen zugunsten der Kriegsmächte die Verschonung vor dem Krieg sowie die Versorgung des Landes mit lebensnotwendigen Gütern zu erkaufen, auch wenn dies regelmässig nur um den Preis empfindlicher Abstriche an der Souveränität und Neutralität zu haben war.

1915 richteten sowohl die Mittelmächte wie die Mächte der Entente in der Schweiz Kontrollstellen zur Überwachung des Aussenhandels der Schweiz ein. Die Kriegsparteien wollten damit verhindern, dass die Schweiz einen Zwischenhandel mit kriegswichtigen Materialien zugunsten des jeweiligen Feindes betrieb, so wie dies eidgenössische Kaufleute während der Kriege im 17. und 18. Jahrhundert vielfach praktiziert hatten. Die Kontrollstellen missachteten nicht nur das Völkerrecht, das Neutralen einen freien Handel mit nichtkriegswichtigen Gütern auf der Basis des «courant normal» zugestand, sondern waren auch ein krasser Eingriff in die Souveränität der Schweiz. Nicht von ungefähr übersetzte der Volksmund den Namen der Kontrollstelle der Ententemächte («Société Suisse de Surveillance Economique, S.S.S.») bald einmal mit «Souveraineté Suisse Suspendue». Im Zweiten Weltkrieg waren die wirtschaftlichen und finanziellen Beziehungen der Schweiz zu den Achsenmächten und insbesondere zu Nazi-Deutschland eng und profitabel. Sie umfassten Rüstungslieferungen sowohl privater wie bundeseigener Betriebe, Finanzdienstleistungen der Eidgenossenschaft, der Schweizerischen Nationalbank und privater Banken für die Devisenbeschaffung, Kredite an Geschäftsbanken und Unternehmen sowie die Gewährleistung des Gütertransitverkehrs zwischen Deutschland und Italien durch die Schweiz. Mit der sich im Winter 1942/43 abzeichnenden Kriegswende setzten die Alliierten die Schweiz wegen ihrer einseitigen Aussenhandelsbeziehungen zunehmend unter Druck und erreichten damit etwa, dass die Schweiz nach Kriegsende den Alliierten private Bankguthaben aushändigte.

«Arbeiten für die Deutschen, beten für die Alliierten»: Thomas Maissen zur Haltung der Schweiz im Zweiten Weltkrieg (2010)
Die «indirekte Unterstützung der deutschen Kriegsführung summierte sich bis Kriegsende auf über 1,1 Milliarden Franken. Sie bedeutete eine aussenpolitisch wohl alternativlose und zugleich zukunftsträchtige Investition in eine international vernetzte Wirtschaft statt in eine Armee, die in grösserem Umfang mobilisiert geblieben wäre und Ressourcen gebunden hätte, wenn die Milizsoldaten nicht an ihre Arbeitsplätze zurückgekehrt wären und für Deutschland gearbeitet hätten. [...] Im Verhältnis zu den gesamten Kriegsaufwendungen in Deutschland und im besetzten Europa blieb der schweizerische Beitrag [...] quantitativ (im Promillebereich) wie qualitativ gleichwohl bescheiden. Das nicht nur moralische, sondern auch politische Problem bestand darin, dass die Schweiz mithalf, diejenigen Soldaten zu bekämpfen, die ihr Leben opferten, um auch sie vom nazistischen Alpdruck zu befreien. Nur notdürftig übertüncht wurde das im Witz, man arbeite an sechs Tagen der Woche für die Deutschen und bete am siebten Tag für den Sieg der Alliierten.»[89]

Beim Sieg der Alliierten im Frühjahr 1945 war das Land aussenpolitisch isoliert und als Kriegsgewinnler stigmatisiert. Es brauchte Jahre, um sein ramponiertes Image aufzupolieren und sein Verhältnis zu den Alliierten zu normalisieren. Mit 250 Millionen Franken entschädigte die offizielle Schweiz die betroffenen ausländischen Zentralbanken für das im Krieg von der Schweizerischen Nationalbank erworbene deutsche Raubgold (Wert: 1,2 Mrd. Franken) und erwirkte damit von den westlichen Siegermächten eine Art Amnestie für die Raubgoldkäufe (Washingtoner Abkommen vom 25. Mai 1946). Gleichzeitig verzichtete sie auf ein Gesuch um Beitritt zu den Vereinten Nationen (Uno), weil absehbar war, dass ihr die neue Organisation – anders als noch der wesentlich stärker europazentrierte Völkerbund 1920 – keinen Neutralitätsvorbehalt mehr einräumen würde. Ein solcher wäre mit dem Grundanliegen dieser supranationalen Organisation (solidarische Bewahrung des Weltfriedens) nicht mehr vereinbar gewesen.

Im Rückblick erschien der Zweite Weltkrieg als «integratorischer Glücksfall»[90] für die unversehrte Schweiz. Das Land war zwischen 1939 und 1945 im Unterschied zur inneren Lage während des Ersten Weltkriegs nicht gespalten, und bei Kriegsende brachen keine sozialen Konflikte aus, wie dies 1918 mit dem Landesstreik der Fall gewesen war. Mit der erstmaligen Wahl eines Sozialdemokraten in den Bundesrat war 1943 vielmehr ein entscheidender Schritt bei der Integration der Arbeiterbewegung in den bürgerlichen Bundesstaat gelungen. 1959 begründete die Wahl eines zweiten Sozialdemokraten in die Bundesregierung jene grosse Koalition, deren «Zauberformel» bis 2003 immer wieder bestätigt wurde. Sie wurde zum Symbol für die politische Stabilität des Landes, das mit der für Nichtschweizer nicht leicht verständlichen «Konkordanzdemokratie» auf gouvernementale Kontinuität und gesellschaftliche Konsensfindung setzte, während sich in Europa allgemein die «Konkurrenzdemokratie» etablierte, in der sich die Parteien periodisch in der Regierung beziehungsweise Opposition abwechseln – ein weiteres Kapitel in der Geschichte des eidgenössischen Sonderfalls.

Als sich bald nach Kriegsende die Interessengegensätze zwischen den ehemaligen Verbündeten USA und Sowjetunion zum Kalten Krieg verschärften, stellte sich für die Schweiz die heikle Frage, wie sie im Ost-West-Konflikt die Balance zwischen ihrer Verpflichtung zur Neutralität und ihrer fraglosen Zugehörigkeit zum antikommunistischen, westlichen Lager finden würde. Auch das ging nicht ohne Kompromisse vonstatten. 1951 akzeptierte sie in einer lange geheim gebliebenen, informellen Absprache mit den USA (Hotz-Linder-Agreement) die Einschränkung beziehungsweise vollständige Einstellung von Lieferungen «strategischer Güter» an Oststaaten gemäss den Vorgaben eines internationalen Ausschusses (Coordinating Committee for Multilateral Export Controls, CoCom), der stark unter dem Einfluss der Nato stand. Neben der Schweiz kooperierten auch andere Neutrale wie Finnland, Schweden und Österreich auf informeller Basis mit dem CoCom, um im Gegenzug Hochtechnologieprodukte aus den USA einführen zu können.

Nach der Kriegskatastrophe suchten die vom Krieg betroffenen Staaten im Zusammenschluss zu supranationalen Organisationen nach Ansätzen für kollektive Lösungen in der Friedenssicherung, militärischen Verteidigung sowie in der wirtschaftlichen und kulturellen Zusammenarbeit (Uno, Nato, Montanunion, EWG, EG, EU). Welche Auswirkungen diese Organisationen und insbesondere der Prozess der europäischen Integration auf die Stellung der Schweiz in der Staatenwelt haben würden und wie sich der Kleinstaat diesen Bewegungen gegenüber verhalten sollte, wurde in Intellektuellenkreisen schon vor Kriegsende und nach 1945 offen diskutiert. Die Politik hielt am skeptischen Abseitsstehen fest und verharrte in der im Krieg eingenommenen Igelstellung.

Herbert Lüthy zur aussenpolitischen Enthaltsamkeit der Schweiz (1961/64)
«Kein anderes Land ist so streng und permanent auf eine aussenpolitische Haltung – gewissermassen auf eine Enthaltung von Aussenpolitik – festgelegt wie die Schweiz. Staaten, die Bündnispolitik treiben und machtpolitische Ziele verfolgen, können diese ändern oder auf sie verzichten; Staaten, die sich einer Schutzmacht anschliessen, können ihr untreu werden oder in günstiger Situation den Beschützer zu wechseln suchen; ‹aktive Neutralisten› können zahlreiche Varianten im Ausspielen einer Macht gegen die andere vornehmen: immer ist Aussenpolitik ein Balanceakt mit vielen Partnern, Gegenspielern und wechselnden Opportunitäten. Für die Schweiz haben sich inneres und äusseres Gleichgewicht so sehr miteinander identifiziert, ist das peinliche Fernbleiben des Staates von internationalen Bindungen und Verwicklungen so sehr zur Voraussetzung der staatlichen und staatsbürgerlichen Existenzform – und auch, nicht zuletzt, der fast unvergleichlichen internationalen Bewegungsfreiheit der Schweizer als Individuen – geworden, dass all dies unzertrennbar in die Selbstdefinition der Schweiz eingegangen ist und wir glauben würden, uns selbst erst völlig neu definieren zu müssen, wenn wir diesen Kurs ändern wollten.»[91]

Herbert Lüthy erklärte die aussenpolitische Enthaltsamkeit der Schweiz aus deren Erfahrungen im 20. Jahrhundert. Als kleines Land trug sie weder für die Errichtung noch für die Zerstörung des Völkerbunds und für die darauf folgenden weltgeschichtlichen Katastrophen Schuld oder Verantwortung. Sie sah sich folglich auch nicht genötigt, Lehren daraus zu ziehen, hatte sie doch immer auf der richtigen Seite gestanden.[92] Mochten also, so die verbreitete Meinung, die vom Krieg heimgesuchten Länder tatsächlich allen Grund haben, sich enger zusammenzuschliessen, so galt dies nicht notwendig auch für die Schweiz, die die fremde Bedrohung sich allein überlassen heil überstanden hatte. Auch die Erinnerung an das ernüchternde Experiment des Völkerbunds förderte nicht die Bereitschaft zur supranationalen politischen Zusammenarbeit oder gar Integration. Das Land blieb den Vereinten Nationen fern und trat ihnen – nach einem ersten in der Volksabstimmung gescheiterten Anlauf 1986 – erst 2002 bei. Allerdings wurde es frühzeitig Mitglied in wichtigen Uno-Unterorganisationen (1947: Organisation der Vereinten Nationen für Ernährung und Landwirtschaft [Fao], 1948: Weltgesundheitsorganisation [WHO], 1949: Organisation für Erziehung, Wissenschaft und Kultur [Unesco]) und übernahm dort eine aktive Rolle. Dies entsprach ihrer offiziellen aussenpolitischen Devise «Neutralität und Solidarität» (Bundesrat Max Petitpierre, 1946) und sollte unter Beweis stellen, dass sich die beiden Prinzipien keineswegs ausschlossen.

Die Schweiz hielt sich aus dem europäischen Integrationsprozess heraus, obwohl die europäischen Institutionen gerade Kleinstaaten grundsätzlich stärken. Die Mitgliedschaft vermittelt ihnen einen von ihrer Grösse unabhängigen Status in der Staatenwelt. Im Rahmen supranationaler Organisationen sind die «Relationen zwischen Grösse und Macht nun erstmals einer intentional-entscheidungsmässigen Steuerung zugänglich geworden […], während sie sich früher immer ‹naturwüchsig› aus dem militärischen Zusammenprall oder der ökonomischen Konkurrenz der so ungleich ausgestatteten politischen Akteure ergaben».[93] Die Schweiz musste jedoch trotz ihrem Fernbleiben erkennen, dass der wirtschaftliche Wiederaufbau in Europa und insbesondere das wirtschaftliche Zusammenrücken ihrer grossen Nachbarn ihre handelspolitischen Beziehungen zu Europa unmittelbar berührten. So trat sie 1948 der Organisation für europäische wirtschaftliche Zusammenarbeit (OEEC, ab 1960/61 OECD) bei, lehnte aber den Beitritt zur Montanunion (1951) und zur Europäischen Wirtschaftsgemeinschaft (EWG; 1957) aus handels- und neutralitätspolitischen Gründen ab. Gemeinsam mit Grossbritannien, Norwegen, Dänemark, Schweden, Österreich und Portugal gründete sie 1960 als Alternative die

Europäische Freihandelsassoziation (Efta), der später auch Finnland (1961/1986), Island (1970) und Liechtenstein (1991) beitraten. Der sukzessive Efta-Austritt beziehungsweise EG-Beitritt des Vereinigten Königreichs und Dänemarks (1973), Portugals (1986), Finnlands, Österreichs und Schwedens (1995) offenbarten jedoch die Schwächen dieser Alternative beziehungsweise die Attraktivität der europäischen Integrationsdynamik. Wie die übrig gebliebenen Efta-Staaten trat auch die Schweiz über ein bilaterales Freihandelsabkommen mit der EG 1973 in die europäische Freihandelszone ein und konnte damit am starken Aufschwung des Warenaustauschs in Europa partizipieren. Dem Projekt eines gemeinsamen Europäischen Wirtschaftsraums (EWR) zwischen EG- und Efta-Staaten, der den in der Efta verbliebenen, meist neutralen Kleinstaaten den Zugang zum gemeinsamen Markt eröffnete, ohne sie zur Teilnahme an der EG-Politik zu verpflichten, verweigerten jedoch eine knappe Volksmehrheit und eine deutliche Mehrheit der Kantone 1992 die Zustimmung. Sie lehnten den mit dem EWR verbundenen Transfer von Souveränitätsrechten an eine supranationale Einrichtung ab und denunzierten die Zustimmung zum EWR als verkappten Beitritt der Schweiz zur Europäischen Gemeinschaft. In der Folge musste die Schweizer Politik die nachteiligen Konsequenzen dieses isolationistischen Entscheids für das Land durch bilaterale Verträge sowie mit dem «autonomen Nachvollzug» der für den EWR massgeblichen Gesetzgebung der Europäischen Union auffangen.

Franz von Däniken zur Schweiz als Teil der Einflusssphäre der Europäischen Union (2010)
Geopolitisch betrachtet gehört die Schweiz zur Einflusssphäre der EU. «Das war schon vor der grossen Wende von 1989/90 der Fall, es ist heute so und wird es auch in Zukunft bleiben. Es handelt sich dabei nicht um ein politisches Statement, sondern um eine Aussage von der Qualität eines physikalischen Gesetzes. Die Frage nach dem machtbewussten Umgang mit dem Ausland, zumal mit dem nahen Ausland, stellt sich für die Schweiz vor allem im Verhältnis zur Union. Sie ist es zuerst, die der Schweiz Frieden und Sicherheit vermittelt und auch die Voraussetzungen für die Erarbeitung ihres Wohlstands schafft. Das Land hängt von der EU entscheidend ab, allem voran in wirtschaftlicher Hinsicht. Wenn die Union von der Schweiz etwas will, wenn sie wirklich dazu entschlossen ist, dann wird sie es erhalten. Die Abhängigkeit hat ein Mass

erreicht, welches die Schweiz druckanfällig macht und
die Frage nach ihrer Autonomie aufkommen lässt.»[94]

Im Ergebnis hat die schweizerische Europapolitik seit den 1950er-Jahren dazu geführt, dass das Land – wenn auch nach mitunter langwierigen Verhandlungen – im nationalen Interesse wirtschaftlich sehr wohl europäisch integriert ist, politisch aber nicht über den Fortgang und die Ausgestaltung des europäischen Einigungsprozesses mitbestimmen kann beziehungsweise will. Die Schweiz meint – im Moment noch – diesen immer schwierigeren Spagat aushalten zu können. Dieser zwingt sie einerseits, mit Rücksicht auf die nationale Souveränität auf die politische Mitgestaltung des europäischen Integrationswerks zu verzichten, und andererseits nötigt er sie aus wirtschaftlichen und politischen Gründen, «europafähig» zu bleiben und laufend auf höchst unsouveräne Art «freiwillig» europäisches Recht zu übernehmen, das sie nicht selber erlassen hat.

Herbert Lüthy zum Spagat der Schweiz zwischen
wirtschaftlicher Integration und politischem Absentismus
(1961/64)
«Wir diskutieren besorgt die Haltung, die wir gegenüber
der wirtschaftlichen Integration Europas einnehmen
sollen, die für viele Schweizer zu einem Alpdruck geworden
ist; und während wir darüber diskutieren, als ob es sich
um eine Sache handelte, die wir nehmen oder zurückweisen können, vollzieht sich diese Integration Tag für Tag
unmerklich und unaufhaltsam, und sie lässt sich nicht
dadurch rückgängig machen, dass wir mit uns selbst uneinig sind und dass unser Wille, im wirtschaftlichen Wettlauf mitzugehen, uns ständig in Widerspruch zu unserem
politischen Willen bringt, das zu bleiben, was wir sind –
oder vielmehr, was wir waren.»[95]

Die Verantwortung für diese unkomfortable Situation liegt beim Souverän, der in der Schweiz bekanntlich tatsächlich das Volk beziehungsweise dessen Mehrheit ist. Dieser Souverän – konkret: die Kreise, denen es gelingt, Abstimmungsmehrheiten zu schaffen – hat in der Schweiz in Fragen der Aussenpolitik ein aussergewöhnliches Mitbestimmungsrecht. Als Souverän übt das «Volk» nicht nur ein eigentliches Vetorecht aus, sondern nimmt sich auch jederzeit das Recht heraus, eine inkonsistente Politik zu betreiben. Es trifft Entscheidungen, die zu seinen früheren Entscheidungen im

Widerspruch stehen, und überlässt dann die undankbare politisch-diplomatische Umsetzung solcher Beschlusslagen seiner Regierung.

In der Schweizer Aussenpolitik ist die Neutralität neben der Souveränität das zweite Schlüsselkonzept. Allerdings ist heute kaum noch bekannt, dass die liberalen Verfassungsväter von 1848 in einem bemerkenswerten Akt der symbolischen Emanzipation von der Wiener Kongressakte die Neutralität aus der Liste der grundlegenden Bundeszwecke strichen und erst im Artikel 73 der Bundesverfassung die Zuständigkeit der Bundesversammlung für die Wahrung der Neutralität stipulierten.[96] Seitdem ist die Neutralität zu einem Fixpunkt der nationalen Identität avanciert und wird heute vielfach als Synonym für Souveränität und Unabhängigkeit verstanden. In der national verengten Diskussion des Konzepts spielen heute zwei wichtige Gedanken kaum mehr eine Rolle: Es wird, erstens, nicht erinnert, dass die Neutralität in der eidgenössischen und europäischen politischen Tradition zunächst einmal nicht mehr als eine situative Handlungsoption im Interesse der Staatsräson, das heisst ein Mittel zum Zweck, darstellt. Zweitens wird kaum reflektiert, dass ihr Sinn als internationales Rechtsinstitut letztlich auf die internationale Staatengemeinschaft bezogen ist, die ihrerseits ein genuines Interesse am neutralen Status der Schweiz haben muss und darin eine Haltung sollte erkennen können, die über das nationale partikulare Interesse hinaus auch von allgemeinem Nutzen ist. Die Neutralität hat in der Schweiz mittlerweile Selbstzweckcharakter und den Status eines dem rationalen Diskurs entzogenen Bausteins der Nationalideologie erlangt.

Ihre feste Verankerung im politischen Kollektivbewusstsein der Schweiz verdankt die Neutralität der Katastrophe des Zweiten Weltkriegs. Sie dient als Erklärung dafür, weshalb die Schweiz nicht in den Krieg verwickelt wurde, während die anderen sich gegenseitig umbrachten. Das Schicksal neutraler Staaten wie Belgien, die Niederlande und Dänemark in den beiden Weltkriegen relativiert die Erklärungskraft dieses Arguments allerdings erheblich. Der Kalte Krieg bestärkte die Schweiz im Festhalten an einem eng gefassten Neutralitätsverständnis, zumal seit 1955 auch Österreich mit einem Bekenntnis zur immerwährenden Neutralität nach Schweizer Vorbild wieder seine volle Souveränität erlangte und gemeinsam mit der Schweiz als Sperrriegel im Alpenraum eine strategische Rolle im Ost-West-Konflikt zugewiesen erhielt.

Die neutrale Haltung sieht sich auch durch die Meinung bekräftigt, bislang seien alle Hoffnungen auf eine dauerhafte internationale Friedensordnung enttäuscht worden. Allerdings sieht dieser verhärtete Pessimismus grosszügig darüber hinweg, wie sehr gerade der Kleinstaat von der «Friedensdividende» profitiert hat, die die Alliierten im Weltkrieg und danach das westliche Verteidigungsbündnis und die europäischen Institutionen ausgeschüttet haben. Schliesslich wurde die Neutralität nach den leidvollen Erfahrungen der Weltkriege noch in einem höheren, ethischen Sinn legitimiert. Sie steht für den Verzicht auf den Krieg als Mittel der Aussen- und Sicherheitspolitik, für das «Recht zum ‹Nicht-Krieg›»[97] und für prinzipielle Friedfertigkeit. In diesem Sinn adelte etwa der deutsche Kunsttheoretiker Bazon Brock (geboren 1936) die Maxime der Neutralität als überlegenes humanitäres Prinzip und bezeichnete «die Schweizer» als «einzig zivilisierte Repräsentanten der Menschheit im Sozialverband», die mit ihrer Entscheidung für die Neutralität «den Ernstfall des Kriegs als Angriffs- oder Durchsetzungskrieg» ablehnten und mit dieser Einstellung «den bisherigen Höhepunkt der Zivilisationsgeschichte» markierten.[98]

Wachstum durch Verflechtung: der Kleinstaat als Wirtschaftsmacht

Die geringe Grösse des schweizerischen Binnenmarktes, der Mangel an Rohstoffen sowie die seit der frühen Neuzeit etablierte Exportorientierung gewisser Branchen liessen der Schweiz keine andere Wahl, als mit der beschleunigten wirtschaftlichen Entwicklung im 19. und 20. Jahrhundert Schritt zu halten und ihre wirtschaftliche Verflechtung zu vertiefen. Die Schweiz entwickelte sich zu einer der offensten Volkswirtschaften der Welt und erlangte den Status einer wirtschaftlichen Mittel- bis Grossmacht, deren Wohlstand zu grossen Teilen vom Ausland und insbesondere vom vorgegebenen geopolitischen Umfeld in Europa abhängt.[99]

Wichtige Faktoren der Entwicklung waren die Schaffung eines schweizerischen Binnenmarktes im Zuge der Gründung des Bundesstaats 1848, das im 19. Jahrhundert noch lange geltende Freihandelsprinzip im grenzüberschreitenden Warenverkehr, die Anlage eines dichten Eisenbahn- und Strassennetzes mit dem Bau alpenquerender Tunnel (Eisenbahn: Gotthard-Scheiteltunnel [1872–1880], Simplon [1898–1905], Lötschberg [1906–1913], Gotthard-Basistunnel [1999–2016]; Strasse: Gotthard [1970–1980]) und dessen Anschluss an das europäische Verkehrssystem, die Errichtung eines Kommunikations- und Bankensystems sowie das Wachstum der Exportindustrie. Dazu zählte auch die Aussenwirtschaftspolitik des Bundes, die lange Zeit das eigentliche Zentrum der eidgenössischen Aussenpolitik darstellte. Der Bund zielte mit dem starken Ausbau konsularischer Vertretungen, dem Abschluss von Freihandelsverträgen, der Einrichtung einer Exportrisikogarantie (1958) und der Mitgliedschaft in internationalen Organisationen für die Koordination der wirtschaftlichen Zusammenarbeit (OEEC beziehungsweise OECD [1948], Gatt beziehungsweise WTO [1958/66], Efta [1960]) auf die Eroberung ausländischer Märkte, die Sicherung der Landesversorgung und die Verteidigung des Freihandels für die einheimische Exportindustrie, nicht jedoch für die Landwirtschaft. An der europäischen Integration seit den 1950er-Jahren wirkte die Schweiz politisch nicht mit. Stattdessen betrieb sie eine Politik der graduellen wirtschaftlichen Einbindung auf der Basis bilateraler Verträge (Freihandelsvertrag mit der Europäischen Gemeinschaft 1973, Bilaterale Verträge I und II mit der Europäischen Union 2000 beziehungsweise 2004). Im Ergebnis hat die Annäherung an die EU zu einer stärkeren Verflechtung von Aussenwirtschaft und Binnenwirtschaft geführt. «Im Vergleich zu den Nachkriegsjahrzehnten, als Bund und Kantone fast mühelos in der Lage gewesen waren, Kartelle zu schützen, die Arbeitsmigration zu regulieren, das öffentliche Beschaffungswesen gegenüber ausländischen Bewerbern abzuschotten, die Landwirtschaft vor der ausländischen Konkurrenz abzuschirmen, Staatsbetriebe zu führen oder das Bankgeheimnis zu verteidigen, schrumpfte der wirtschaftspolitische Handlungsspielraum stark.»[100]

Jürg Martin Gabriel zum Zwiespalt zwischen Souveränitätsdenken und schrumpfenden Handlungsspielräumen (2010)
«Der Nationalstaat ist nach wie vor der zentrale Akteur der internationalen Politik, und er wird es für absehbare Zeit auch bleiben. Im Weitern sind die meisten Staaten nicht gewillt, ihre Souveränität mit anderen zu teilen. Sie haben dazu auch kaum Gelegenheit, denn nur in Europa wird die supranationale Integration bewusst vorangetrieben. Aus internationaler Perspektive ist die EU ein Sonderfall, und mitten in der EU liegt ein weiterer Sonderfall, die Schweiz, deren Souveränitätsverständnis nach wie vor mit Supranationalität unvereinbar ist. Die Spannungen zwischen den beiden Sonderfällen sind offensichtlich, und sie nehmen zu. Es ist wohl nur eine Frage der Zeit, bis die Schweiz angesichts wachsender Interdependenzen und schrumpfenden Handlungsspielraums ihr Souveränitätsverständnis überdenken und – zumindest was Europa betrifft – die Umverteilung hoheitlicher Rechte ins Auge fassen muss. Die normative Kraft des Faktischen ist erdrückend.»[101]

Aussenhandelsquote der Schweiz (in Prozent des Sozialprodukts)[102]

Jahr	1840	1887	1913	1925/27	1937/38	1950	1963	1988	2008
Import	18,5	44,6	46,1	28,3	19,2	24,9	33,0	29,3	[?]
Export	16,0	35,8	33,0	21,9	14,8	21,1	25,0	26,4	38,0

Der Anteil der wichtigsten Exportgüter an der Gesamtausfuhr hat sich im Verlauf der letzten 150 Jahre erheblich verändert, was den Strukturwandel der Schweizer Volkswirtschaft und der Weltwirtschaft widerspiegelt. Setzte die Ausfuhr von Textilien, Uhren und Käse die Tradition der frühen Neuzeit fort, so handelte es sich bei den Maschinen und den Produkten der chemischen Industrie um Innovationen des 19. Jahrhunderts mit hohem Wertschöpfungspotenzial, die zum Teil wiederum an der Textilindustrie als Leitsektor der Schweizer Industrialisierung anknüpften (Mechanisierung der Textilproduktion, Herstellung künstlicher Farben). Der florierende Aussenhandel exportierte besonders Fabrikate mit hoher Wertschöpfung und machte die Schweiz bis zum Ersten Weltkrieg – gemessen an der Bevölkerungszahl – zur führenden Exportnation; direkt oder indirekt ernährte er schon damals ein Drittel der Bevölkerung. Für die 1990er-Jahre wurde geschätzt, dass beinahe jeder zweite Franken im Ausland verdient wurde.

Wichtigste Exportgüter der Schweiz (in Prozent des gesamten Exportvolumens)[103]

	1840	1900	1937	1953	1989	2009
Textilien, Bekleidung	72,5	53,9	20,1	16,0	5,5	1,9
darunter Seidenwaren	39,4	29,3				
darunter Baumwollprodukte	31,3	20,0				
Metallwaren/elektr. Geräte	10,0	25,5	50,3	56,8	61,2	45,3
darunter Maschinen	0,1	5,9	16,1	20,7	29,6	18,7
darunter Uhren	8,2	15,0	18,1	21,2	7,4	7,6
Chemieprodukte	0,4	3,6	15,5	16,3	21,4	36,3
darunter Pharmaprodukte				2,6	6,0	9,0	28,8

	1840	1900	1937	1953	1989	2009
Agrarische Erzeugnisse	5,6	11,3	6,2	5,6	3,2	4,2
darunter Käse		3,7	3,8	2,1	0,7	0,3
darunter Schokolade		1,3	0,2	0,4	0,3	0,4

Zur grenzüberschreitenden Verflechtung trug weiter der wachsende Dienstleistungssektor (insbesondere Tourismus, Handel, Banken, Versicherungen) bei, dessen Exportwert heute auf rund ein Drittel der schweizerischen Exportindustrie geschätzt wird. Dabei spielte der Aufstieg der Schweiz zu einem der global führenden Finanzplätze eine zentrale Rolle. Der Schweizer Franken etablierte sich nach dem Ersten Weltkrieg als eine der stärksten Währungen der Welt. Weitere Faktoren wie die niedrige Steuerbelastung, die politische Stabilität und das 1934 eingeführte Bankgeheimnis zogen ausländisches Kapital an und begründeten die Rolle des Schweizer Finanzplatzes als internationaler Vermögensverwalter. Die Stellung der Schweiz auf den internationalen Kapitalmärkten festigte sich nach dem Zweiten Weltkrieg weiter, was sich auch in der Ausweitung der internationalen Präsenz von Schweizer Banken niederschlug (Forderungen der Schweizer Banken im Ausland: 9,4 Mrd. Franken [1962], 86,5 Mrd. Franken [1972]; Zahl der Niederlassungen von Schweizer Banken im Ausland: 11 [1965], 41 [1975], 105 [1995]). Im Jahr 2011 rangierte die Schweiz unter den zehn Staaten mit den weltweit höchsten Kapitalbeständen im Ausland an fünfter Stelle nach den USA, dem Vereinigten Königreich, Frankreich und Deutschland.[104]

Die Aussenhandelsbeziehungen waren das ganze 20. Jahrhundert hindurch mit (West-)Europa, vorab mit Deutschland, und mit den USA besonders eng. Asien gewann als Exportmarkt in den letzten Jahrzehnten – nicht nur wegen des Gewichts Japans – an Bedeutung.

Wichtige Partnerländer nach Exportvolumen
(in Prozent des gesamten Exportvolumens)[105]

	1900	1910	1928	1953	1970	1987	1999
Europa	79,5	74,0	69,6	56,8	67,2	66,8	65,8
Deutschland		22,5	18,1	11,8	15,1	20,1	22,3
Österreich		6,6	3,5	2,8	5,3	3,8	3,1
Frankreich		10,8	7,6	7,1	8,5	9,2	9,2
Grossbritannien		16,8	14,5	5,0	7,3	7,7	5,7
Italien		7,1	6,6	9,2	9,0	8,1	7,8
Afrika		1,0	1,1	2,4	5,0	3,8	2,6	1,6
Amerika	14,3	18,9	16,9	25,4	16,3	13,1	16,1
Argentinien		2,2	1,8	1,1	0,8	0,3	0,4
Brasilien		1,2	1,1	2,5	1,2	1,0	1,0
USA		12,2	9,9	14,5	8,9	8,9	12,0
Asien	4,8	5,0	9,0	11,0	11,2	16,4	15,6
China		1,6	1,4	1,9	0,3	0,9	0,9
Indien		1,5	1,8	1,8	0,4	0,6	0,5
Japan		0,7	2,3	0,7	3,0	3,8	4,1
Türkei		0,3	0,3	0,9	0,5	1,0	1,0
Ozeanien	0,5	1,1	2,1	1,7	1,3	1,0	0,9

Wichtige Partnerländer nach Importvolumen 2012
(in Prozent des gesamten Importvolumens)[106]

Europa	77,3
EU	75,9
Deutschland	30,6
Italien	10,3
Frankreich	8,5
Österreich	4,3
Grossbritannien	3,5

Afrika	1,6
Asien	13,7
China	5,8
Japan	2,2
Amerika	7,1
USA	5,2
Brasilien	0,6
Ozeanien	0,2

Um Handelsschranken im Ausland sowie die Gestehungskosten im Hochlohnland Schweiz zu umgehen, errichteten zahlreiche Exportunternehmen frühzeitig Produktionsanlagen im Ausland, sodass die Schweiz vor dem Ersten Weltkrieg pro Kopf der Bevölkerung die weltweit höchsten Bruttodirektinvestitionen im Ausland tätigte. Der Wert der Direktinvestitionen von Schweizer Firmen im Ausland überstieg ab den 1920er-Jahren jenen der Exportkapazitäten der im Inland ansässigen Unternehmen, was der Schweizer Wirtschaft früh ein multinationales Profil verlieh.

Mit der Industrialisierung wurde die Schweiz noch abhängiger von Importen von Nahrungsmitteln, Rohstoffen und Energieträgern, als sie es im Ancien Régime schon gewesen war. Die Eisenbahn versorgte das Land aber nicht nur mit den dringend benötigten Lebensmitteln und Gütern (Getreideimporte in Prozent des Verbrauchs: 1851–1860: 21%, 1901–1910: 71%[107]), sondern brachte auch Touristen in wachsender Zahl ins Land. In den Jahrzehnten vor dem Ersten Weltkrieg erlebte der Fremdenverkehr einen ersten Aufschwung. Ein neuer Wirtschaftszweig entstand, der das im 18. Jahrhundert entdeckte Alpenerlebnis zur Basis eines Geschäftsmodells mit einem wachsenden internationalen Publikum machte und 1900–1913 rund sechs Prozent des Bruttoinlandprodukts erwirtschaftete.[108]

Zwar verliessen im 19. Jahrhundert insgesamt so viele Menschen wie nie davor und nie mehr danach als Siedlungswanderer die Schweiz definitiv, vor allem Richtung Nord- und Südamerika sowie Russland (1851–1890: mehr als 210 000 Personen), doch wurde sie wegen der starken Zuwanderung ab 1888 definitiv zum Einwanderungsland (1910: 14,7% Bevölkerungsanteil der Ausländerinnen und Ausländer). Neben politischen Flüchtlingen (Liberale, Radikale, Anarchisten, Sozialisten), die in der liberalen Schweiz seit dem frühen 19. Jahrhundert Schutz vor Verfolgung fanden, wanderten gegen Ende des Jahrhunderts zahlreiche ausländische Arbeitskräfte ein. Mit dem starken Ausbau der Städte und des Eisenbahnnetzes stieg die Zahl der Immigranten aus Italien von 41 000 (1880) auf 203 000 (1910) an, wobei hier etwa 60 000 Saisonniers nicht mitgezählt sind.[109] Im Strom dieser Einwanderer kamen auch Industriepioniere und Unternehmer, Erfinder und Forscher in die Schweiz, die wesentlich zum wirtschaftlichen Erfolg des Landes beitrugen, so etwa Franz Ulrich Bally (1748–1810), Franz Saurer (1806–1882), Antoni Norbert de Patek (1812–1877), Heinrich Nestle (1814–1890), Charles Brown (1827–1905), Julius Maggi (1846–1912), Walter Boveri (1865–1924), Emil Georg Bührle (1890–1956), Tadeusz Reichstein (1897–1996), Hans Goldmann (1899–1991), Leo Sternbach (1908–2005) und Nicolas Hayek (1928–2010).[110] Nach dem Zweiten Weltkrieg führten der Wirtschaftsaufschwung und der hohe Arbeitskräftebedarf zu einer weiteren starken Einwanderung, die in den 1960er-Jahren Überfremdungsängste und entsprechende politische Initiativen hervorrief. Eine restriktivere Migrationspolitik sowie die Rezession 1974–1976 mit der erzwungenen Rückkehr von mehr als 300 000 Ausländern liessen die ausländische Wohnbevölkerung bis 1980 leicht schrumpfen. Mit der Hochkonjunktur seit der zweiten Hälfte der 1980er-Jahre wurde die Einwanderung jedoch erstmals zum ausschlaggebenden Faktor für den Bevölkerungsanstieg in der Schweiz. Dieser setzte sich mit der Einführung der Personenfreizügigkeit für Angehörige von EU- und Efta-Staaten ab 2002 fort und löste erneut eine innenpolitische Kontroverse über die sogenannte Masseneinwanderung aus. Ende 2011 machten ausländische Arbeitnehmende 27,9 Prozent aller Erwerbstätigen in der Schweiz aus (2. Sektor: 38 %, 3. Sektor: 26 %). Die Zustimmung der Mehrheit der Stimmbevölkerung im Februar 2014 zu einer Volksinitiative, die die Zuwanderung mit der Einführung von Kontingenten national steuern will, stellt das im Europäischen Wirtschaftsraum geltende Prinzip der Personenfreizügigkeit und damit die Zukunft der bilateralen Verträge der Schweiz mit der EU infrage.

Anteil Ausländer an der Gesamtbevölkerung der Schweiz 1950–2012 (in Prozent)[111]

1950	1960	1970	1980	1990	2000	2012
6,1	10,8	17,2	14,8	16,4	20,5	23,3

In der Welt des Spitzensports dagegen wirft die nationale Integration von Zugewanderten oder «Secondos» in der Regel weniger hohe Wellen. Dort bahnen Spitzenleistungen den Weg in die Nationalmannschaft, die die Schweiz bei internationalen Wettkämpfen offiziell repräsentiert und dabei einem internationalen Publikum zeigt, wie die heutige Schweiz aussieht und wer wegen seiner Leistung auserwählt wurde, im Dress mit dem weissen Kreuz im roten Feld die Nation zu vertreten. Der Schweizer Spitzenfussball wird heute von Spielern dominiert, die unmittelbar oder mittelbar über einen sogenannten Migrationshintergrund verfügen und deren Professionalität sich auch darin ausdrückt, dass die meisten ihr Geld als «Fussballsöldner» bei Fussballklubs im Ausland verdienen.

Das Spieleraufgebot von Trainer Karl Rappan für das Spiel Schweiz–Grossdeutschland an der Fussball-Weltmeisterschaft in Frankreich (Paris, 9. Juni 1938), das die Schweiz mit 4:2 gewann[112]

Name (Position)	Geburtsort oder Herkunft ausserhalb der Schweiz	Aktueller Klub 1938
Erwin Ballabio (Tor)		FC Grenchen
Renato Bizzozzero (Tor)		Slavia Prag (Tschechoslowakei)
Willy Huber (Tor)		Grasshoppers Zürich
August Lehmann (Verteidigung)		Grasshoppers Zürich
Severino Minelli (Verteidigung)		Grasshoppers Zürich
Adolf Stelzer (Verteidigung)		Lausanne-Sport
Albert Guinchard (Mittelfeld)		Servette FC

Ernest Lötscher (Mittelfeld)		Servette FC
Oscar Rauch (Mittelfeld)		Grasshoppers Zürich
Hermann Springer (Mittelfeld)		Grasshoppers Zürich
Sirio Vernati (Mittelfeld)	geboren in Zürich, Sohn italienischer Eltern	Grasshoppers Zürich
André Abegglen (Sturm)		FC Sochaux (F)
Georges Aeby (Sturm)		Servette FC
Paul Aebi (Sturm)		BSC Young Boys
Lauro Amadò (Sturm)		FC Lugano
Alfred Bickel (Sturm)		Grasshoppers Zürich
Alessandro Frigerio (Sturm)	geboren in Kolumbien, schweizerischer Abstammung	Le Havre AC (F)
Tullio Grassi (Sturm)		FC Lugano
Leopold Kielholz (Sturm)		SC Young Fellows Zürich
Eugen Rupf (Sturm)		Grasshoppers Zürich
Fritz Wagner (Sturm)		Grasshoppers Zürich
Eugène Walaschek (Sturm)	geboren in Moskau als Sohn eines Tschechen und einer Schweizerin	Servette FC

Das Spieleraufgebot von Trainer Othmar Hitzfeld für die Fussball-Weltmeisterschaft in Brasilien 2014[113]

Name (Position)	Geburtsort oder Herkunft ausserhalb der Schweiz	Aktueller Klub 2014
Diego Benaglio (Tor)	Geboren in Zürich, schweiz.-ital. Doppelbürger	VfL Wolfsburg (D)
Yann Sommer (Tor)		FC Basel; Wechsel zu Borussia Mönchengladbach (D) 2014
Roman Bürki (Tor)		Grasshoppers Zürich; Wechsel zum SC Freiburg (D) 2014
Johan Djourou (Verteidigung)	geboren in Côte d'Ivoire	Hamburger SV (D)
Michael Lang (Verteidigung)		Grasshoppers Zürich
Stephan Lichtsteiner (Verteidigung)		Juventus Turin (I)
Ricardo Rodriguez (Verteidigung)	geboren in Zürich als Sohn eines Spaniers und einer Chilenin	VfL Wolfsburg (D)
Fabian Schär (Verteidigung)		FC Basel
Philippe Senderos (Verteidigung)	geboren in Meyrin (GE) als Sohn eines Spaniers und einer Serbin, schweiz.-spanischer Doppelbürger	Valencia (E); Wechsel zu Aston Villa (GB) 2014
Steve von Bergen (Verteidigung)		Young Boys Bern
Reto Ziegler (Verteidigung)		US Sassuolo (I)
Tranquillo Barnetta (Aufbau/Sturm)	geboren in St. Gallen als Sohn italienischer Eltern, schweiz.-ital. Doppelbürger	Schalke (D)
Valon Behrami (Aufbau/Sturm)	geboren im Kosovo	SSC Napoli (I); Wechsel zum Hamburger SV (D) 2014
Josip Drmic (Aufbau/Sturm)	geboren in Bäch (Schwyz), schweiz.-kroatischer Doppelbürger	1. FC Nürnberg; Wechsel zu Bayer Leverkusen (D) 2014
Blerim Dzemaili (Aufbau/Sturm)	geboren in Mazedonien	SSC Napoli (I)

Gelson Fernandes (Aufbau/Sturm)	geboren auf den Kapverdischen Inseln	SC Freiburg (D); Wechsel zu Stade Rennes (F) 2014
Mario Gavranovic (Aufbau/Sturm)	geboren in Lugano als Sohn kroatischer Eltern	FC Zürich
Gökhan Inler (Aufbau/Sturm)	geboren in Olten als Sohn türkischer Eltern	SSC Napoli (I)
Admir Mehmedi (Aufbau/Sturm)	geboren in Mazedonien	SC Freiburg (D)
Haris Seferovic (Aufbau/Sturm)	geboren in Sursee als Sohn bosnischer Eltern	Real Sociedad San Sebastián (E); Wechsel zu Eintracht Frankfurt (D) 2014
Xherdan Shaqiri (Aufbau/Sturm)	geboren im Kosovo	Bayern München (D)
Valentin Stocker (Aufbau/Sturm)		FC Basel; Wechsel zu Hertha BSC Berlin (D) 2014
Granit Xhaka (Aufbau/Sturm)	geboren in Basel als Sohn kosovarischer Eltern	Borussia Mönchengladbach (D)
Marwin Hitz (Tor, Pikett)		FC Augsburg (D)
Timm Klose (Verteidigung, Pikett)	geboren in Frankfurt/M., schweiz.-deutscher Doppelbürger	VfL Wolfsburg (D)
Silvan Widmer (Verteidigung, Pikett)		Udinese Calcio (I)
Eren Derdiyok (Aufbau, Pikett)	geboren in Basel, kurdischer Abstammung, schweiz.-türkischer Doppelbürger	Bayer Leverkusen (D)
Fabian Frei (Aufbau, Pikett)		FC Basel
Pajtim Kasami (Aufbau, Pikett)	geboren in Mazedonien	Fulham Football Club (GB)
Pirmin Schwegler (Aufbau, Pikett)		Eintracht Frankfurt; Wechsel zu Hoffenheim (D) 2014

Mitten in Europa: Transnationalität als «condition d'être» der Schweiz

Schweizergeschichte – dies wollte dieses Buch zeigen – ist transnationale Geschichte und muss aus dieser Perspektive erzählt werden. Es ist die Geschichte eines Raums, der sich im Austausch und in steter Auseinandersetzung mit seinem räumlichen Umfeld nach und nach als Staat territorial abgrenzte und sich seiner besonderen Identität sowie seiner engen Grenzen bewusst wurde. Warum es die Schweiz gibt und wie sie zu dem wurde, was sie ist, erschliesst sich nur, wenn die Beziehungen dieses Raums zum weiteren Umfeld in Betracht gezogen werden. Das Wechselspiel von Verflechtung und Abgrenzung bildete zwangsläufig die Voraussetzung für die Staatswerdung und Nationenbildung eines Landes, das mitten auf dem Kontinent an den wichtigen Verkehrswegen zwischen Nord und Süd, West und Ost, an den Schnittstellen dreier prägender Sprach- und Kulturräume, im Spannungsfeld zwischen den dominanten Grossmächten sowie in unmittelbarer Nähe zu den grossen Kriegsschauplätzen der europäischen Geschichte zu entstehen kam. Die Existenz der Schweiz gründet in ihrer besonderen Lage in Europa, sie ist die Resultante europäischer Kräfte und Konstellationen.

Verflechtung als Überlebensstrategie

Die Menschen verliessen die Regionen im mittleren Abschnitt des Alpenbogens auf der Suche nach einem Arbeitgeber, Dienst- oder Kriegsherrn, schon lange bevor sie sich als Eidgenossen oder gar als Schweizer verstanden. Erst recht zogen sie aus, nachdem die europäischen Potentaten in der zweiten Hälfte des 15. Jahrhunderts das ungewöhnliche Konglomerat verbündeter Kommunen als eigenständige politische Kraft sowie als schlagkräftigen militärischen Akteur zur Kenntnis genommen hatten. Die mächtigen Nachbarn liessen sich seitdem die Freundschaft mit diesem sperrigen, letztlich aber unumgehbaren Partner im geopolitisch bedeutsamen Alpenraum einiges kosten. Pensionen und Einnahmen aus dem Soldgeschäft alimentierten die politische Elite in den Kantonen und verschafften diesen die Mittel, um in den Räten oder bei Landsgemeinden die Politik im Interesse ihrer selbst und ihrer Familien, ihres Kantons und des fremden Patrons zu beeinflussen. Allianzen verschafften den Orten Sicherheit und wirtschaftliche Vorteile. Nur eine vom Krieg verschonte Eidgenossenschaft konnte als wertvolles Söldnerreservoir dienen. Weder Frankreich noch Spanien oder Habsburg-Österreich konnten es zulassen, dass ihre jeweiligen Rivalen diesen Raum unter ihre exklusive politische Kontrolle brachten, und akzeptierten deshalb die Existenz eines neutralisierten, aussenpolitisch schwachen Puffers zwischen den grossen Machtblöcken. Im Schutz dieses europäischen Sicherheitsdispositivs konnte sich die Eidgenossenschaft die ganze frühe Neuzeit hindurch aus den Kriegen heraushalten. Sie konnte sich ihre strukturelle Unfähigkeit zum Krieg leisten und ersparte sich hohe Ausgaben für die militärische Verteidigung. Das in den öffentlichen und privaten Haushalten akkumulierte Kapital wurde in ausländische Staatsanleihen und in den frühen Aufbau einer kapitalintensiven gewerblichen Warenproduktion investiert. Diese Verlags- und Heimindustrie gründete auf den weiträumigen kommerziellen Beziehungen einer ersten globalisierten Ökonomie: Die Unternehmer versorgten ihre Heimarbeiter mit teuren Rohstoffen (Seide, Baumwolle, Edelmetalle), die sie von weit her beschafften, und setzten die fertigen Tuche, Uhren und Schmuckstücke grösstenteils ausserhalb des viel zu kleinen schweizerischen Binnenmarktes ab. Und weil Geschenke die Freundschaft erhalten, belieferten die ausländischen Allianzpartner die Kantone zu politisch stark subventionierten Preisen mit Getreide und Salz, an denen es diesen für die Ernährung von Mensch und Vieh mangelte. Darüber hinaus räumten sie ihnen jene Handels- und Zollprivilegien ein, die schweizerischen Kaufleuten beim Export ihrer Waren auf den grossen Binnenmärkten der auswärtigen Verbündeten Wettbewerbsvorteile gegenüber der Konkurrenz verschafften. Wo der legale Export einheimischer Waren – wie etwa von Indiennestoffen, Tabak, Uhren oder nachgedruckten und verbotenen Büchern – durch hohe Zölle und Abgaben, Importverbote oder Zensurbestimmungen der Nachbarländer erschwert oder ganz untersagt war, blühte der Schmuggel über die grüne Grenze. Die Friedensinsel zwischen den verfeindeten Machtblöcken betätigte sich aber auch im Export und Zwischenhandel mit kriegswichtigen Gütern, zumal die kriegführenden Mächte auf diese Weise die Nachteile ihrer aus politisch-militärischen Gründen verhängten, gegenseitigen Handelsboykotte wettmachen konnten.

Der Kleinstaat Schweiz blieb auch im 19. und 20. Jahrhundert als neutrale, dauerhaft befriedete und militärisch verteidigte Sonderzone, als Produktionsstandort wichtiger Güter und Anbieter interessanter Dienstleistungen, als kommerzielle Drehscheibe sowie als Transitland im Interesse der Länder Europas. Er befriedigte vitale sicherheits-, wirtschafts- und handelspolitische Bedürfnisse der europäischen Mächte, die sich 1815 auf die Anerkennung eines zwar unabhängigen, aber immerwährend neutralen, das heisst aussenpolitisch zurückgestuften Kleinstaats an ihren Grenzen verständigt hatten. Dieses überwiegende Eigeninteresse erklärt auch, weshalb die Mächte im 19. und 20. Jahrhundert den politischen Sonderling auch dann gewähren liessen, wenn er ihnen mit seiner republikanisch-demokratischen Staatsverfassung und liberalen Gesellschaftsordnung, mit der Aufnahme ihrer «Staatsfeinde» beziehungsweise von politischen Flüchtlingen oder wegen der wirtschaftlichen Kollaboration mit dem Kriegsgegner zum Ärgernis wurde. Standortvorteile wie politische Stabilität und hohe Lebensqualität, die leistungsfähige Verkehrsinfrastruktur, die tiefe Fiskalquote, das Bankgeheimnis und die Dienste eines global agierenden Finanz- und Bankensektors lockten internationale Unternehmen, kapitalkräftige Privatpersonen sowie ausländische Vermögen in die Schweiz und erlaubten eine «opportunistische Arbitrage».[114] Die Kosten für die Ausbildung hoch qualifizierter Arbeitskräfte, die die komplexe, extrem arbeitsteilige schweizerische Industrie-, Dienstleistungs-, Kommunikations-, Medien- und Wissensgesellschaft des frühen 21. Jahrhunderts dringend benötigt, aber selber nicht in ausreichender Zahl besitzt, wurden ausgelagert beziehungsweise den Steuerzahlenden jener Länder überbürdet, in denen die Schweiz diese Arbeitskräfte rekrutiert. Irritierend bleibt allemal das Jammern über die Folgen der sogenannten Masseneinwanderung jener Spezialisten und Fachkräfte, die Schweizer Spitäler und Altersheime, Universitäten und Fachhochschulen sowie Wirtschaftsunternehmen nur im Ausland finden.

Abgrenzung als Identitätsstiftung und Legitimationsstrategie

Im starken Gegensatz zu seiner faktischen Einbindung in grenzüberschreitende Zusammenhänge ist das Land seit Jahrhunderten darum bemüht, sich seiner Identität in immer neuen geistigen und mentalen Abgrenzungsbewegungen gegen das Ausland, das Andere und die Fremden zu vergewissern und seinen Ausnahmecharakter zu rechtfertigen. Seitdem der eidgenössische Gründungsmythos in den frühen 1470er-Jahren die Entstehung der Eidgenossenschaft als Akt der legitimen Notwehr der bedrängten Waldstätte gegen die Tyrannei fremder Adeliger erzählte und die Freiheit und Selbstregierung dieser bäuerlichen Talgemeinden damit begründete, die adeligen «natürlichen Herren» hätten ihre Pflicht vergessen und seien deswegen mit Gottes Willen durch «frume, edle puren» abgelöst worden, prägte ein bestimmtes diskursives Grundmuster das Denken und Reden der Eidgenossen über sich selber. Ihre schiere Existenz sowie ihre politische, gesellschaftliche und kulturelle Andersartigkeit gegenüber dem Rest von Europa erklärten sie sich und der Welt damit, dass sie die herrschenden gesellschaftlich-kulturellen Leitbilder einer legitimen Umwertung unterzogen hätten. All jene Eigenschaften der Eidgenossen, die in der geistig-kulturellen Tradition Europas als minderwertig, als Makel und Schwäche oder als Ausdruck kulturell-zivilisatorischer Zurückgebliebenheit galten und zur Beschimpfung und Herabsetzung der Eidgenossen dienten, wurden positiv umgedeutet und zu konstitutiven Merkmalen der eidgenössischen Nationalidee erhoben. Somit leiteten die Eidgenossen auch ihr idealisiertes Selbstbild elementar aus transnationalen Bezügen her. Sie gewannen es aus der kritischen Absetzung von tragenden politischen und kulturellen Normen der europäischen Stände- und Adelsgesellschaft. Sie machten aus der Not, das heisst aus der mangelnden Teilhabe ihrer politisch und kulturell isolierten Kommunalstaaten an der abendländischen fürstlich-adeligen Ehr- und Wertegemeinschaft, eine Tugend beziehungsweise einen kulturellen Vorzug, die nicht nur als positive Elemente in das Selbstbild eingefügt, sondern seit dem 18./19. Jahrhundert auch zum Vorbild für andere stilisiert werden konnten. Was die Gegner zur Stigmatisierung der Eidgenossen ins Feld führten, wendeten diese in einem erfolgreichen Stigma-Management zum Guten. Claude Reichler hat diesen argumentativen Duktus in einer glücklichen Formulierung als «rapatriement des différences» – als die Heimführung oder patriotische Vereinnahmung der Unterschiede – bezeichnet.[115]

Jakob Tanner: Die Schweiz erfindet sich selber in der Umdeutung von Bildern, die sich andere von ihr machen (1998)
«Die historische Selbstdeutung, die in der Bekämpfung von Feinden ihre *ultima ratio* hat und die über Widerstand zum eidgenössischen Bündnis geführt haben soll, kann heute selber in ihrer Historizität durchschaut und als epochenabhängiges Phänomen begriffen werden. Und es könnte heute, in einer Phase einer von außen gestörten Ruhe und erzwungenen Öffnung, auch ein Sensorium dafür entstehen, wie wenig die Schweiz sich selber erfunden hat und in wie starkem Ausmaß der Kleinstaat immerzu die Bilder verinnerlicht und umgedeutet hat, die andere sich von ihm gemacht haben.»[116]

Die Schaffung des positiven eidgenössischen Selbstbildes aus der Umwertung negativer Fremdbilder

Gegenstand/Thema (Zeitpunkt der Umwertung)	Negatives Fremdbild (Stigmatisierung der Eidgenossen)	Positives Selbstbild (Stigma-Management durch die Eidgenossen)
Die Bauern, der Dritte Stand der mittelalterlichen Ständelehre (2. Hälfte des 15. Jahrhunderts)	Allgemein: als Nährstand dem Klerus und Adel unterworfen und unfähig zur Herrschaft. Im eidgenössisch-habsburgischen Kontext: die nichtadeligen Eidgenossen als meineidige, gottlose Rebellen, die sich gegen ihre natürliche Herrschaft aufgeworfen haben. Das antieidgenössische Diktum zur Schlacht bei Sempach 1386: Herzog Leopold III. von Österreich wurde «auf dem Seinen, um das Seine, von den Seinen umgebracht».	Die Eidgenossen als «frume, edle puren», das heisst als gottesfürchtige, tugendhafte (bescheidene, genügsame) Bauern, die Gott auserwählt hat, um mit ihnen als den Geringen, Schwachen und Verachteten die Mächtigen zunichte zu machen und zu beschämen (1 Kor 1, 26–29).
Die Alpen (16. und besonders 18. Jahrhundert)	Ein unwirtlicher, unfruchtbarer, gefährlicher Raum. Eine Wüste von Fels und Eis.	Das nützliche Wasserschloss Europas, wo die grossen Ströme entspringen. Ein erhabener Teil der göttlichen Schöpfung. Majestätische Schönheit. Der natürliche Schutzwall eidgenössischer Freiheit.
Die Bewohner der Alpen (16. und besonders 18. Jahrhundert)	Rohe, unzivilisierte, triebhafte, geldgierige, gewalttätige, sodomitische Wesen.	Ein starker, tugendhafter, tapferer, freier, natürlicher Menschenschlag. Der Hirte/Senn als anthropologisches Gegenmodell zum moralisch korrumpierten, verweichlichten, zivilisierten Städter, der die höfischen Sitten nachäfft. Die authentische Verkörperung des schweizerischen Nationalcharakters.

Das Kultur- und Geistesleben des Landes	Das Land als kulturelle Wüste ohne Geistesgrössen, Denker, Dichter und Künstler. Ein Land der kulturellen Grobschlächtigkeit («grossièreté») und des mangelnden kulturellen Raffinements.	Die Schweiz hat sehr wohl ihre Dichter und Denker. Sie imitiert nicht die künstlerischen und poetischen Regeln der benachbarten Kulturnationen, sondern pflegt eine eigene, ihrer Natur und Geschichte angemessene Sprache.
Die Neutralität (18. bis 19. Jahrhundert)	Das Abseitsstehen als Zeichen der Schwäche und Feigheit, als Unfähigkeit, das Gute und Wahre zu erkennen und das Böse zu bekämpfen. Das Christuswort von den lauen Neutralisten (Offb 3,16).	Die Option gegen den Krieg als ethisch überlegene Haltung. Die Unparteilichkeit befähigt den Neutralen zur Vermittlung und Friedensstiftung. Der tiefere Grund, weshalb die Schweiz in Europa zur Insel des Friedens wurde.
Der multikulturelle Kleinstaat Schweiz (19. bis 20. Jahrhundert)	Inbegriff schwächlicher Bedeutungslosigkeit abseits der eigentlichen Staatenwelt und der Geschichte. «Verschweizerung» als Schmähung des ohnmächtigen Staats, der nur im Schutz der Mächtigen existiert. Fehlende nationale Stärke und Einheit, keine Sprach- und Kulturnation.	Die politische Nation, die Willensnation, die aus dem freien Willen freier, kulturell verschiedenartiger Staaten hervorgeht. Das friedliche Zusammenleben der Kulturen und Nationalitäten in einer gemeinsamen staatlichen Ordnung. Die Schweiz als Vermittlerin zwischen den europäischen Kulturen. Die Überlegenheit einer höheren, idealeren Staatsidee im Gegensatz zur Idee der gemeinsamen Rasse, Sprache, Kultur, Konfession oder Dynastie.
Staatsform (19. und 20. Jahrhundert)	Die abnorme Föderation kleinster Stadt- und Länderkommunen beziehungsweise -republiken in einem Europa der Monarchien, später der zentralistischen Nationalstaaten. Der liberale Bundesstaat als revolutionärer Staat und als Machtergreifung des Bürgertums.	Die Sendung der Schweiz als demokratische Musterrepublik und als Vorreiterin der Fundamentaldemokratisierung beziehungsweise Föderalisierung Europas im 20. Jahrhundert

Wirtschaft, Wohlstand	Ein armes, übervölkertes, weitgehend unfruchtbares Land ohne Rohstoffe und ohne Meeranstoss.	Ein Land, das die Ungunst seines Naturraums mit harter Arbeit, Fleiss und Erfindergeist kompensiert und sich aus eigener Kraft einen beneidenswert hohen Wohlstand erschafft.

Aus der positiven Umformung negativ besetzter, abwertender Stereotypen schöpfte die Eidgenossenschaft die Rechtfertigung ihrer Andersartigkeit und vergewisserte sie sich ihrer Identität. Diese Nationalideologie kompensierte nicht nur den Mangel an den in Europa vorherrschenden einheitsstiftenden Ideen (Sprache, Kultur, Konfession, Dynastie), sondern überspielte auch die starken inneren Interessengegensätze und überbrückte die kulturell-mentalen Distanzen zwischen den Landesgegenden. Vielleicht benötigt gerade der Kleinstaat Schweiz, der seine Existenz der starken Verflechtung mit dem Umfeld verdankt, in mentaler, sozialpsychologischer und kultureller Hinsicht eine Identitätskonstruktion, die auf der Abgrenzung nach aussen, auf dem Anders- und Besserseinwollen beruht. Die jahrhundertelange Selbststilisierung als Kontrastmodell zu herrschenden europäischen Paradigmen wird man sozialpsychologisch wohl als Kompensation von Minderwertigkeitsgefühlen deuten dürfen.

Pedro Lenz meint: «Wir sind immer ein bisschen besser – immer, überall, grundsätzlich und sowieso» (2014)
«Wer in der Schweiz aufwächst, saugt es mit der Muttermilch auf, selbst wenn er mit Nestlé-Babymilch aufgezogen wird: Im Grundsatz gibt es zwei Länder, die Schweiz und das Ausland. Das Ausland ist gross und problembeladen. Die Schweiz ist schön und gut. Dummheiten machen nur die andern. Wir hier in der Schweiz, wir wissen, wie es geht. Wir haben es am Morgarten gewusst, wir haben es in Murten gewusst. Wir haben es in den Weltkriegen gewusst, und wir wissen es immer noch. Während im Ausland Kriege, Krisen und Korruption zum Alltag gehören, bleiben wir arbeitsam und erfolgreich. Warum das so ist, wissen wir auch. Während Frankreich streikt, arbeiten wir. Während Spanien Siesta macht, arbeiten wir. Während Italien korrupte Politiker wählt, arbeiten wir. Während Deutschland Kriege anzettelte, haben wir gearbeitet. Wir haben immer gearbeitet und arbeiten immer, und zwar ein bisschen besser als alle andern. Unsere Arbeit ist so

gut, dass unsere Produkte seit jeher ein bisschen besser sind als ausländische Produkte. Unsere Bahnen sind pünktlicher als die Bahnen im Ausland. Unsere Strassen sind sauberer als die Strassen jenseits der Grenzen. [...] Es braucht kein psychologisches Fachwissen, um zu behaupten, dieses eidgenössische Grundgefühl des Besondersseins und Besserseins sei eng verknüpft mit einem latenten Minderwertigkeitsgefühl.»[117]

Was leistet die transnationale Betrachtung der Schweizer Geschichte?

Jean-François Bergier wies im Vorfeld der EWR-Abstimmung 1992 darauf hin, wie innig die Geschichte Europas und die Geschichte der Schweiz miteinander verflochten seien. Ihre geografische Lage, ihre Geschichte und ihr politisches Schicksal machten die Schweiz zu einem Teil Europas, weshalb sie ein existenzielles Interesse am Erfolg der europäischen Einigung habe, die dem Kontinent Frieden und Wohlstand sichere. Das Bild der Schweiz als Igel, der seine Stacheln nach aussen richte, so wie die Gewalthaufen der eidgenössischen Krieger im Mittelalter ihre Lanzen gegen die anstürmenden Ritter gerichtet hatten, sei – so Bergier – des Landes unwürdig: «[…] la Suisse n'a jamais été ce hérisson. Elle a formé le carré, c'est vrai, lorsqu'il lui fallut s'opposer à une force militaire menaçante ou à une volonté politique extérieure contraire à ses intérêts. Ce fut avec succès, mais pour de courtes périodes. Et même au cours de ces alarmes: le hérisson devait bien se nourrir, circuler, travailler. Il est resté tributaire, étroitement, de son entourage européen.»[118] Bergier war sich wohl bewusst, was die Betrachtung der Vergangenheit – die Geschichte – für die Orientierung in der Gegenwart zu leisten vermag. Zwar könne sie den Menschen die grossen Entscheidungen nicht abnehmen, doch setze sie mit ihrer langen Dauer Orientierungspunkte, an die sich die Menschen halten sollten.

Bergier war nicht der erste Historiker, der die Geschichte der Schweiz im Licht der Geschichte Europas spiegelte. In der Tradition eidgenössischen Sendungsdenkens sah man im 19. Jahrhundert in der Eidgenossenschaft das Vorbild für eine föderative Staatsordnung und für das friedliche Zusammenleben verschiedener Nationalitäten in Europa. Der Zürcher Staatsrechtler Johann Caspar Bluntschli (1808–1881) radikalisierte den schweizerischen Sendungsgedanken in einer kühnen Vision: Die Einigung Europas sei das ureigenste Ziel der Schweiz, die nicht einfach Vorbild für die künftige Integration und die friedliche Koexistenz der europäischen Völker bleiben dürfe, sondern es als höchstes Ziel ihrer Sendung betrachten müsse, selber in der umfassenderen europäischen Gemeinschaft aufzugehen. «Wenn dereinst das Ideal der Zukunft verwirklicht sein wird, dann mag die internationale Schweizernationalität in der grösseren europäischen Gemeinschaft aufgelöst werden. Sie wird nicht vergeblich und nicht unrühmlich gelebt haben.»[119]

Bluntschlis Vision verallgemeinerte die historische Erfahrung des eidgenössischen Integrationsprozesses in einer europäischen Perspektive. In der Tat sind die Parallelen zwischen dem eidgenössischen und europäischen Einigungsprozess frappierend. Die Entwicklung von der alten Eidgenossenschaft zum schweizerischen Bundesstaat liefert zahlreiche Anhaltspunkte dafür, wie Akteure eines Integrationsprozesses höhere Ziele im gemeinsamen Interesse festlegen, mit welchen Institutionen und Verfahren sie diese zu verwirklichen suchen und welche Hindernisse sie dabei zu überwinden haben. Wer denn sonst als die Schweiz sollte Anschauungsunterricht für die föderalistische Organisation Europas – eine Anleitung zur «Verschweizerung» Europas – vermitteln können?

Roger de Weck zu den Parallelen zwischen dem eidgenössischen und europäischen Integrationsprozess (2010)
«Unser Land ist eine Schweizerische Eidgenossenschaft inmitten einer Europäischen Eidgenossenschaft, die vor unseren Augen entsteht. Die Mehrzahl der Schweizerinnen und Schweizer jedoch verkennt die Parallelen zwischen Schweiz und Europäischer Union. […] wollen wir langfristig die nationalen Interessen sichern, müssen wir endlich in historischen Kategorien denken. Das fehlt in der heutigen Europadebatte. So lang der historische Weg zur modernen Eidgenossenschaft war, so stur weigern wir uns, den historischen Prozess der europäischen Einigung wahrzunehmen. Ausgerechnet das Land, das den Weg der Integration über Jahrhunderte vorzeichnete, hält sich vom geschichtlichen Prozess der europäischen Integration fern. […] Das ist, als hätte der Kanton Luzern beschlossen, mitten in der Eidgenossenschaft den Alleingang zu gehen, sich dem eidgenössischen Gespräch zu verweigern und

stattdessen jeweils Diplomaten nach Bern zu schicken. Die beste Art, Luzerner Interessen zu vertreten, wäre das nicht.»[120]

Der Schweiz gelang es, höchst unterschiedliche, vielfach zerstrittene Gemeinwesen in eine stabile politische Ordnung einzubinden. Mit dem föderalen Zusammenschluss verschafften sich kleine Kommunalstaaten mehr Sicherheit, Einfluss sowie Handlungs- und Verhandlungsmacht, ohne dabei ihre Autonomie beziehungsweise Souveränität zugunsten einer forcierten Zentralisierung preisgeben zu müssen. Im schweizerischen Einigungsprojekt entstand wie bei der europäischen Integration eine Gemeinschaft aus grossen und kleinen Staaten, die ein gewisses Mass an Einheit in kultureller Vielfalt ermöglichte, einen gemeinsamen Wirtschaftsraum mit einer einheitlichen Währung schuf und in gegenseitigem Vertrauen gemeinsame politische Institutionen einrichtete. In diesem neuen politischen Zusammenhang gewannen die einzelnen Mitglieder kollektive Sicherheit; sie tabuisierten grundsätzlich den Krieg als Instrument zur Durchsetzung partikularer Interessen und stellten die Lösung von Konflikten der politischen Aushandlung und der gerichtlichen Entscheidung anheim. Um das Funktionieren dieser institutionellen Ordnung im Interesse sowohl der mächtigeren als auch der kleineren Mitglieder nicht von der freiwilligen Kooperation ihrer Mitglieder abhängig zu machen, ordneten sich alle Teile einer höheren Gewalt unter, die im Fall von Zuwiderhandlungen gegen die gemeinsamen Interessen mit juristischen und diplomatischen Zwangsmassnahmen den abweichenden Einzelstaat zur Räson bringen kann. Zu diesem Zweck vereinheitlichte der integrierte Wirtschaftsraum zentrale Rechtsbereiche (Einrichtung eines Bundesgerichts 1848, Schweizerisches Obligationenrecht 1883, Zivilgesetzbuch 1912, Strafrecht 1942 beziehungsweise Gründung des Europäischen Gerichtshofs 1952, Vertrag von Maastricht 1993, Schengen-II-Abkommen 1995). Das Integrationsprojekt wirkte sich in der langen Dauer vereinheitlichend auf das nationale Recht der Mitgliedstaaten aus.

Die Union der eidgenössischen Kantonalstaaten und die Union der europäischen Nationalstaaten sind institutionelle Lösungen, die die Wahrung partikularstaatlicher Souveränität mit dem kollektiven Interesse an der gemeinsamen Bewältigung von Ordnungsaufgaben zu vereinbaren suchen. Zu diesem Zweck einigen sich die Mitglieder des Verbunds auf Verfahren, wie hoheitliche Kompetenzen an die gemeinsamen, übergeordneten Gremien und Behörden abgetreten werden sollen. Sie tun dies, wenn sie als partikulare Teile zur Überzeugung gelangen, dass sie mit dem Verzicht auf Autonomie und Souveränität einen grösseren Handlungsspielraum für die koordinierte Lösung jener Probleme gewinnen können, die ihre Gestaltungsmacht überfordern oder ihren Einflussbereich übersteigen. Dies führte zu den Änderungen der Bundesverfassung mit Mehrheit von Volk und Ständen respektive zur Inkraftsetzung der Europäischen Verträge von Maastricht 1993, Nizza 2003, Lissabon 2009.

Die Bildung suprakantonaler sowie – der Vergleich drängt sich auf – supranationaler Ordnungen auf föderalistischer Basis erfordert Zeit. Der Prozess wurde von einigen wenigen Staaten mit gemeinsamen Interessen initiiert und vorangetrieben: in der Eidgenossenschaft waren dies die acht, zehn respektive 13 alten Orte, in der Europäischen Wirtschaftsgemeinschaft die sechs Unterzeichnerstaaten der Römischen Verträge 1957. Diesen wandten sich mit zunehmendem Erfolg des Integrationsprojekts andere Staaten zu, sie traten zu diesen in Verbindung und suchten um die partielle oder vollständige Mitgliedschaft nach: die Zugewandten Orte in der alten Eidgenossenschaft beziehungsweise die Beitrittskandidaten zur Europäischen Wirtschaftsgemeinschaft, Gemeinschaft beziehungsweise Union. Das Integrationsprojekt wurde zu Beginn vom politischen Willen der politischen Elite respektive der gewählten Staatsregierungen getragen. In den suprakantonalen und supranationalen Institutionen begegneten sich die Gesandten der eidgenössischen Kantonalstaaten beziehungsweise die politischen Repräsentanten der europäischen Nationalstaaten. Die Gesandten der Kantone auf den eidgenössischen Tagsatzungen kamen wie die europäischen Staats- und Regierungschefs beim Europäischen Rat zu Gipfeltreffen zusammen, auf denen sie als Repräsentanten souveräner Staaten und zugleich als Entscheidungsträger einer suprakantonalen beziehungsweise supranationalen Organisation fungierten. Sowohl im Fall des eidgenössischen wie im Fall des europäischen Integrationsprojekts wurden die suprakantonalen und supranationalen Gremien erst mit der Zeit stärker demokratisiert. Während in der alten Eidgenossenschaft von einer politischen Mitwirkung der breiten Bevölkerung nicht die Rede sein konnte, wurde die repräsentative Demokratie des Bundesstaats von 1848 bis zum Ende des 19. Jahrhunderts um die Volksrechte des Referendums und der Verfassungsinitiative ergänzt. Die europäischen Organisationen wurden nach vergleichsweise kurzer Zeit mit der Einrichtung eines Europäischen Parlaments und dem Transfer wichtiger Entscheidungskompetenzen an diese Einrichtung demokratischer, als sie es von Anfang an schon gewesen waren.

Integrationsprozesse sind wegen ihrer komplexen Zielstellung und der mit ihnen einhergehenden Verquickung partikularer Interessenlagen von Anfang an vor grosse Probleme gestellt. Mit steigender Mitgliederzahl nehmen diese exponentiell zu, zumal die suprakantonalen und supranationalen Organisationen allen Mitgliedern – unabhängig von ihrer Grösse, Bevölkerungszahl und Wirtschaftskraft – denselben Status und dieselben Mitbestimmungsrechte einräumen (der Kanton Appenzell Innerrhoden hat in eidgenössischen Angelegenheiten gleich viel zu sagen wie der Kanton Zürich, Malta in der EU gleich viel wie Deutschland).

Historisch informierte Schweizerinnen und Schweizer bringen besonderes Verständnis für die Schwierigkeiten und Rückschläge von Einigungsprozessen auf: Bis 1798 scheiterten alle Anläufe zu einer stärkeren Verbindung unter den 13 eidgenössischen Kantonen. Die Tagsatzung der alten Eidgenossenschaft koordinierte mehr oder weniger verbindlich münz- und handelspolitische sowie seuchenpolizeiliche Angelegenheiten der Kantone, doch konnten sich diese nie auf die nachhaltige gemeinsame Organisation substanzieller Hoheitsbereiche, etwa der Verteidigung (Defensionale), einigen. Erst der Druck der Grossmächte, die von der Eidgenossenschaft 1815 die bewaffnete Gewährleistung der immerwährenden Neutralität einforderten, zwang sie zur Einrichtung einer ersten Bundesarmee. Die Integration von zunächst sechs neuen Kantonen 1803, sodann von drei weiteren Kantonen zu einem etwas engeren Staatenbund 1814/15 gelang nur unter massivem Druck von aussen. Die Umwandlung des Staatenbunds von 1815 zum Bundesstaat von 1848 und damit der Durchbruch zu einem dynamischen, gestaffelten Souveränitätsverständnis, das die Souveränität bei den Kantonen und beim Bund ansiedelt, gelangen nicht ohne militärische Gewalt. Im Vergleich dazu besticht der europäische Integrationsprozess durch ein hohes Tempo, eine bemerkenswerte Effizienz in der Lösung der damit verknüpften Probleme sowie durch konsequente Friedfertigkeit.

Weil der schweizerische Integrationsprozess alles andere als ein unkomplizierter, geradliniger und konfliktfreier Vorgang war, spielt das halbe Jahrhundert der permanenten innerkantonalen und nationalen Staats- und Verfassungskrisen zwischen 1798 und 1848 im nationalen Geschichtsdenken kaum eine Rolle. Um nicht in den Wunden zu rühren, die eine Gründungsgeschichte mit Staatsstreichen, Freischarenzügen, Bürgerkriegen, mit Bitten um auswärtige Interventionen und mit dem zweimaligen Untergang der alten Eidgenossenschaft 1798 und 1848 schlug, besann sich die vaterländische Geschichtsschreibung im Bundesstaat auf die Anfänge der Eidgenossenschaft im Spätmittelalter. In diesen erblickte sie in nationaler Einigkeit die Gründung der Schweiz, was historisch zwar falsch war, aber im militaristisch gestimmten 19. und 20. Jahrhundert umso lieber so gesehen wurde, als die Berichte von den Schlachtensiegen der Eidgenossen diese Gründungserzählung noch mit einer starken Portion militärischem Heroismus ausschmückten.

Die Geschichte des Schweizer Integrations- und Staatsbildungsprozesses beweist die Richtigkeit der These, dass insbesondere kleine Staaten – auch wenn sich gerade diese vielfach besonders heftig dagegen sträuben – langfristig von der Integration in supranationale, föderalistische Organisationen profitieren und dank der supranationalen Einbindung ihre Eigenständigkeit sichern können. Die Stimmen der beiden Appenzell, von Zug, Ob- und Nidwalden haben im Bundesstaat ein unvergleichlich grösseres Gewicht als jene der grossen Stadtkantone. Sie werden – gemäss bundesrechtlichen Grundsätzen – gleich behandelt wie die grossen Kantone, haben sich ein hohes Mass an Souveränitätsrechten bewahrt und dabei enorm von den Integrationsvorteilen profitiert, die die Schaffung eines nationalen Binnenmarkts mit Personenfreizügigkeit, freiem Warenverkehr, Dienstleistungsfreiheit sowie freiem Kapital- und Zahlungsverkehr, sodann die eidgenössisch finanzierten Infrastrukturprojekte, die koordinierte Aussen- und Sicherheitspolitik und die massiven Transferleistungen (Subventionen, Finanzausgleich) erbracht haben.

Eine letzte Parallelisierung drängt sich auf: Für viele massgebliche politische Akteure in der Schweiz der 1830er- und 1840er-Jahre war das Projekt eines engeren bundesstaatlichen Zusammenschlusses der 22 souveränen Kantonalstaaten des Teufels. Hätten sich diese integrationsfeindlichen

Kräfte damals aber durchgesetzt, wäre jene Schweiz gar nie entstanden, die nationalpatriotische Integrationskritiker und -gegner heute vor der weiteren Einbindung in Europa bewahren wollen.

Der Historiker ist kein Prognostiker, und vor der Rolle des Propheten sollte er sich erst recht hüten. Historisches Wissen hilft aber, die Zeitgebundenheit von Geschichtsbildern und Geschichtsauffassungen zu entziffern und den Sinn für die Wandelbarkeit politischer Konstellationen und Machtlagen zu schärfen. Der transnationale Blick auf die Schweizer Geschichte trägt zu einer angemessenen Wahrnehmung von Grössenrelationen, von Kräfteverhältnissen und vom Gewicht der Akteure bei. Er sensibilisiert für die europäische Dimension der nationalen Geschichte, für die europäische Geschichte der Schweiz, die ihre Entstehung und fortdauernde Existenz wie kein zweites Land auf dem Kontinent der Verflechtung und den Wechselbeziehungen mit dem grösseren Ganzen verdankt.

Realistische Beurteilungen der eigenen Lage in Bezug auf die grösseren Handlungszusammenhänge sind im Kleinstaat besonders notwendig, weil dieser sich der transnationalen Voraussetzungen – und damit auch der Grenzen – seiner Eigenstaatlichkeit stärker bewusst sein sollte als Grossstaaten. Die geschichtliche Auseinandersetzung mit dem Weg der Schweiz in Europa könnte vor Selbstüberschätzung, vor Überheblichkeit oder gar Grössenwahn bewahren und den Sinn für das richtige Augenmass stiften. Sie kann vor Hochmut schützen und ruft den Anteil Europas an der Ermöglichung des glücklichen Sonderfalls Schweiz in Erinnerung. Ganz besonders sollte sie vor den Fallstricken eines mythischen Denkens warnen, das die Illusion nährt, mit dem Rückgriff auf angeblich ewige geschichtliche Wahrheiten – die es a priori nicht gibt – und im alleinigen Vertrauen auf die eigenen Kräfte liessen sich die Herausforderungen des Wandels bewältigen.

Herbert Lüthy zum Appell an die Geschichte: Verklärung der Vergangenheit und Verdüsterung der Zukunft oder Orientierungshilfe zur Bewältigung des Wandels? (1964)
«Der Appell an die Geschichte oder doch an die historische Legende, der in der Schweiz so oft ergeht, wenn es sich um die Ordnung unserer Gegenwart und Zukunft handelt, ist für den Historiker nicht immer beglückend. Es gibt eine Tendenz, uns selbst und unsere Probleme nur

noch historisch zu sehen und zu begreifen, die zeigt, dass unserem geschichtlichen Bewusstsein die lebendige Beziehung zum Handeln abhanden gekommen ist. Statt unsere Geschichte als einen Prozess zu sehen, in dem wir selbst stehen und an dessen Weitergestaltung wir mitwirken, den wir aber nie umkehren und nie wiederholen können, neigen wir dazu, sie als eine historische Sammlung von Verhaltensmodellen zu betrachten, auf die wir verpflichtet wären, denen wir Epigonen freilich nicht mehr nachzuleben vermöchten [...]. Es ist eine Sucht zur Verklärung der Vergangenheit, je ferner, desto verklärter, zur Verketzerung der Gegenwart, wo sie Gegenwart und nicht fromme Museumswärterei sein will, und zur apokalyptischen Verdüsterung der Zukunft; doch eine Anleitung zum Tun ergibt sich daraus nicht. Wir suggerieren uns die lähmende Mentalität eines unablässigen Rückzugsgefechts gegen die Zeit und die Zukunft, und wir projizieren diese Mentalität in unsere Geschichte, als wäre der ganze Weg der Schweiz ein ewiges Ankämpfen einer bewährten Ordnung gegen den verderblichen Strom der Neuerung gewesen.»[121]

Anmerkungen

1. Maissen 2009a, 17.
2. Ebd.
3. Lüthy 1964b, 84.
4. U. Altermatt 2011, 44.
5. Holenstein 2013.
6. Maissen 2002, 2010a.
7. Fuhrer, Eyer, 42–48.
8. Alain-Jacques Czouz-Tornare, Schweizer Söldner in Europa vom 17. bis zum 19. Jahrhundert (Beispiel Frankreich), in: Klaus J. Bade u. a. (Hg.), Enzyklopädie Migration in Europa. Vom 17. Jahrhundert bis zur Gegenwart, Paderborn, Zürich 2007, 973–975.
9. Hans Senn, Artikel Kriegführung, in: HLS, Bd. 7, Basel 2008, 447.
10. Philippe Henry, Artikel Fremde Dienste, in: HLS, Bd. 4, Basel 2005, 791.
11. W. Pfister 1983, 53.
12. Hilfiker, 77; Martin Bundi, Artikel Venedig, in: HLS, Bd. 12, Basel 2013, 769.
13. Ceschi; Schluchter 1991.
14. Weitere Angaben zu den einzelnen Personen in den jeweiligen biografischen Artikeln des HLS.
15. Weitere Angaben zu den einzelnen Künstlern in den jeweiligen biografischen Artikeln des HLS.
16. Johann Caspar Füssli, Geschichte der besten Künstler in der Schweiz, 2. Aufl., 1769–1779, zitiert nach: Rolf E. Keller, «Zu Zürich ist die Malerei ein Handwerk». Zeiten der Enge – die ältere Sozialgeschichte der Schweizer Künstler, in: NZZ, Nr. 237, 12.10.2013, 60.
17. Weitere Angaben zu diesen Gelehrten in den jeweiligen biografischen Artikeln des HLS.
18. Weitere Angaben zu diesen Personen in den jeweiligen biografischen Artikeln des HLS.
19. H.-U. Pfister 1987, 1992; Bolzern 1992; Head-König.
20. Steiner, 39.
21. H.-U. Pfister 1987, 296.
22. Altorfer-Ong 2008.
23. Angaben nach Bodmer 1946a, Röthlin 2000 sowie den Artikeln im HBLS sowie HLS.
24. Schilling, 222.
25. Steinauer 2000, 197.
26. HLS; U. Pfister 1992a, 537–553; Röthlin 1986, 325–395; A. Tanner 1982.
27. Röthlin 1990, 99.
28. Rieser; Lüthy 1943, 1959–61; Lau 2008, 316–319.
29. Georg Kreis, Artikel Aussenpolitik, in: HLS, Bd. 1, Basel 2002, 591.
30. Schilling, 193–198.
31. Jan (Jean) Potocki, Des intérêts de la Russie et de la Pologne [1788], in: ders., Oeuvres, Bd. III, hg. François Rosset, Löwen 2005, 263.
32. Abraham Stanyan, An Account of Switzerland (1714), Ausgabe Hamilton, Balfour, and Neill: Edinburgh 1756, III f.
33. Bolzern 1982, 44–48.
34. Bilderklärung nach Würgler 2013, 516f.
35. Die Bilddeutung in Anlehnung an von Matt 2001, 18f.
36. Kälin 1996, 114; Körner 1999; Windler 2005b, 105.
37. Gröbli, Bd. 2, 155.
38. Roger Brulart de Puysieux, französischer Ambassador in Solothurn 1697–1708, in seinem «Mémoire de la manière de traiter avec les Cantons» (1708), zit. nach Würgler 2013, 361.
39. Actensammlung aus der Zeit der Helvetischen Republik (1798–1803), Bd. 9, Bern 1903, 881f. [Saint-Cloud, 12.12.1802].
40. Lüthy 1964b, 88.
41. Christoph Blocher, Kein EU-Beitritt auf Samtpfoten. Albisgüetli-Rede vom 17.1.2014, 26. Albisgüetli-Tagung der SVP des Kantons Zürich im Schützenhaus Albisgüetli (www.blocher.ch; www.svp-zuerich.ch; Zugriff: 2.6.2014).
42. Lüthy 1964b, 85.
43. Johann Caspar Lavater, Gemeineidgenössisches Lied, in: ders., Schweizerlieder, Zürich 1788 [1767], 86–89, hier 88.

44 Vgl. die Kritik des Neutralen, des Unentschiedenen in der Offenbarung des Johannes: «Ich kenne deine Werke und weiss, dass du weder kalt noch warm bist. Wärst du doch kalt oder warm! Nun aber, da du lau bist, weder warm noch kalt, will ich dich ausspeien aus meinem Munde.» (Offb 3,15f.).
45 O. [Lorenz Oken?], Die Schweizer, in: Nemesis. Zeitschrift für Politik und Geschichte 1 (1814), 510f.
46 Zitat: Axel Gotthard, Artikel Neutralität, in: Enzyklopädie der Neuzeit, Bd. 9, Stuttgart/Weimar 2009, Sp. 154.
47 Marchal 1990, 312.
48 Zitiert nach Walder, 221.
49 Heinrich Bullinger, Anklage und Ermahnung Gottes an die Eidgenossen (um 1526, Druck 1528), in: ders., Schriften, Bd. 6, hg. v. E. Campi, Zürich 2006, 33–61, hier 57f.
50 Exemplarische Belege: Johann Jakob Scheuchzer, Seltsamer Naturgeschichten des Schweizer-Lands wochentliche Erzehlung, 1706–1708; Abraham Ruchat, Les delices de la Suisse, 1714; Albrecht Haller, Versuch Schweizerischer Gedichten, 1732; Mercure Suisse, ou, Recueil de nouvelles historiques, politiques, littéraires et curieuses, 1732–1747; Journal helvétique, 1738–1769; Hans Jacob Leu, Allgemeines helvetisches, eydgenössisches oder schweizerisches Lexicon, 1747–1795; Johann Caspar Füssli, Geschichte und Abbildung der besten Mahler in der Schweitz, 1754–1757; Johann Caspar Lavater, Schweizerlieder, 1767; Johannes von Müller, Die Geschichten der Schweizer, 1780.
51 Johann Jakob Scheuchzer, Natur-Historie des Schweitzerlandes, Zürich 1716, Bd. 1, 148.
52 Verfasst 1729, Erstdruck 1732.
53 Johann Jakob Scheuchzer, Natur-Historie des Schweitzerlandes, Zürich 1716, Bd. 1, 152.
54 Verfasst 1729; Erstdruck 1732.
55 De Muralt, 313.
56 De Muralt, 306f.
57 Franz Urs Balthasar, Patriotische Träume eines Eydgenossen, von einem Mittel, die veraltete Eydgenossenschaft wieder zu verjüngeren, Freystadt 1758, 12.
58 NN [Karl Müller-Friedberg], Hall eines Eidgenossen, St. Gallen 1789, 61.
59 Johann Caspar Lavater, Abschiedslied an einen reisenden Schweizer, in: ders., Schweizerlieder (=Ausgewählte Werke, Bd. I/1, hg. v. B. Volz-Tobler), Zürich 2008, 471–476, hier 474ff.
60 Schinz sprach 1768 zum Thema «Wiederbelebung der alteidgenössischen Tugenden». Druck der Rede in: Verhandlungen der Helvetischen Gesellschaft in Schinznach im Jahr 1768, 11–49.
61 J. Tanner 1990, 411.
62 Lüthy 1964a, 410f.
63 Ebd., 410f., 415, 416f.
64 Karl Schmid, Gedanken über unseren Kleinstaat, in: Der Weg der Schweiz (= Jahrbuch der Neuen Helvetischen Gesellschaft, Bd. 35, 1964), 76–86, hier 76.
65 Zum Folgenden siehe Böhler 2007, der das Konzept der Heterotopie von Michel Foucault entlehnt.
66 Böhler 2007, 113.
67 Max Weber, Zwischen zwei Gesetzen (1916), in: ders., Gesamtausgabe, hg. v. H. Baier, Abt. 1, Bd. 15, Tübingen 1984, 93–98.
68 U. Altermatt 2011, 15–44.
69 Paul Valéry, La Suisse est une île …, in: Images de la Suisse. Numéro spécial des Cahiers du Sud, 1943, 20–24, hier 22.
70 D. Frei 1966.
71 D. Frei 1967, 93; ähnlich D. Frei 1974, 4.
72 D. Frei 1966, 99–103.
73 De Rougemont 1965, 236.
74 Ebd., 251–258.
75 D. Frei 1967, 80f.
76 D. Frei 1966, 103–107.
77 Rappard 1950, 9.
78 Carl Hilty, Vorlesungen über die Politik der Eidgenossenschaft, Bern 1875, 28f.
79 Botschaft des Bundesrats vom 9.12.1938 über die Organisation und die Aufgaben der schweizerischen Kulturwahrung und Kulturwerbung (Bundesblatt 1938 II, 985ff., 998f.).
80 Carl Spitteler, Unser Schweizer Standpunkt. Rede vor der Neuen

Helvetischen Gesellschaft, Zürich, 14.12.1914.
81 D. Frei 1966, 107f.
82 Lüthy 1964a, 424.
83 Bericht von Bundesrat Friedrich Frey-Hérosé (1801–1873), Chef des Eidgenössischen Politischen Departements. 30.3.1854, zitiert nach C. Altermatt 1990, 34.
84 C. Altermatt 1998.
85 C. Altermatt 1990; C. Altermatt 1998, 20.
86 Berner Volkszeitung, 3.2.1895, zitiert nach C. Altermatt 1990, 229.
87 Zitiert nach Sebastien Guex u. a. (Hg.), Krisen und Stabilisierung. Die Schweiz in der Zwischenkriegszeit, Zürich 1998, 47–60, hier 47f.
88 Der Zürcher Historiker Karl Meyer prägte die Formel in einer Ansprache bei einer öffentlichen Kundgebung in Zürich am 22.9.1938 (siehe Thomas Maissen, Hochgemuter Pessimisus. Zum Selbstverständnis einer Generation, in: NZZ, Nr. 166, 19.7.2000, 15f.)
89 Thomas Maissen, Geschichte der Schweiz, Baden 2010, 268.
90 Maissen 2010c, 101.
91 Lüthy 1964a, 426.
92 Ebd., 424–426.
93 Geser, 150.
94 V. Däniken, 49f.
95 Lüthy 1964a, 422.
96 In der gültigen Bundesverfassung von 1999 gilt dies analog für Art. 173.
97 Goetschel 2004, 227.
98 Bazon Brock, «Endlich ein Land, das es nicht nötig hat, ständig Rabatz zu machen». Ästhetikprofessor Bazon Brock über die Schweiz als Ausnahmefall, das Glück, von Kriegen verschont geblieben zu sein, sein Schweizer Bankkonto und Berliner Sesselfurzer, die Preise vergeben, in: SonntagsZeitung, 28.7.2013, 18f.
99 Halbeisen u. a. 2012.
100 Patrick Halbeisen, Tobias Straumann, Die Wirtschaftspolitik im internationalen Kontext, in: Halbeisen u. a. 2012, 1065f.
101 Gabriel, 99f.
102 J. Tanner 1990, 414; U. Altermatt 2011, 159.
103 Regina Wecker, in: Georg Kreis (Hg.), Die Geschichte der Schweiz, Basel 2014, 450.
104 Quelle: OECD, zitiert nach: Switzerland Global Enterprise (Hg.), Vademecum Aussenwirtschaft, Ausgabe 2013 (URL: http://www.s-ge.com/global/%C3%BCber/de/content/%C2%ABvademecum-aussenwirtschaft%C2%BB-0; Zugriff 13.5.2014).
105 Béatrice Veyrassat, Lucienne Hubler, Artikel Aussenwirtschaft, in: HLS, Bd. 1, Basel 2002, 599.
106 Quelle: Oberzolldirektion, zitiert nach: Switzerland Global Enterprise (Hg.), Vademecum Aussenwirtschaft, Ausgabe 2013 (URL: http://www.s-ge.com/global/%C3%BCber/de/content/%C2%ABvademecum-aussenwirtschaft%C2%BB-0; Zugriff 13.5.2014).
107 Béatrice Veyrassat, Wirtschaft und Gesellschaft an der Wende zum 20. Jahrhundert, in: Halbeisen u. a. 2012, 39.
108 Ebd., 42.
109 Mauro Cerutti, Artikel Italien, in: HLS, Bd. 6, Basel 2007, 700.
110 Weitere Angaben zu diesen Personen in den jeweiligen biografischen Artikeln des HLS.
111 Marc Vuilleumier, Artikel Ausländer, in: HLS, Bd. 1, Basel 2002, 583; Bundesamt für Statistik.
112 http://www.fussball-schweiz.ch/die-schweiz-an-der-wm/wm-1938-in-frankreich/index.html (Zugriff: 14.5.2014).
113 http://www.srf.ch/sport/fussball/nationalmannschaft/wm-aufgebot-kein-platz-fuer-derdiyok (Zugriff: 14.5.2014).
114 Breiding, Schwarz, 399.
115 Reichler 1995.
116 J. Tanner 1998, 312.
117 Pedro Lenz, Wir sind immer ein bisschen besser – immer, überall, grundsätzlich und sowieso, in: Das Magazin, Nr. 13 (2014), 30–32, hier 31.
118 Bergier 1992, 173f.
119 Johann Caspar Bluntschli, Die Neugestaltung von Deutschland und die Schweiz, Zürich 1867; ders., Die schweizerische Nationalität [1875], Zürich 1915; ders.,

Die Organisation des europäischen Staatenvereins [1878], in: Gesammelte kleine Schriften, Bd. II, Nördlingen 1881, 279–312. – Das Zitat in: Die schweizerische Nationalität, 1875, 24.

120 Roger de Weck, Erfahrungen und Perspektiven der Schweiz: Europa erst recht, in: Cottier, Liechti-McKee 2010, 183–194, hier 183, 190, 191.

121 Lüthy 1964b, 82.

Literaturangaben zu den einzelnen Kapiteln

Verflechtung und Abgrenzung: Geschichte und Aktualität einer Schweizer Problematik
U. Altermatt 2011; Cottier, Liechti McKee; v. Däniken; Freiburghaus 2009, 2010a, 2010b, 2013; Gabriel; Gentinetta, Kohler; Holenstein 2013; Jorio; Lüthy 1964a, 1964b, 1968; Maissen 2009a, 2010b, 2010c; v. Matt 2001, 2012; Peyer 1978; Sieber-Lehmann; Sieber-Lehmann, Wilhelmi; B. Stettler 2004.

Identitätsbildung und Alteritätserfahrung: die Gründung der Eidgenossenschaft im 15. Jahrhundert
Groebner; Maissen 2002; Marchal 2006; Peyer 1978; Sieber-Lehmann; B. Stettler 2004.

Militärische Arbeitsmigration
Bührer; Bundi; Büsser; Cojonnex; Fuhrer, Eyer; Furrer u. a. 1997; Peyer 1978, 1982, 1992; W. Pfister 1980–84, 1983; Rogger; Romer; Steffen; Steinauer 1997, 2000; H. Suter 1971; Tornare.

Zuckerbäcker aus Graubünden
Kaiser; Michael-Caflisch; Rossfeld 2002, 2007.

Handwerker, Gewerbetreibende und Händler
Ceschi; Chiapparino; Col bastone; Fontaine 1992, 1993; Lorenzetti 1999a, 1999b; Lorenzetti, Merzario; Merzario; Mondada; Orelli 1996, 2000; Reves; Rossfeld 2002, 2007; Schluchter 1988, 1991; Steidl.

Baufachleute und Künstler
Andrzejewski; Bianchi; Col bastone; Damiani-Cabrini; Hibbard; Karpowicz 1983, 1987, 1999, 2003; Kühlenthal; Navone 2004, 2007; Orelli 2000; M. Pfister 1993; Stevens.

Gelehrte und Hauslehrer
Bandelier 2007, 2011a, 2011b; A. Maeder 1983; Muhmentaler; Schneider 1994; Steinke u. a.; Stuber u. a.

Zur Schweizer Siedlungswanderung
Bolzern 1992; Bühler 1985, 1992; Head-König; E. Maeder u. a. 2009; Mesmer; H.-U. Pfister 1987; Rauber; Ritzmann-Blickenstorfer; Schelbert 1967, 1976, 2008; Steiner; Tschudin; Witschi.

Einwanderer verändern die Schweiz
Bodmer 1946a; Lüthy 1959–61; Röthlin 1986; Küng 1993.

Der Handel mit Vieh und Käse
Bodmer 1967, 1981; Dubois; Marty; Ruffieux, Bodmer 1972; Steinauer 2000.

Solddienst als kommerzielle Verflechtung
Esch 1998a, 1998b, 1998c; Kälin 1991, 1996, 1997; Steinauer 2000.

Der Handel mit Waren der Verlags- und Heimindustrie
Bergeron; Bergier 1990; Bodmer 1946a, 1946b; R. Braun 1984; Carrière; Caspard; Chassagne, Chapman; Denzel; Evard; Ferrer; Göttmann; U. Pfister 1992a; Piuz u. a.; Siegenthaler; Smith; A. Tanner 1982; Veyrassat.

Die «marchands-banquiers» und das transnationale Finanz- und Bankgeschäft
Bergier 1990; Lüthy 1943, 1959–61; Peyer 1968; Piuz u. a.; Veyrassat.

Kommerzielle Infrastrukturen
Bairoch, Körner; Bergeron; Bergier 1990; Bodmer 1946b; Carrière; Darnton 1995; Darnton u. a. 2005; David u. a.;

Denzel; Dermigny 1959–60, 1963; Ferrer; Flückiger, Radeff; Fontaine 1992, 1993; Lüthy 1943, 1959–61; Piuz u. a.; Radeff; Rieser; Röthlin 1986, 1991; Stettler u. a. 2004; Veyrassat; E. Wild 1909.

Aussenpolitische und diplomatische Verflechtung
Altorfer-Ong 2008, 2010; Bolzern 1982, 1996; Bosbach; Brandli; B. Braun 1997; Büsser; Cojonnex; Duchhardt 1997, 2007, 2013; Gern; Griewank; Gröbli; Haas; Hanselmann; Jorio; Kälin 1996, 1997; Körner; Kutter; Lau 2007, 2008; Livet; Maissen 2006; Martin 1931; Peyer 1978; U. Pfister 1992b; Pibiri, Poisson; Pictet de Rochemont; Poisson; Rott; Scheurer; Schilling; Schläppi 1998, 2010; Schweizer 1880; Simonet; Stadler 1958, 1998; Stelling-Michaud; Surchat; Wettstein; E. Wild 1909; H. Wild 1917; Windler 2005a, 2005b, 2006a, 2006b; Würgler 2001, 2007, 2010, 2013.

Neutralität als Abgrenzung: vom Gebot der Staatsräson zum Fundament nationaler Identität
Behr; Bonjour; D. Frei 1967, 1974; Gotthard; Holenstein 2009; Maissen 2006, 2009b, 2011; Martin 1931; Peyer 1978; Pictet de Rochemont; Schweizer 1893; A. Suter 2003; Walter.

Identitätsbildung durch Abgrenzung: «frume, edle puren» gegen den bösen Adel
Groebner; Marchal 2006; Morkowska; Sieber-Lehmann, Wilhelmi.

Bedrohtes eidgenössisches Wesen: die Kritik an Solddienst und «fremden Händeln»
Esch 1998c; Groebner; Holenstein 2010.

Helvetismus: Abgrenzungen gegen das Ausland und die Entdeckung des Schweizer Nationalcharakters
Böhler u. a. 2000; Böhler 2007; Boscani Leoni; Bridel; Bunke; Ernst 1926, 1932, 1949, 1954; Florack; Francillon 1996a, 1996b; D. Frei 1967; Grosser; Hentschel; Holenstein 2005; Kempe; Maissen 2010a; Marchal 2010; Mathieu u. a. 2005; Maurer; Morkowska; de Muralt; Reichler 1995, 1998, 2002; Rosset 1996, 2011; Zurbuchen 2003, 2013.

Anders (und besser): die Erfahrung des Sonderfalls
U. Altermatt 2011; Bergier 1992; D. Frei 1964; Lüthy 1964a, 1964b; Morkowska; Widmer 2008; Zimmer.

Anders (und vorbildlich): die Rechtfertigung des Sonderfalls
U. Altermatt 2011; Bergier 1992; Büchi; D. Frei 1966, 1967; Morkowska; Reichler 1995; Rougemont 1941, 1965; Schneider 2010; Widmer 2008; Zimmer.

Die Aussenbeziehungen einer kleinen, neutralen, besonderen Republik
C. Altermatt 1990, 1998; U. Altermatt 2011; Duchhardt 2007, 2013; D. Frei 1967, 1974; J. Frei 1977; Freiburghaus 2009, 2010a, 2010b, 2013; Geser; Goetschel u. a. 2002; Goetschel 2004; Griewank; Herren-Oesch 2000; Herren-Oesch, Zala 2002; Inauen 2008, 2013; Langewiesche; Lüthy 1968; Maissen 2011; Mittler; Pictet de Rochemont; J. Tanner 1990, 1998; Widmer 2003, 2008.

Wachstum durch Verflechtung: der Kleinstaat als Wirtschaftsmacht
Bairoch, Körner; Bergier 1990; Bernegger; Breiding, Schwarz; Halbeisen u. a.; Rossfeld, Straumann 2008a, 2008b; Schröter; J. Tanner 1990, 1998.

Mitten in Europa: Transnationalität als «condition d'être» der Schweiz
U. Altermatt 2011; Bergier 1992; Cottier, Liechti Mc Kee; v. Däniken; Freiburghaus 2009, 2010a, 2010b, 2013; Gabriel; Gentinetta; Jost; Kohler; Lüthy 1964a, 1964b, 1968; Maissen 2009a, 2010b, 2010c; Morkowska; Rappard 1945; de Rougemont 1941, 1965; Schneider 2010; J. Tanner 1990, 1998.

Bibliografie

Grundsätzlich sei auf die Informationen und Literaturangaben im «Historischen Lexikon der Schweiz» (www.hls.ch) – dem derzeit umfassendsten und aktuellsten Wissensspeicher zur Schweizer Geschichte – verwiesen. Wichtig für die transnationale Geschichte der Schweiz sind die Länderartikel (zum Beispiel Frankreich, Freigrafschaft Burgund, Grossbritannien, Italien, Russland, Savoyen, Spanien und andere mehr), die Städteartikel (beispielsweise Genua, London, Lyon, Mailand, Marseille, Paris, Venedig) sowie die Kurzbiografien von grenzüberschreitend tätigen historischen Akteuren (Borromini, Canning, Casati, Chandieu, Deluze, Fazy, Fontana, de Gabrieli, Haller, Kapodistrias, Maderni, Pictet de Rochemont, Stuppa, Trezzini und andere). Die folgende Auswahl verdeutlicht die Vielfalt an einschlägigen Sachartikeln: Agrarmarkt, Allianzen, Alpen, Ambassador, Ausländer, Aussenpolitik, Aussenwirtschaft, Auswanderung, Banken, Baumwolle, Bundesvertrag, Bündner Wirren, Cafés, Diplomatie, Edelmetalle, Einwanderung, Ewiger Frieden, Ewige Richtung, Exportwirtschaft, Finanzplatz, Fremde Dienste, Golddrahtzieherei, Gotthardpass, Handel, Handelsprivilegien, Hausierer, Hauslehrer, Heimarbeit, Heimweh, Holzwirtschaft, Indienne, Kapitalmarkt, Kapitalverkehr, Käse, Kleinhandel, Klientelismus, Konsularwesen, Kornpolitik, Kriegführung, Maestranze, Mailänder Kapitulate, Manufaktur, Messen, Militärunternehmer, Neutralität, Nuntius, Pässe, Pensionen, Protoindustrialisierung, Resident, Saisonarbeit, Salz, Säumerei, Seide, Tagsatzung, Textilindustrie, Transportgewerbe, Uhrenindustrie, Verlagssystem, Viehhandel, Viehwirtschaft, Wanderarbeit, Wiener Kongress und andere mehr.

Für die Kontextualisierung stehen verschiedene, in jüngster Zeit erschienene schweizergeschichtliche Übersichtsdarstellungen zur Verfügung:
Kreis, Georg (Hg.), Die Geschichte der Schweiz, Basel 2014.
Maissen, Thomas, Geschichte der Schweiz, Baden 2010 (4. Aufl. 2012).
Walter, François, Histoire de la Suisse, 5 Bde., Neuenburg 2009/10.

Altermatt, Claude, Les débuts de la diplomatie professionelle en Suisse (1848–1914), Fribourg 1990. [C. Altermatt 1990]
Altermatt, Claude, 1798–1998: Zwei Jahrhunderte Schweizer Aussenvertretungen, Bern 1998. [C. Altermatt 1998]
Altermatt, Urs, Die Schweiz in Europa. Antithese, Modell oder Biotop? Frauenfeld 2011. [U. Altermatt 2011]
Altorfer-Ong, Stefan, Exporting Mercenaries, Money and Mennonites: A Swiss Diplomatic Mission to The Hague, 1710–1715, in: Holenstein, André u. a. (Hg.), The Republican Alternative. The Netherlands and Switzerland Compared, Amsterdam 2008, 237–257. [Altorfer-Ong 2008]
Altorfer-Ong, Stefan, Staatsbildung ohne Steuern. Politische Ökonomie und Staatsfinanzen im Bern des 18. Jahrhunderts, Baden 2010. [Altorfer-Ong 2010]
Andrzejewski, Marek, Schweizer Baumeister im Polen des 16.–18. Jahrhunderts, in: Kunst und Architektur in der Schweiz 55/3 (2004), 35–41.
Bairoch, Paul; Körner, Martin (Hg.), Die Schweiz in der Weltwirtschaft (15.–20. Jahrhundert), Zürich 1990.
Bandelier, André, Des Suisses dans la République des Lettres. Un réseau savant au temps de Frédéric le Grand, Genf 2007. [Bandelier 2007]
Bandelier, André, Précepteurs suisses et huguenots dans l'espace nord-européen au XVIIIe siècle, in: Sheridan, Geraldine; Prest, Viviane (Hg.), Les huguenots éducateurs dans l'espace européen à l'époque moderne, Paris 2011, 187–203. [Bandelier 2011a]
Bandelier, André, Des gouverneurs et gouvernantes suisses dans les Provinces-Unies au siècle des Lumières (2006), neu in: ders., Des Lumières à la Révolution. Le Jura et les confins franco-helvétiques dans l'histoire, Neuchâtel 2011, 91–107. [Bandelier 2011b]
Behr, Andreas, Freiburg 1674: Die französische Eroberung der Franche-Comté und die eidgenössische Neutralitätserklärung, in: Schweizerische Zeitschrift für Geschichte 63 (2013), 194–212.
Bergeron, Louis, Pourtalès & Cie (1753–1801): Apogée et déclin d'un capitalisme, in: Annales ESC 25 (1970), 498–517.
Bergier, Jean-François, Wirtschaftsgeschichte der Schweiz. Von den Anfängen bis zur Gegenwart, Zürich 1990. [Bergier 1990]
Bergier, Jean-François, Europe et les Suisses. Impertinences d'un historien, Carouge-Genève 1992. [Bergier 1992]
Bernegger, Michael, Die Schweiz und die Weltwirtschaft. Etappen der Integration im 19. und 20. Jahrhundert, in: Bairoch, Paul;

Körner, Martin (Hg.), Die Schweiz in der Weltwirtschaft (15.–20. Jahrhundert), Zürich 1990, 429–464.

Bianchi, Stefania, I cantieri dei Cantoni. Relazioni, opere, vicissitudini di una famiglia della Svizzera italiana in Liguria (secoli XVI–XVIII), Genua 2013.

Bodmer, Walter, Der Einfluss der Refugianteneinwanderung von 1550–1700 auf die schweizerische Wirtschaft, Zürich 1946. [Bodmer 1946a]

Bodmer, Walter, Schweizer Tropenkaufleute und Plantagenbesitzer in Niederländisch-Westindien im 18. und zu Beginn des 19. Jahrhunderts, in: Acta Tropica 3 (1946), 289–321. [Bodmer 1946b]

Bodmer, Walter, L'évolution de l'économie alpestre et du commerce de fromages du XVIe siècle à 1817 en Gruyère et au Pays d'Enhaut, in: Annales fribourgeoises 48 (1967), 5–162. [Bodmer 1967]

Bodmer, Walter, Der Zuger und Zürcher Welschlandhandel mit Vieh und die von Zürich beeinflusste Entwicklung der Zuger Textilgewerbe, in: Schweizerische Zeitschrift für Geschichte 31 (1981), 403–444. [Bodmer 1981]

Böhler, Michael u. a. (Hg.), Republikanische Tugend. Ausbildung eines Schweizer Nationalbewusstseins und Erziehung eines neuen Bürgers, Genf 2000. [Böhler u. a. 2000]

Böhler, Michael, Topologische Spiegeleien – Schweizer Wechselspiele im Imaginären Europas, in: Csáky, Moritz; Feichtinger, Johannes (Hg.), Europa – geeint durch Werte? Die europäische Wertedebatte auf dem Prüfstand der Geschichte, Bielefeld 2007, 103–132. [Böhler 2007]

Bolzern, Rudolf, Spanien, Mailand und die katholische Eidgenossenschaft. Militärische, wirtschaftliche und politische Beziehungen zur Zeit des Gesandten Alfonso Casati (1594–1621), Luzern 1982. [Bolzern 1982]

Bolzern, Rudolf, Massenauswanderung zur Zeit aufgeklärter Peuplierungspolitik. Die Auswanderung von Schweizern nach Andalusien 1767–1769 als Migrationsphänomen des 18. Jahrhunderts, in: Mesmer, Béatrix (Hg.), Der Weg in die Fremde, Basel 1992, 17–32. [Bolzern 1992]

Bolzern, Rudolf, Saavedra und die Schweiz, in: Duchhardt, Heinz; Strosetzki, Christoph (Hg.), Siglo de Oro – Decadencia. Spaniens Kultur und Politik in der ersten Hälfte des 17. Jahrhunderts, Köln u.a. 1996, 75–88. [Bolzern 1996]

Bonjour, Edgar, Geschichte der schweizerischen Neutralität. Vier Jahrhunderte eidgenössischer Aussenpolitik, 9 Bde., Basel/Stuttgart 1965–1976.

Bosbach, Franz, Die Eidgenossenschaft im Spannungsfeld der Grossmächte 1646 bis 1648 anhand der «Acta Pacis Westphalicae», in: Jorio, Marco (Hg.), 1648. Die Schweiz und Europa. Aussenpolitik zur Zeit des Westfälischen Friedens, Zürich 1999, 41–56.

Boscani Leoni, Simona (Hg.), Wissenschaft, Berge, Ideologien. Johann Jakob Scheuchzer (1672–1733) und die frühneuzeitliche Naturforschung, Basel 2010, 309–317.

Brandli, Fabrice, Le nain et le géant. La République de Genève et la France au XVIIIe siècle: cultures politiques et diplomatie, Rennes 2012.

Braun, Bettina, Die Eidgenossenschaft, das Reich und das politische System Karls V., Berlin 1997. [B. Braun 1997]

Braun, Rudolf, Das ausgehende Ancien Régime in der Schweiz. Aufriss einer Sozial- und Wirtschaftsgeschichte des 18. Jahrhunderts, Göttingen 1984. [R. Braun 1984]

Breiding, James R.; Schwarz, Gerhard, Wirtschaftswunder Schweiz. Ursprung und Zukunft eines Erfolgsmodells, 2. Aufl., Zürich 2011.

Bridel, Philippe-Sirice, Les Suisses ont-ils une poésie nationale, et quelle doit être cette poésie?, in: Mémoires lus à Lausanne dans une Société de gens de lettres, 1780–1782, neu in: Reynold, Gonzague de, Histoire littéraire de la Suisse au XVIIIe siècle, Bd. 1, Lausanne 1909, 501–508.

Büchi, Christophe, «Röstigraben»: Das Verhältnis zwischen deutscher und französischer Schweiz. Geschichte und Perspektiven, 3. Aufl., Zürich 2003.

Bühler, Roman u. a. (Hg.), Schweizer im Zarenreich, Zürich 1985. [Bühler 1985]

Bühler, Roman, Die Auswanderung aus Graubünden, in: Mesmer, Béatrix (Hg.), Der Weg in die Fremde (Itinera 11), Basel 1992, 132–180. [Bühler 1992]

Bührer, Walter, Der Zürcher Solddienst des 18. Jahrhunderts. Sozial- und wirtschaftsgeschichtliche Aspekte, Bern/Frankfurt a. M. 1977.

Bundi, Martin, Bündner Kriegsdienste in Holland um 1700. Eine Studie zu den Beziehungen zwischen Holland und Graubünden von 1693 bis 1730, Chur 1972.

Bunke, Simon, Heimweh. Studien zur Kultur- und Literaturgeschichte einer tödlichen Krankheit, Freiburg i. Br. 2009.

Büsser, Nathalie, Militärunternehmertum, Aussenbeziehungen und fremdes Geld, in: Historischer Verein des Kantons Schwyz (Hg.), Die Geschichte des Kantons Schwyz, Bd. 3, Zürich 2012, 69–127.

Carrière, Charles, Négociants marseillais au XVIIIe siècle. Contribution à l'étude des économies maritimes, Marseille 1973.

Caspard, Pierre, La Fabrique-Neuve de Cortaillod. Entreprise et profit pendant la Révolution industrielle 1752–1854, Paris 1979.

Ceschi, Raffaello, Bleniesi milanesi. Note sull'emigrazione di mestieri dalla Svizzera italiana, in: Col bastone e la bisaccia per le strade d'Europa. Migrazioni stagionali di mestiere dall'arco alpino nei secoli XVI–XVIII, Bellinzona 1991, 49–72.

Chassagne, Serge; Chapman, Stanley David, European textile printers in the eighteenth century. A study of Peel and Oberkampf, London 1981.

Chiapparino, Francesco, L'industria del cioccolato in Italia, Germania e Svizzera. Consumi, mercati e imprese tra '800 e prima guerra mondiale, Bologna 1997.

Cojonnex, François, Un vaudois à la tête d'un régiment bernois: Charles de Chandieu (1658–1728), Pully 2006.

Col bastone e la bisaccia per le strade d'Europa. Migrazioni stagionali di mestiere dall'arco alpino nei secoli XVI–XVIII, Bellinzona 1991 (= Bollettino storico della Svizzera italiana, Bd. 103).

Cossy, Valéry et al. (Hg.), Genève, lieu d'Angleterre, 1725–1814, Genf 2009.

Cottier, Thomas; Liechti-McKee, Rachel (Hg.), Die Schweiz und Europa. Wirtschaftliche Integration und institutionelle Abstinenz, Zürich 2010.

Däniken, Franz von, Wo steht die Schweiz heute?, in: Gentinetta, Katja; Kohler, Georg (Hg.), Souveränität im Härtetest. Selbstbestimmung unter neuen Vorzeichen, Zürich 2010, 41–56.

Damiani-Cabrini, Laura, Le migrazioni d'arte, in: Ceschi, Raffaello (Hg.), Storia della Svizzera italiana. Dal Cinquecento al Settecento, Bellinzona 2000, 289–312.

Darnton, Robert, The Forbidden Best-Sellers of Pre-Revolutionary France, New York 1995. [Darnton 1995]

Darnton, Robert u. a. (Hg.), Le rayonnement d'une maison d'édition dans l'Europe des Lumières: la Société typographique de Neuchâtel, 1769–1789, Neuchâtel 2005. [Darnton u. a. 2005]

David, Thomas; Bouda, Etemad; Schaufelbühl, Janick Maria, Schwarze Geschäfte. Die Beteiligung von Schweizern an Sklaverei und Sklavenhandel im 18. und 19. Jahrhundert, Zürich 2005.

Denzel, Markus, Die Geschäftsbeziehungen des Schaffhauser Handels- und Bankhauses Amman 1748–1779, in: Vierteljahrschrift für Sozial- und Wirtschaftsgeschichte 89 (2002), 1–40.

Dermigny, Louis, Cargaisons indiennes – Solier et Cie. (1781–1793), 2 Bde., Paris 1959/60. [Dermigny 1959/60]

Dermigny, Louis, Négociants bâlois

et genevois à Nantes et à Lorient au XVIIIe siècle, in: Mélanges d'histoire économique et sociale en hommage du professeur Antony Babel à l'occasion de son soixante-quinzième anniversaire, o. O. 1963, 39–56. [Dermigny 1963]

Dubois, Alain, L'exportation du bétail suisse vers l'Italie du XVIe au XVIIIe siècle, in: Westermann, Ekkehard (Hg.), Internationaler Ochsenhandel (1350–1750), Stuttgart 1979, 11–38.

Duchhardt, Heinz, Balance of Power und Pentarchie, Paderborn u. a. 1997. [Duchhardt 1997]

Duchhardt, Heinz, Kleinstaaten zwischen den Grossreichen, in: Langewiesche, Dieter (Hg.), Kleinstaaten in Europa. Symposium am Liechtenstein-Institut zum Jubiläum 200 Jahre Souveränität Fürstentum Liechtenstein 1806–2006, Schaan 2007, 79–91. [Duchhardt 2007]

Duchhardt, Heinz, Der Wiener Kongress. Die Neugestaltung Europas 1814/15, München 2013. [Duchhardt 2013]

Ernst, Fritz, La tradition médiatrice de la Suisse aux XVIIIe et XIXe siècles, in: Revue de littérature comparée 6 (1926), 549–607. [Ernst 1926]

Ernst, Fritz, Die Schweiz als geistige Mittlerin von Muralt bis Jacob Burckhardt, Zürich 1932. [Ernst 1932]

Ernst, Fritz, Vom Heimweh, Zürich 1949. [Ernst 1949]

Ernst, Fritz, Der Helvetismus. Einheit in der Vielheit, Zürich 1954. [Ernst 1954]

Esch, Arnold, Mit Schweizer Söldnern auf dem Marsch nach Italien. Das Erlebnis der Mailänderkriege 1510–1515 nach bernischen Akten, in: ders., Alltag der Entscheidung, Bern/Stuttgart/Wien 1998, 249–328. [Esch 1998a]

Esch, Arnold, Lebensverhältnisse von Reisläufern im spätmittelalterlichen Thun. Ein Beschlagnahme-Inventar von 1495, in: ders., Alltag der Entscheidung, Bern/Stuttgart/Wien 1998, 161–172. [Esch 1998b]

Esch, Arnold, Wahrnehmung sozialen und politischen Wandels in Bern an der Wende vom Mittelalter zur Neuzeit, in: ders., Alltag der Entscheidung, Bern/Stuttgart/Wien 1998, 87–136. [Esch 1998c]

Evard, Maurice, Périple au pays des indiennes: cochenille, garance et vitriol, Chézard-Saint-Martin 2002.

Ferrer, André, Tabac, sel, indiennes… Douane et contrebande en Franche-Comté au XVIIIe siècle, Besançon 2002.

Florack, Ruth, Tiefsinnige Deutsche, frivole Franzosen. Nationale Stereotype in deutscher und französischer Literatur, Stuttgart, Weimar 2001.

Flückiger, Erika; Radeff, Anne, Globale Ökonomie im alten Staat Bern am Ende des Ancien Régime, in: Berner Zeitschrift für Geschichte und Heimatkunde 62 (2000), 5–40.

Fontaine, Laurence, Les Alpes dans le commerce européen (XVIe–XVIIIe siècles), in: Bergier, Jean-François; Guzzi, Sandro (Hg.), La découverte des Alpes, Basel 1992, 130–152. [Fontaine 1992]

Fontaine, Laurence, Histoire du colportage en Europe, XVe–XIXe siècle, Paris 1993. [Fontaine 1993]

Francillon, Roger (Hg.), Histoire de la littérature en Suisse romande, Bd. 1, Lausanne 1996. [Francillon 1996a]

Francillon, Roger, L'hélvetisme au XVIIIe siècle: de Béat de Muralt au Doyen Bridel, in: ders. (Hg.), Histoire de la littérature en Suisse romande, Bd. 1, Lausanne 1996, 225–241. [Francillon 1996b]

Frei, Daniel, Das schweizerische Nationalbewusstsein. Seine Förderung nach dem Zusammenbruch der alten Eidgenossenschaft 1798, Zürich 1964. [D. Frei 1964]

Frei, Daniel, Sendungsgedanken in der schweizerischen Aussenpolitik, in: Schweizerisches Jahrbuch für Politische Wissenschaft 6 (1966), 98–113. [D. Frei 1966]

Frei, Daniel, Neutralität – Ideal oder Kalkül? Zweihundert Jahre aussenpolitischen Denkens in der Schweiz, Frauenfeld 1967. [D. Frei 1967]

Frei, Daniel, Gründe und Scheingründe für die schweizerische Neutralität, in: Wirtschaft und Recht, Heft 2 (1974), 1–11. [D. Frei 1974]

Frei, Jürg, Die schweizerische Flüchtlingspolitik nach den Revolutionen von 1848 und 1849, Zürich 1977. [J. Frei 1977]

Freiburghaus, Dieter, Königsweg oder Sackgasse? Sechzig Jahre schweizerische Europapolitik, Zürich 2009. [Freiburghaus 2009]

Freiburghaus, Dieter, Wie steht die Schweiz zu Europa?, in: Gentinetta, Katja; Kohler, Georg (Hg.), Souveränität im Härtetest. Selbstbestimmung unter neuen Vorzeichen, Zürich 2010, 103–131. [Freiburghaus 2010a]

Freiburghaus, Dieter u. a. (Hg.), Beziehungen Schweiz – EU. Standortbestimmung und Perspektiven, Zürich 2010. [Freiburghaus 2010b]

Freiburghaus, Dieter u. a. (Hg.), Der EWR – verpasste oder noch bestehende Chance?, Zürich 2013. [Freiburghaus 2013]

Fuhrer, Hans Rudolf; Eyer, Robert-Peter (Hg.), Schweizer in «Fremden Diensten». Verherrlicht und verurteilt, Zürich 2006.

Furrer, Norbert u. a. (Hg.), Gente ferocissima. Mercenariat et société en Suisse – Solddienst und Gesellschaft in der Schweiz (15.–19. Jahrhundert), Zürich 1997. [Furrer u. a. 1997]

Furrer, Norber, Die vierzigsprachige Schweiz. Sprachkontakte und Mehrsprachigkeit in der vorindustriellen Gesellschaft (15.–19. Jahrhundert), 2 Bde., Zürich 2002. [Furrer 2002]

Furter, Reto; Head-König, Anne-Lise; Lorenzetti, Luigi (Hg.), Rückwanderungen, Zürich 2009.

Gabriel, Jürg Martin, Wohin bewegt sich die Souveränität?, in: Gentinetta, Katja; Kohler, Georg (Hg.), Souveränität im Härtetest. Selbstbestimmung unter neuen Vorzeichen, Zürich 2010, 81–101.

Gentinetta, Katja; Kohler, Georg (Hg.), Souveränität im Härtetest. Selbstbestimmung unter neuen Vorzeichen, Zürich 2010.

Gern, Philippe, Aspects des relations franco-suisses au temps de Louis XVI, Neuchâtel 1970.

Geser, Hans, Über die historische Entwicklung und Stellung kleiner Staaten, in: Busek, Erhard; Hummer, Waldemar (Hg.), Der Kleinstaat als Akteur in den Internationalen Beziehungen, Schaan 2004, 133–154.

Goetschel, Laurent; Bernath, Magdalena; Schwarz, Daniel, Schweizerische Aussenpolitik: Grundlagen und Möglichkeiten, Zürich 2002. [Goetschel u. a. 2002]

Goetschel, Laurent, Die Sicherheits- und Verteidigungspolitik von Kleinstaaten: Indiz für die Entwicklung der internationalen Beziehungen?, in: Busek, Erhard; Hummer, Waldemar (Hg.), Der Kleinstaat als Akteur in den Internationalen Beziehungen, Schaan 2004, 222–234. [Goetschel 2004]

Gotthard, Axel, Der liebe vnd werthe Fried. Kriegskonzepte und Neutralitätsvorstellungen in der Frühen Neuzeit, Köln 2014.

Göttmann, Frank, Getreidemarkt am Bodensee. Raum, Wirtschaft, Politik, Gesellschaft (1650–1810), St. Katharinen 1991.

Griewank, Karl, Der Wiener Kongress und die europäische Restauration 1814/15, 2. Aufl., Leipzig 1954.

Gröbli, Fredy, Ambassador Du Luc und der Trücklibund von 1715. Französische Diplomatie und eidgenössisches Gleichgewicht in den letzten Jahren Ludwigs XIV., Basel 1975.

Groebner, Valentin, Gefährliche Geschenke. Ritual, Politik und die Sprache der Korruption in der Eidgenossenschaft im späten Mittelalter und am Beginn der Neuzeit, Konstanz 2000.

Grosser, Thomas, Bürgerliche Welt und Adelsreise: Nachahmung und Kritik, in: Babel, Rainer; Paravicini, Werner (Hg.), Grand Tour. Adliges Reisen und europäische Kultur vom 14. bis 18. Jahrhundert, Ostfildern 2005, 637–656.

Haas, Leonhard, Die spanischen Jahrgelder von 1588 und die politischen Faktionen in der Innerschweiz zur Zeit Ludwig Pfyffers, in: Zeitschrift für schweizerische Kirchengeschichte 44 (1951), 81–189.

Halbeisen, Patrick; Müller, Margrit; Veyrassat, Béatrice (Hg.), Wirtschaftsgeschichte der Schweiz im 20. Jahrhundert, Basel 2012.

Hanselmann, Jean-Louis, L'alliance hispano-suisse de 1587. Contribution à l'histoire des rapports entre Philippe II et la Confédération, in: Archivio storico ticinese 41–42 (1970), 1–168.

Head-König, Anne-Lise, Les émigrations suisses à longue distance et les facteurs démographiques (XVIIe–XIXe siècles), in: Mesmer, Béatrix (Hg.), Der Weg in die Fremde (Itinera 11), Basel 1992, 181–194.

Hentschel, Uwe, Mythos Schweiz. Zum deutschen literarischen Philhelvetismus zwischen 1700 und 1850, Tübingen 2002.

Herren-Oesch, Madeleine, Hintertüren zur Macht. Internationalismus und modernisierungsorientierte Aussenpolitik in Belgien, der Schweiz und den USA, 1865–1914, München 2000. [Herren-Oesch 2000]

Herren-Oesch, Madeleine; Zala, Sacha, Netzwerk Aussenpolitik. Internationale Kongresse und Organisationen als Instrumente der schweizerischen Aussenpolitik 1914–1950, Zürich 2002. [Herren-Oesch, Zala 2002]

Hibbard, Howard, Carlo Maderno and Roman Architecture 1580–1630, London 1971.

Hilfiker, Max, Handwerk und Gewerbe, Verkehr und Handel, in: Handbuch der Bündner Geschichte, Bd. 2, Chur 2000, 55–83.

Holenstein, André, Frugalität und Virilität. Zur Mythisierung kriegerischer Gewalt im republikanischen Diskurs in der Schweiz des 18. Jahrhunderts, in: Ulbrich, Claudia; Jarzebowski, Claudia; Hohkamp, Michaela (Hg.), Gewalt in der Frühen Neuzeit, Berlin 2005, 117–130. [Holenstein 2005]

Holenstein, André, L'enjeu de la neutralité: les cantons suisses et la guerre de Trente Ans, in: Chanet, Jean-François; Windler, Christian (Hg.), Les ressources des faibles. Neutralités, sauvegardes, accommodements en temps de guerre (XVIe–XVIIIe siècles), Rennes 2009, 47–61. [Holenstein 2009]

Holenstein, André, Heldensieg und Sündenfall. Der Sieg über Karl den Kühnen in der kollektiven Erinnerung der Eidgenossen, in: Oschema, Klaus; Schwinges, Rainer C. (Hg.), Karl der Kühne von Burgund. Fürst zwischen europäischem Adel und der Eidgenossenschaft, Zürich 2010, 327–342. [Holenstein 2010]

Holenstein, André, Ein Erinnerungsort für die Bundesideologie. Das Bundeshaus als Nationaldenkmal der Bundesstadt Bern, in: Mayer, Heike u.a. (Hg.), Im Herzen der Macht? Hauptstädte und ihre Funktion, Bern 2013, 35–76. [Holenstein 2013]

Inauen, Josef, Brennpunkt Schweiz. Die süddeutschen Staaten Baden, Württemberg und Bayern und die Eidgenossenschaft 1815–1840, Fribourg 2008. [Inauen 2008]

Inauen, Josef, Vom «Schurkenstaat» zur vertrauenswürdigen Republik. Die Beziehungen zwischen Baden, Württemberg und Bayern und der Schweiz im Vormärz 1840–1848 und der Wandel in der Wahrnehmung der Eidgenossenschaft durch die süddeutschen Staaten bis 1871, Freiburg 2013. [Inauen 2013]

Jorio, Marco (Hg.), 1648. Die Schweiz und Europa. Aussenpolitik zur Zeit des Westfälischen Friedens, Zürich 1999.

Jost, Hans-Ulrich, Pour une histoire européenne de la Suisse, in: traverse 1/3 (1994), 19–39.

Kälin, Urs, Die Urner Magistratenfamilien: Herrschaft, ökonomische Lage und Lebensstil einer ländlichen Oberschicht, 1700–1850, Zürich 1991. [Kälin 1991]

Kälin, Urs, Salz, Sold und Pensionen. Zum Einfluss Frankreichs auf die politische Struktur der innerschweizerischen Landsgemeindedemokratien im 18. Jahrhundert, in: Der Geschichtsfreund 149 (1996), 105–124. [Kälin 1996]

Kälin, Urs, Die fremden Dienste in gesellschaftsgeschichtlicher Perspektive. Das Innerschweizer Militärunternehmertum im 18. Jahrhundert, in: Furrer, Norbert u.a. (Hg.), Gente ferocissima. Mercenariat et société en Suisse – Solddienst und Gesellschaft in der Schweiz (15.–19. Jahrhundert), Zürich 1997, 279–287. [Kälin 1997]

Kaiser, Dolf, Fast ein Volk von Zuckerbäckern? Bündner Konditoren, Cafetiers und Hoteliers in europäischen Ländern bis zum ersten Weltkrieg, 2. Aufl., Zürich 1988.

Karpowicz, Mariusz, Artisti ticinesi in Polonia nel '600, Bellinzona 1983. [Karpowicz 1983]

Karpowicz, Mariusz, Artisti ticinesi in Polonia nel '500, Bellinzona 1987. [Karpowicz 1987]

Karpowicz, Mariusz, Artisti ticinesi in Polonia nella prima metà del '700, Bellinzona 1999. [Karpowicz 1999]

Karpowicz, Mariusz, Matteo Castello. L'architetto del primo barocco a Roma in Polonia, Lugano 2003. [Karpowicz 2003]

Kempe, Michael, Wissenschaft, Theologie, Aufklärung. Johann Jakob Scheuchzer (1672–1733) und die Sintfluttheorie, Epfendorf 2003.

Körner, Martin, The Swiss Confederation, in: Bonney, Richard (Hg.), The Rise of the Fiscal State in Europe, c. 1200–1815, Oxford 1999, 327–357.

Kühlenthal, Michael (Hg.), Graubündner Baumeister und Stukkateure, Locarno 1997.

Küng, Markus, Die bernische Asyl- und Flüchtlingspolitik am Ende des 17. Jahrhunderts, Genf 1993.

Kutter, Markus, Die Schweizer und die Deutschen. Es hätte auch ganz anders kommen können..., Zürich 1995.

Langewiesche, Dieter (Hg.), Kleinstaaten in Europa. Symposium am Liechtenstein-Institut zum Jubiläum 200 Jahre Souveränität Fürstentum Liechtenstein 1806–2006, Schaan 2007.

Lau, Thomas, Fremdwahrnehmung und Kulturtransfer – der Ambassadorenhof in Solothurn, in: Rohrschneider, Michael; Strohmeyer, Arno (Hg.), Wahrnehmungen des Fremden. Differenzerfahrungen von Diplomaten im 16. und 17. Jahrhundert, Münster 2007, 313–341. [Lau 2007]

Lau, Thomas, «Stiefbrüder». Nation und Konfession in der Schweiz und in Europa (1656–1712), Köln, Weimar, Wien 2008. [Lau 2008]

Livet, Georges, Introduction, in: ders. (Hg.), Recueil des instructions données aux ambassadeurs et ministres de France. Suisse, 2 Bde, Paris 1983, IX–CLXI.

Lorenzetti, Luigi, Migration, stratégies économiques et réseaux dans une valleé alpine. Le Val de Blenio et ses migrants (XIXe–début XXe siècle), in: Schweizerische Zeitschrift für Geschichte 49 (1999), 87–104. [Lorenzetti 1999a]

Lorenzetti, Luigi, Economie et migrations au XIXe siècle. Les stratégies de la reproduction familiale au Tessin, Bern 1999. [Lorenzetti 1999b]

Lorenzetti, Luigi, Les élites «tessinoises» du XVIIe au XIXe siècles: alliances et réseaux familiaux, in: Head-König, Anne-Lise; Lorenzetti, Luigi; Veyrassat, Béatrice (Hg.), Famille, parenté et réseaux en Occident (XVIIe–XXe siècles). Mélanges offerts à Alfred Perrenoud, Genf 2001, 207–226. [Lorenzetti 2001]

Lorenzetti, Luigi; Merzario, Raul, Il fuoco acceso. Famiglie e migrazioni alpine nell'Italia d'età moderna, Rom 2005. [Lorenzetti, Merzario 2005]

Lorenzetti, Luigi, Controllo del mercato, famiglie e forme imprenditoriali tra le élite mercantili sudalpine, dalla fine del Cinquecento al Settecento, in: Cavaciocchi, Simonetta (Hg.), La famiglia nell'economia europea, sec. XIII–XVIII, Florenz 2009, 517–526. [Lorenzetti 2009]

Lüthy, Herbert, Die Tätigkeit der Schweizer Kaufleute und Gewerbetreibenden in Frankreich unter Ludwig XIV. und der Regentschaft, Aarau 1943. [Lüthy 1943]

Lüthy, Herbert, La banque protestante en France de la Révocation de l'Édit de Nantes à la Révolution, Paris 1959–1961. [Lüthy 1959–61]

Lüthy, Herbert, Die Schweiz als Antithese [1961 französischer Artikel; 1963 deutsche Bearbeitung; 1964 publiziert], neu in: ders., Gesammelte Werke, Bd. III, Zürich 2003, 410–430. [Lüthy 1964a]

Lüthy, Herbert, Vom Geist und Ungeist des Föderalismus, in: Schweizer Monatshefte 44 (1964), 773–794, neu in: ders., Gesammelte Werke, Bd. IV, Zürich 2004, 82–102. [Lüthy 1964b]

Lüthy, Herbert, Die Schweiz als internationale Institution, in: Festschrift für Walther Hug zum 70. Geburtstag 14. April 1968, Bern 1968, 653–666, neu in: ders., Gesammelte Werke, Bd. IV, Zürich 2004, 195–204. [Lüthy 1968]

Maeder, Alain, Gouvernantes et précepteurs neuchâtelois dans l'empire russe (1800–1890), Neuchâtel 1993. [A. Maeder 1983]

Maeder, Eva; Niederhäuser, Peter (Hg.), Käser, Künstler, Kommunisten. Vierzig russisch-schweizerische Lebensgeschichten aus vier Jahrhunderten, Zürich 2009. [E. Maeder u. a. 2009]

Maissen, Thomas, Weshalb die Eidgenossen Helvetier wurden. Die humanistische Definition einer natio, in: Helmrath, Johannes u.a. (Hg.), Diffusion des Humanismus. Studien zur nationalen Geschichtsschreibung europäischer Humanisten, Göttingen 2002, 210-249. [Maissen 2002]

Maissen, Thomas, Die Geburt der Republic. Staatsverständnis und Repräsentation in der frühneuzeitlichen Eidgenossenschaft, Göttingen 2006. [Maissen 2006]

Maissen, Thomas, Schweizergeschichte im Zeitalter der Globalisierung, in: Geschichte Schweiz. Katalog der Dauerausstellung im Landesmuseum Zürich, Zürich 2009, 16–17. [Maissen 2009a]

Maissen, Thomas, L'invention de la tradition de neutralité helvétique: une adaptation au droit des gens naissant du XVIIe siècle, in: Chanet, Jean-François; Windler, Christian (Hg.), Les ressources des faibles. Neutralités, sauvegardes, accommodements en temps de guerre (XVIe–XVIIIe siècles), Rennes 2009, 17–46. [Maissen 2009b]

Maissen, Thomas, Die Bedeutung der Alpen für die Schweizergeschichte von Albrecht von Bonstetten (um 1442/43–1504/05) bis Johann Jakob Scheuchzer (1672–1733), in: Boscani Leoni, Simona (Hg.), Wissenschaft – Berge – Ideologien. Johann Jakob Scheuchzer (1672–1733) und die frühneuzeitliche Naturforschung, Basel 2010, 161–178. [Maissen 2010a]

Maissen, Thomas, Seit wann ist die Schweiz souverän?, in: Gentinetta, Katja; Kohler, Georg (Hg.), Souveränität im Härtetest. Selbstbestimmung unter neuen Vorzeichen, Zürich 2010, 57–80. [Maissen 2010b]

Maissen, Thomas, Die Schweiz und Europa in historischer Perspektive, in: Cottier, Thomas; Liechti-McKee, Rachel (Hg.), Die Schweiz und Europa. Wirtschaftliche Integration und institutionelle Abstinenz, Zürich 2010, 73–106. [Maissen 2010c]

Maissen, Thomas, Wie aus dem heimtückischen ein weiser Fuchs wurde. Die Erfindung der eidgenössischen Neutralitätstradition als Anpassung an das entstehende Völkerrecht des 17. Jahrhunderts, in: Jucker, Michael; Kintzinger, Martin; Schwinges, Rainer Christian (Hg.), Rechtsformen internationaler Politik. Theorie, Norm und Praxis vom 12. bis 18. Jahrhundert, Berlin 2011, 241–272. [Maissen 2011]

Marchal, Guy P., Schweizer Gebrauchsgeschichte, Basel 2006. [Marchal 2006]

Marchal, Guy P., Johann Jakob Scheuchzer und der schweizerische «Alpenstaatsmythos», in: Boscani Leoni, Simona (Hg.), Wissenschaft, Berge, Ideologien. Johann Jakob Scheuchzer (1672–1733) und die frühneuzeitliche Naturforschung, Basel 2010, 179–196. [Marchal 2010]

Martin, William, Histoire de la Suisse. Essai sur la formation d'une confédération d'états, Paris 1926. [Martin 1926]

Martin, William, La Suisse et l'Europe, 1813–1814, Lausanne 1931. [Martin 1931]

Marty, Albin, Die Viehwirtschaft der Urschweiz und Luzerns, insbesondere der Welschlandhandel 1500–1798, Lachen 1951.

Mathieu, Jon, Geschichte der Alpen 1500–1900, Wien 1998. [Mathieu 1998]

Mathieu, Jon; Boscani Leoni, Simona (Hg.), Die Alpen! Zur europäischen Wahrnehmungsgeschichte seit der Renaissance, Bern 2005. [Mathieu u. a. 2005]

Matt, Peter von, Bilderkult und Bildersturm. Eine Zeitreise durch die literarische und politische Schweiz, in: ders, Die tintenblauen Eidgenossen. Über die literarische und politische Schweiz, München 2001, 9–78. [v. Matt 2001]

Matt, Peter von, Rede auf dem Rütli am 1. August 2009, in: ders., Das Kalb vor der Gotthardpost, München 2012, 94–100. [v. Matt 2012]

Maurer, Michael, «Nationalcharakter» in der frühen Neuzeit. Ein mentalitätsgeschichtlicher Versuch, in: Blomer, Reinhart; Kuzmics, Helmut; Treibel, Annette (Hg.), Transformationen des Wir-Gefühls. Studien zum nationalen Habitus, Frankfurt a. M. 1993, 45–81.

Merzario Raul, Adamocrazia. Famiglie di emigranti in una regione alpina (Svizzera italiana, XVIII secolo), Bologna 2000.

Mesmer, Béatrix (Hg.), Der Weg in die Fremde, Basel 1992.

Michael-Caflisch, Peter, «Wer leben kann wie ein Hund erspart». Zur Geschichte der Bündner Zuckerbäcker in der Fremde, in: Histoire des Alpes 12 (2007), 273–289.

Mittler, Max, Der Weg zum Ersten Weltkrieg: Wie neutral war die Schweiz?, Zürich 2003.

Mondada, Giuseppe, Commerci e commercianti di Campo Valmaggio nel Settecento. Dalle lettere dei Pedrazzini e di altri conterranei attivi in Germania e in Italia, Lugano 1977.

Morkowska, Marysia, Vom Stiefkind zum Liebling. Die Entwicklung und Funktion des europäischen Schweizbilds bis zur Französischen Revolution, Zürich 1997.

Muhmentaler, Rudolf, Im Paradies der Gelehrten. Wissenschaftler im Zarenreich, Zürich 1996.

Muralt, Beat Ludwig de, Lettres sur les Anglois, les François et sur les voiages (1728), hg. von Charles Gould, Charles Oldham, Paris 1933 [Neudruck Genf 1974].

Navone, Nicola; Tedeschi, Letizia (Hg.), Dal mito al progetto. La cultura architettonica dei maestri italiani e ticinesi nella Russia neoclassica, 2 Bde., Mendrisio 2004. [Navone 2004]

Navone, Nicola, Bâtir pour les tsars. Architects tessinois en Russie 1700–1850, Lausanne 2007. [Navone 2007]

Orelli, Chiara, «Facchini» «ticinesi» nelle dogane di Livorno, Firenze e Genova. Alla conquista di un monopolio, in: Damiani Cabrini, Laura (Hg.), Seicento ritrovato. Presenze pittoriche «italiane» nella Lombardia svizzera fra Cinquecento e Seicento, Mailand 1996, 25–53. [Orelli 1996]

Orelli, Chiara, I migranti nelle città d'Italia, in: Ceschi, Raffaello (Hg.), Storia della Svizzera italiana. Dal Cinquecento al Settecento, Bellinzona 2000, 257–288. [Orelli 2000]

Peyer, Hans Conrad, Von Handel und Bank im alten Zürich, Zürich 1968. [Peyer 1968]

Peyer, Hans Conrad, Verfassungsgeschichte der alten Schweiz, 1978. [Peyer 1978]

Peyer, Hans Conrad, Die wirtschaftliche Bedeutung der fremden Dienste für die Schweiz vom 15. bis zum 18. Jahrhundert, in: ders., Könige, Stadt und Kapital. Aufsätze zur Wirtschafts- und Sozialgeschichte des Mittelalters, Zürich 1982, 219–231. [Peyer 1982]

Peyer, Hans Conrad, Schweizer in fremden Diensten – Ein Überblick, in: Schweizer Soldat 67 (1992), 4–8. [Peyer 1992]

Pfister, Hans-Ulrich, Die Auswanderung aus dem Knonauer Amt, 1648–1750. Ihr Ausmass, ihre Strukturen und ihre Bedingungen, Zürich 1987. [H.-U. Pfister 1987]

Pfister, Hans-Ulrich, Die Zielwahl der Zürcher Auswanderer 1648 und 1750, in: Mesmer, Béatrix (Hg.), Der Weg in die Fremde, Basel 1992, 33–46. [H.-U. Pfister 1992]

Pfister, Max, Baumeister aus Graubünden – Wegbereiter des Barock. Die auswärtige Tätigkeit der Bündner Baumeister und Stukkateure in Süddeutschland, Österreich und Polen vom 16. bis zum 18. Jahrhundert, Chur 1993. [M. Pfister 1993]

Pfister, Ulrich, Die Zürcher Fabriques. Protoindustrielles Wachstum vom 16. bis 18. Jahrhundert, Zürich 1992. [U. Pfister 1992a]

Pfister, Ulrich, Politischer Klientelismus in der frühneuzeitlichen Schweiz, in: Schweizerische Zeitschrift für Geschichte 42 (1992), 28–68. [U. Pfister 1992b]

Pfister, Willy, Aargauer in fremden Kriegsdiensten, 2 Bde., Aarau 1980–1984. [W. Pfister 1980–84]

Pfister, Willy, Die bernischen Soldregimenter im 18. Jahrhundert, in: Berner Zeitschrift für Geschichte und Heimatkunde 45 (1983), 1–72. [W. Pfister 1983]

Pibiri, Eva; Poisson, Guillaume (Hg.), Le diplomate en question (XVe–XVIIIe siècles), Lausanne 2010.

Pictet de Rochemont, Charles, De la Suisse dans l'intérêt de l'Europe ou Examen d'une Opinion énoncée par le général Sébastiani, Paris 1821.

Piuz, Anne-Marie; Mottu-Weber, Liliane (Hg.), L'Economie genevoise de la Réforme à la fin de l'Ancien Régime, XVIe–XVIIIe siècles, Genf 1990.

Poisson, Guillaume, Le rôle des secrétaires-interprètes de l'ambassadeur de France à Soleure dans la seconde moitié du XVIIe siècle, in: Pibiri, Eva; Poisson, Guillaume (Hg.), Le diplomate en question (XVe–XVIIIe siècles), Lausanne 2010, 137–154.

Radeff, Anne, Du café dans le chaudron. Economie globale d'Ancien Régime (Suisse occidentale, Franche-Comté et Savoie), Lausanne 1996.

Rappard, William Emmanuel, Cinq siècles de sécurité collective (1291–1798). Les expériences de la Suisse sous le régime des pactes de secours mutuel, Paris, Genf 1945. [Rappard 1945]

Rappard, William Emmanuel, La Suisse et l'organisation de l'Europe, Neuchâtel 1950. [Rappard 1950]

Rauber, Urs, Schweizer Industrie in Russland. Ein Beitrag zur Geschichte der industriellen Emigration, des Kapitalexportes und des Handels der Schweiz mit dem Zarenreich (1760–1917), Zürich 1985.

Reichler, Claude, Le rapatriement des différences. Beat Ludwig de Muralt entre deux mondes, in: Rivista di Letterature moderne e comparate 48 (1995), 141–154. [Reichler 1995]

Reichler, Claude; Ruffieux, Roland (Hg.), Le voyage en Suisse, Paris 1998. [Reichler 1998]

Reichler, Claude, La découverte des Alpes et la question du paysage, Genf 2002. [Reichler 2002]

Reinhardt, Volker, Nuntien und Nationalcharakter. Prolegomena zu einer Geschichte nationaler Wahrnehmungsstereotype am Beispiel der Schweiz, in: Koller, Alexander (Hg.), Kurie und Politik, Tübingen 1998, 285–300.

Reves, Christiane, Vom Pomeranzgängler zum Grosshändler? Netzwerke und Migrationsverhalten der Brentano-Familien im 17. und 18. Jahrhundert, Paderborn u. a. 2012.

Rieser, Jean-Léo, Les relations franco-helvétiques sous la Convention (1792–1795), Dijon 1927.

Ritzmann-Blickenstorfer, Heiner, Alternative Neue Welt. Die Ursachen der schweizerischen Überseewanderung im 19. und frühen 20. Jahrhundert, Zürich 1997.

Rogger, Philippe, Die Pensionenunruhen 1513–1516. Kriegsgeschäft und Staatsbildung in der Eidgenossenschaft am Beginn der Neuzeit, Diss. phil. Bern 2011.

Romer, Hermann, Herrschaft, Reislauf und Verbotspolitik. Beobachtungen zum rechtlichen Alltag der Zürcher Solddienstbekämpfung im 16. Jahrhundert, Zürich 1995.

Rosset, François, La vie littéraire et intellectuelle en pays romand au XVIIIe siècle, in: Francillon, Roger (Hg.), Histoire de la littérature en Suisse romande, Bd. 1, Lausanne 1996, 194–223. [Rosset 1996]

Rosset, François, «Spectacle sublime» et «petite mécanique»: un contentieux poétique au XVIIIe siècle, in: Heger-Etienvre, Marie-Jeanne; Poisson, Guillaume (Hg.), Entre attraction et rejet: deux siècles de contacts franco-suisses (XVIIIe–XIXe s.), Paris 2011, 132–151. [Rosset 2011]

Rossfeld, Roman (Hg.), Genuss und Nüchternheit. Geschichte des Kaffees in der Schweiz vom 18. Jahrhundert bis zur Gegenwart, Baden 2002. [Rossfeld 2002]

Rossfeld, Roman, Schweizer Schokolade. Industrielle Produktion und kulturelle Konstruktion eines nationalen Symbols 1860–1920, Baden 2007. [Rossfeld 2007]

Rossfeld, Roman; Straumann, Tobias (Hg.), Der vergessene Wirtschaftskrieg. Schweizer Unternehmen im Ersten Weltkrieg, Zürich 2008. [Rossfeld, Straumann 2008a]

Rossfeld, Roman; Straumann, Tobias, Zwischen den Fronten oder an allen Fronten? Eine Einführung, in: dies. (Hg.), Der vergessene Wirtschaftskrieg. Schweizer Unternehmen im Ersten Weltkrieg, Zürich 2008, 11–59. [Rossfeld, Straumann 2008b]

Röthlin, Niklaus, Die Basler Handelspolitik und deren Träger in der zweiten Hälfte des 17. und im 18. Jahrhundert, Basel, Frankfurt/M. 1986. [Röthlin 1986]

Röthlin, Niklaus, Ein Blick auf die Bezugs- und Absatzmärkte des schweizerischen Grosshandels anhand einiger Bilanzen aus dem 18. Jahrhundert, in: Bairoch, Paul; Körner, Martin (Hg.), Die Schweiz in der Weltwirtschaft (15.–20. Jahrhundert), Zürich 1990, 85–99. [Röthlin 1990]

Röthlin, Niklaus, Koloniale Erfahrungen im letzten Drittel des 18. Jahrhunderts. Die Plantagen der Firmen Thurneysen aus Basel und Pourtalès aus Neuenburg auf der westindischen Insel Grenada, in: Basler Zeitschrift für Geschichte und Altertumskunde 91 (1991), 129–146. [Röthlin 1991]

Röthlin, Niklaus, Einblicke in die Migration einer grossen Schweizer Stadt am Beispiel Basels (16.–18. Jahrhundert), in: Gilomen, Hans-Jörg u.a. (Hg.), Migration in die Städte, Zürich 2000, 171–184. [Röthlin 2000]

Rott, Edouard, Histoire de la représentation diplomatique de la France auprès des cantons Suisses, de leurs alliés et de leurs confédérés, 10 Bde., Bern 1900–1935.

Rougemont, Denis de, Aufgabe oder Selbstaufgabe der Schweiz, Zürich 1941. [Rougemont 1941]

Rougemont, Denis de, La Suisse ou l'histoire d'un peuple heureux, Paris 1965. [Rougemont 1965]

Ruffieux, Roland; Bodmer, Walter, Histoire du gruyère en Gruyère du XVIe au XXe siècle, Freiburg 1972.

Schelbert, Leo, Die Wanderungen der Schweizer. Ein historischer Überblick, in: Saeculum 18 (1967), 403–430. [Schelbert 1967]

Schelbert, Leo, Einführung in die schweizerische Auswanderungsgeschichte der Neuzeit, Zürich 1976. [Schelbert 1976]

Schelbert, Leo, Von den historischen Ursachen der schweizerischen Auswanderung. Vier Deutungsmodelle, in: Schweizerisches Archiv für Volkskunde 104 (2008), 163–182. [Schelbert 2008]

Scheurer, Rémy, Henri II d'Orléans-Longueville, les Suisses et le comté de Neuchâtel à la fin de la guerre de Trente Ans, in: Jorio, Marco (Hg.), 1648. Die Schweiz und Europa. Aussenpolitik zur Zeit des Westfälischen Friedens, Zürich 1999, 99–109.

Schilling, Heinz, Konfessionalisierung und Staatsinteressen. Internationale Beziehungen 1559–1660, Paderborn u. a. 2007.

Schläppi, Daniel, «In allem Übrigen werden sich die Gesandten zu verhalten wissen». Akteure in der eidgenössischen Aussenpolitik des 17. Jahrhunderts. Strukturen, Ziele, Strategien am Beispiel der Familie Zurlauben, in: Der Geschichtsfreund 151 (1998), 5–90. [Schläppi 1998]

Schläppi, Daniel, Diplomatie im Spannungsfeld widersprüchlicher Interessen: Das Beispiel von Zug, einer schweizerischen Landsgemeindedemokratie (17. und 18. Jahrhundert), in: Thiessen, Hillard von; Windler, Christian (Hg.), Akteure der Aussenbeziehungen. Netzwerke und Interkulturalität im historischen Wandel, Köln u. a. 2010, 95–110. [Schläppi 2010]

Schluchter, André, Die «nie genug zu verwünschende Wuth in fremde Länder zu gehen». Notizen zur Emigration der Tessiner in der frühen Neuzeit, in: Jaritz, Gerhard u. a. (Hg.), Migration in der Feudalgesellschaft, Frankfurt, New York 1988, 239–262. [Schluchter 1988]

Schluchter, André, Demografia e emigrazione nel Ticino in epoca moderna (secoli XVI–XIX), in: Col bastone e la bisaccia per le strade d'Europa. Migrazioni stagionali di mestiere dall'arco alpino nei secoli XVI–XVIII, Bellinzona 1991, 21–48. [Schluchter 1991]

Schlup, Michel (Hg.), La société typographique de Neuchâtel (1769–1789). L'édition neuchâteloise au siècle des Lumières, Neuchâtel 2002.

Schmid, Karl, Unbehagen im Kleinstaat, Zürich 1963.

Schneider, Harry, Schweizer Theologen im Zarenreich (1700–1917), Zürich 1994. [Schneider 1994]

Schneider, Heinrich, Die Eidgenossenschaft – Vorbild und Leitbild für die Einigung Europas?, in: Cottier, Thomas; Liechti-McKee, Rachel (Hg.), Die Schweiz und Europa. Wirtschaftliche Integration und institutionelle Abstinenz, Zürich 2010, 107–162. [Schneider 2010]

Schröter, Harm G., Aufstieg der Kleinen. Multinationale Unternehmen aus fünf kleinen Staaten vor 1914, Berlin 1993.

Schweizer, Paul, Einleitung, in: ders. (Hg.), Correspondenz der französischen Gesandtschaft in der Schweiz 1664–1671, Basel 1880, III–CLXII. [Schweizer 1880]

Schweizer, Paul, Geschichte der Schweizerischen Neutralität, Frauenfeld 1893. [Schweizer 1893]

Secretan, René, La mission d'Henri Monod auprès du tsar Alexandre Ier en décembre 1813, in: Zeitschrift für Schweizerische Geschichte 29 (1949), 195–226.

Sieber-Lehmann, Claudius; Wilhelmi, Thomas (Hg.), In Helvetios – Wider die Kuhschweizer. Fremd- und Feindbilder von den Schweizern in antieidgenössischen Texten aus der Zeit von 1386 bis 1532, Bern u. a. 1998.

Sieber-Lehmann, Claudius, Die Eidgenossenschaft und das Reich (14.–16. Jahrhundert), in: Jorio, Marco (Hg.), 1648. Die Schweiz und Europa. Aussenpolitik zur Zeit des Westfälischen Friedens, Zürich 1999, 25–39.

Siegenthaler, Hansjörg, Die Bedeutung des Aussenhandels für die Ausbildung einer schweizerischen Wachstumsgesellschaft im 18. und 19. Jahrhundert, in: Bernard, Nicolai; Reichen, Quirinus (Hg.), Gesellschaft und Gesellschaften, Bern 1982, 325–340.

Simonet, Sarah, Un exemple d'utilisation du Fonds Rott: l'étude des pensions d'alliance versées par la France à la Suisse du XVIe au XVIIIe siècle, in: Poisson, Guillaume; Schlup, Michel; Tosato-Rigo, Danièle (Hg.) Edouard Rott (1854–1924). Un diplomate neuchâtelois au service de l'histoire des relations franco-suisses, Neuchâtel 2011, 81–99.

Smith, Roger, The Swiss Connection. International Networks in some Eighteenth-Century Luxury Trades, in: Journal of Design History 17 (2004), 123–139.

Sprecher, Thomas, Karl Schmid (1907–1974). Ein Schweizer Citoyen, Zürich 2013.

Stadler, Peter, Vom eidgenössischen Staatsbewusstsein und Staatssystem um 1600, in: Schweizerische Zeitschrift für Geschichte 8 (1958), 1–20. [Stadler 1958]

Stadler, Peter, Der Westfälische Friede und die Eidgenossenschaft, in: Duchhardt, Heinz (Hg.), Der Westfälische Friede. Diplomatie – politische Zäsur – kulturelles Umfeld – Rezeptionsgeschichte, München 1998, 369–391. [Stadler 1998]

Steffen, Hans, Die Kompanien Kaspar Jodok Stockalpers. Beispiel eines Soldunternehmens im 17. Jahrhundert, Brig 1975.

Steidl, Annemarie, Rege Kommunikation zwischen den Alpen und Wien. Die regionale Mobilität Wiener Rauchfangkehrer, in: Furter, Reto; Head-König, Anne-Lise; Lorenzetti, Luigi (Hg.), Rückwanderungen, Zürich 2009, 25–40.

Steinauer, Jean, Des migrants avec des fusils. Le service étranger dans le cycle de vie, in: Furrer, Norbert u. a. (Hg.), Gente ferocissima. Mercenariat et société en Suisse – Solddienst und Gesellschaft in der Schweiz (15.–19. Jahrhundert), Zürich 1997, 117–125. [Steinauer 1997]

Steinauer, Jean, Patriciens, fromagers, mercenaires. L'émigration fribourgeoise sous l'Ancien Régime, Lausanne 2000. [Steinauer 2000]

Steiner, Peter, Aargauer in der Pfalz. Die Auswanderung aus dem Berner Aargau nach dem Dreissigjährigen Krieg, Baden 2009.

Steinke, Hubert; Boschung, Urs; Pross, Wolfgang (Hg.), Albrecht von Haller. Leben – Werk – Epoche. Göttingen 2008.

Stelling-Michaud Sven, La carrière diplomatique de François-Louis de Pesmes, seigneur de Saint-Saphorin, Villette-les-Cully 1935.

Stettler, Bernhard, Die Eidgenossenschaft im 15. Jahrhundert. Die Suche nach einem gemeinsamen Nenner, Zürich 2004. [B. Stettler 2004]

Stettler, Niklaus; Haenger, Peter; Labhardt, Robert, Baumwolle, Sklaven und Kredite. Die Basler Welthandelsfirma Christoph Burckhardt & Cie. in revolutionärer Zeit (1789–1815), Basel 2004. [Stettler u. a. 2004]

Stevens, Ursula, Tessiner Künstler in Europa, 13.–19. Jahrhundert (URL: http://www.artistiticinesi-ineuropa.ch/index.html; Zugriff 12.5.2014).

Stuber, Martin; Hächler, Stefan; Lienhard, Luc (Hg.), Hallers Netz. Ein europäischer Gelehrtenbriefwechsel zur Zeit der Aufklärung, Basel 2005.

Surchat, Pierre Louis, Das Corpus Helveticum im Urteil der Nuntien, in: Jorio, Marco (Hg.), Die Schweiz und Europa. Aussenpolitik zur Zeit des Westfälischen Friedens, Zürich 1999, 111–119.

Suter, Andreas, Neutralität. Prinzip, Praxis und Geschichtsbewusstsein, in: Hettling, Manfred u.a. (Hg.), Eine kleine Geschichte der Schweiz. Der Bundesstaat und seine Traditionen, Frankfurt a. M. 2003, 133–188. [A. Suter 2003]

Suter, Hermann, Innerschweizerisches Militär-Unternehmertum im 18. Jahrhundert, Zürich 1971. [H. Suter 1971]

Tanner, Albert, Spulen – Weben – Sticken. Die Industrialisierung in Appenzell Ausserrhoden, Zürich 1982. [A. Tanner 1982]

Tanner, Jakob, Die Schweiz und Europa im 20. Jahrhundert: wirtschaftliche Integration ohne politische Partizipation, in: Bairoch, Paul; Körner, Martin (Hg.), Die Schweiz in der Weltwirtschaft (15.–20. Jahrhundert), Zürich 1990, 409–428. [J. Tanner 1990]

Tanner, Jakob, Epilog: Die Schweiz liegt in Europa, in: Hettling, Manfred u. a., Eine kleine Geschichte der Schweiz. Der Bundesstaat und seine Traditionen, Frankfurt a. M. 1998, 291–313. [J. Tanner 1998]

Tornare, Alain-Jacques, Les troupes suisses capitulées et les relations franco-helvétiens à la fin du XVIIIe siècle, 2 Bde., Diss. Paris 1996.

Tschudin, Gisela, Schweizer Käser im Zarenreich. Zur Mentalität und Wirtschaft ausgewanderter Bauernsöhne und Bauerntöchter, Zürich 1990.

Veyrassat, Béatrice, Négociants et fabricants dans l'industrie cotonnière suisse (1760–1840), Lausanne 1982.

Walder, Ernst, Das Stanser Verkommnis. Ein Kapitel eidgenössischer Geschichte, Stans 1994.

Walter, François, Marignan, 1515. Traces de la mémoire d'une bataille de géants, in: Roth-Lochner, Barbara; Neuenschwander, Marc; Walter, François (Hg.), Des archives à la mémoire, Genf 1995, 477–503.

Wettstein – Die Schweiz und Europa 1648, hg. v. Historischen Museum Basel, Basel 1998.

Widmer, Paul, Schweizer Aussenpolitik und Diplomatie: von Pictet de Rochemont bis Edouard Brunner, Zürich 2003. [Widmer 2003]

Widmer, Paul, Die Schweiz als Sonderfall. Grundlagen, Geschichte, Gestaltung, 2. Aufl., Zürich 2008. [Widmer 2008]

Wild, Ella, Die eidgenössischen Handelsprivilegien in Frankreich 1444–1635, Diss. Zürich 1909. [E. Wild 1909]

Wild, Helen, Die letzte Allianz der alten Eidgenossenschaft mit Frankreich vom 28. Mai 1777, Zürich 1917. [H. Wild 1917]

Windler, Christian, Aussenbeziehungen vor Ort. Zwischen «grosser Strategie» und «Privileg», in: Historische Zeitschrift 281 (2005), 593–619. [Windler 2005a]

Windler, Christian, «Ohne Geld keine Schweizer»: Pensionen und Söldnerrekrutierung auf den eidgenössischen Patronagemärkten, in: Thiessen, Hillard von; Windler, Christian (Hg.), Nähe in der Ferne. Personale Verflechtung in den Aussenbeziehungen der Frühen Neuzeit, Berlin 2005, 105–133. [Windler 2005b]

Windler, Christian, Diplomatie als Erfahrung fremder politischer Kulturen. Gesandte von Monarchen in den eidgenössischen Orten (16. und 17. Jahrhundert), in: Geschichte und Gesellschaft 32 (2006), 5–44. [Windler 2006a]

Windler, Christian, «Allerchristlichste» und «katholische Könige». Verflechtung und dynastische Propaganda in kirchlichen Räumen (Katholische Orte der Eidgenossenschaft, spätes 16. bis frühes 18. Jahrhundert), in: Zeitschrift für Historische Forschung 33 (2006), 585–629. [Windler 2006b]

Witschi, Peter, Appenzeller in aller Welt. Auswanderungsgeschichte und Lebensschicksale, Herisau 1994.

Würgler, Andreas, Symbiose ungleicher Partner. Die französisch-eidgenössische Allianz, in: Jahrbuch für Europäische Geschichte 12 (2001), 53–75. [Würgler 2001]

Würgler, Andreas, Freunde, amis, amici. Freundschaft in Politik und Diplomatie der frühneuzeitlichen Eidgenossenschaft, in: Oschema, Klaus (Hg.), Freundschaft oder «amitié»? Ein politisch-soziales Konzept der Vormoderne im zwischensprachlichen Vergleich (15.–17. Jahrhundert), Berlin 2007, 191–210. [Würgler 2007]

Würgler, Andreas, «The League of Discordant Members» or How the Old Swiss Confederation Operated and How it Managed to Survive for so long, in: Holenstein, André; Maissen, Thomas; Prak, Maarten (Hg.), The Republican Alternative. The Netherlands and Switzerland Compared, Amsterdam 2008, 29–50. [Würgler 2008]

Würgler, Andreas, Verflechtung und Verfahren: Individuelle und kollektive Akteure in den Aussenbeziehungen der Alten Eidgenossenschaft, in: Thiessen, Hillard von; Windler, Christian (Hg.), Akteure der Aussenbeziehungen. Netzwerke und Interkulturalität im historischen Wandel, Köln u. a. 2010, 79–93. [Würgler 2010]

Würgler, Andreas, Die Tagsatzung der Eidgenossen. Politik, Kommunikation und Symbolik einer repräsentativen Institution im europäischen Kontext (1470–1798), Epfendorf 2013. [Würgler 2013]

Zimmer, Oliver, A Contested Nation. History, Memory and Nationalism in Switzerland, 1761–1891, Cambridge 2003.

Zurbuchen, Simone, Barbarei oder Zivilisation? Beat Ludwig von Muralts Lettres sur les Anglais et les Français et sur les Voyages und ihre Bedeutung für die Schweizer Aufklärung, in: dies., Patriotismus und Kosmopolitismus. Die Schweizer Aufklärung zwischen Tradition und Moderne, Zürich 2003, 25–48. [Zurbuchen 2003]

Zurbuchen, Simone, Beat Ludwig von Muralts Lettres sur les Anglais und die Anfänge der Anglophilie auf dem europäischen Kontinent, in: xviii.ch. Jahrbuch der Schweizerischen Gesellschaft für die Erforschung des 18. Jahrhunderts 4 (2013), 11–34. [Zurbuchen 2013]

Abbildungsnachweis

Umschlag: Europakarte nach Rumold Mercator, Mitte 17. Jahrhundert. Unversitätsbibliothek Bern, Sammlung Ryhiner, Nr. 1401 9.
Abb. 1: Kantonsbibliothek Appenzell Ausserrhoden, Trogen.
Abb. 2: Schweizerisches Nationalmuseum (DIG-3865, Inv. LM-65151).
Abb. 3: Schweizerisches Nationalmuseum (DIG-4902, Inv. DEP-65).
Abb. 4: Musée Historique de Mulhouse (HLS).
Abb. 5: Zentralbibliothek Zürich.
Abb. 6: Schweizerisches Nationalmuseum (DIG-16729, Inv. DEP-1573).
Abb. 7: Bernisches Historisches Museum.
Abb. 8: Schweizerisches Nationalmuseum (LM 55413, COL 22953).

Abkürzungen

HBLS: Historisch-biographisches Lexikon der Schweiz, 7 Bde., Neuenburg 1921–1934.
HLS: Historisches Lexikon der Schweiz, 13 Bände, Basel 2002–2014.
NZZ: Neue Zürcher Zeitung.

IMPRESSUM

Die Donation Maria Bindschedler, der Friedrich-Emil-Welti-Fonds und die Emil und Rosa Richterich-Beck Stiftung unterstützten mit grosszügigen Beiträgen die Drucklegung.

Dieses Buch ist nach den aktuellen Rechtschreibregeln verfasst. Quellenzitate werden jedoch in originaler Schreibweise wiedergegeben. Hinzufügungen sind in [eckigen Klammern] eingeschlossen, Auslassungen mit [...] gekennzeichnet.

Lektorat:
Laura Simon, Hier und Jetzt

Gestaltung und Satz:
Simone Farner, Hier und Jetzt

Bildbearbeitung:
Willy Rogl

© 2014 Hier und Jetzt,
Verlag für Kultur und Geschichte GmbH, Baden
www.hierundjetzt.ch

ISBN Druckausgabe 978-3-03919-323-3

Dieses Werk ist auch als E-Book erhältlich:
ISBN E-Book 978-3-03919-893-1